Crítica cómplice

Mario Benedetti

Crítica cómplice

Alianza Editorial

© Mario Benedetti
© Alianza Editorial, S. A., Madrid, 1988
Calle Milán, 38, 28043 Madrid; teléf. 2000045
ISBN: 84-206-3211-2
Depósito legal: M. 400-1988
Fotocomposición EFCA, S. A.
Dr. Federico Rubio y Galí, 16. 28039 Madrid
Impreso en Lavel. Los Llanos, nave 6. Humanes (Madrid)
Printed in Spain

13296

Indice

EL MUNDO

Posibilidad tercera: la de hacer del lector un cómplice, un camarada de camino... Así el lector podría llegar a ser copartícipe y copadeciente de la experiencia por la que pasa el novelista...

JULIO CORTAZAR

Para mí la crítica no ha sido nunca más que el ejercicio del criterio.

JOSE MARTI

Sin cierta flexibilidad del gusto no hay buen gusto. Sin cierta amplitud tolerante del criterio, no hay crítica literaria que pueda aspirar a ser algo superior al eco transitorio de una escuela y merezca la atención de la más cercana posteridad.

JOSE ENRIQUE RODO

El crítico es un hombre que espera milagros.

JAMES GIBSON HUNEKER

Prólogo

Hace más de veinte años, cuando leí que Cortázar deno-minaba lector cómplice *a quien «podría llegar a ser copartí-cipe y copadeciente de la experiencia por la que pasa el nove-lista», tuve de pronto la desconcertante sensación de que mu-chas de mis críticas literarias, en las que había coparticipado y copadecido de la experiencia de los autores, quizá tuvieran el inconfesado propósito de ser* crítica cómplice. *¿Y por qué no? La complicidad es quizá una de las más importantes y produc-tivas maniobras que el oficiante crítico realiza en su afán de entender, y también de comunicar.*

No obstante, para evitar malentendidos, es preciso diferen-ciar tajantemente la crítica cómplice *de la «crítica de apoyo» (*critique de soutien, *llaman los franceses a la serie de reseñas y comentarios aparentemente críticos, prolijamente coordina-dos, y por supuesto siempre favorables, que se programan para la promoción de un autor o la aparición de un libro). A dife-rencia de la* critique de soutien, *la crítica cómplice no tiene que ser obligatoriamente elogiosa, pero aun si es desfavorable o señala carencias, debe partir de una comunicación entraña-ble con la obra. Y es precisamente en esa comunicación donde* *(a pesar de la búsqueda de «literalidad» de los formalistas) todavía tiene vigencia la emotividad del crítico como lector. Después de todo, ¿por qué tienen que estar reñidas la crítica semiológica y la intuición del crítico?*

Pero vuelvo a Cortázar. Fue a raíz de la lectura de aquel revelador fragmento de Rayuela, que, al publicar en 1971 una breve selección de mis trabajos de crítica literaria, decidí titularla Crítica cómplice. *O sea el libro de un lector cómplice que hace crítica.*

Verdaderamente es una lástima (y tal vez una carencia) que los diccionarios sólo admitan la complicidad para el delito, como si todavía no hubiera llegado a las provincias académicas esa incanjeable complicidad que es el amor. ¿Y qué es la crítica (ya que descifra, comprende, vincula, disfruta, revela, participa y se duele) sino un complejo y vital acto de amor?

A esta altura, me temo que estoy enhebrando blasfemia tras blasfemia. Me consta que hoy existe (sobre todo en la franja de la crítica ocupada por los scholars*) una verdadera obsesión por los llamados enfoques científicos del quehacer literario: formalismo, estructuralismo, crítica semiológica, desconstruccionismo, etc. En ese sentido, y particularmente desde las universidades norteamericanas, llegan, tanto a Europa como a América Latina, corrientes muy definidas, muy estrictas y también muy excluyentes.*

Por supuesto, se trata de rumbos y especializaciones absolutamente válidos, pero lo cierto es que no tienen en cuenta al lector común (ese que lee novelas, cuentos, poesía, ensayos, y que a menudo busca textos críticos que lo ayuden a comprender mejor). Pues bien, ese lector es, ha sido siempre, uno de los receptores y beneficiarios de la función crítica, pero la verdad es que los nuevos críticos científicos no escriben para el lector sino para otros críticos científicos. Si el lector no conoce toda la nueva y cada vez más compleja terminología, quedará forzosamente al margen. En el mejor de los casos, deberá resignarse a contemplar cómo los nuevos críticos pasan con su lenguaje como Saturno con su anillo.

Aunque reconozca su legitimidad, nunca me he sentido inclinado a ejercer ese tipo de crítica. Más bien prefiero inscri-

birme en la categoría que T. S. Eliot bautizó como de críticos
practicantes, *o sea aquellos autores que escriben primordial-
mente novelas, cuentos, poemas, dramas, etcétera, y cuando
hacen crítica casi nunca pueden desprenderse de esa práctica
de imaginar, y en definitiva es ésta la que va a influir en sus
análisis y evaluaciones. Lo cierto es que la crítica (psicologista,
historicista, sociologista) que, con cierto menosprecio, los* scholars *llaman tradicional, empleaba en rigor un lenguaje más llano, al que el aplicado lector podía tener acceso. Esa crítica cum-
plía asimismo una función de* bisagra *entre autor y lector, vale
decir una función social.*

*Las nuevas tendencias, en cambio, corren el riesgo de que-
dar enclaustradas en sí mismas, aisladas para siempre del lector, y con el* ghetto *crítico como único y privilegiado destinatario. Es obvio que también ellas pueden llegar, en el futuro,
a cumplir una función social, pero en forma tan indirecta, en
trayectoria tan sinuosa, como la que pueden cumplir la bióni-
ca o la quimiotaxia. Por otra parte, la investigación científica
de la literatura no es una estricta novedad, y es innegable que
tiene en su haber aportes notables. Sólo en los últimos y pe-
núltimos tiempos algunos de sus más entusiastas e intransigen-
tes cultores tratan de ocupar en exclusividad el espacio de la
crítica.*

*Sintetizo: como lector, aspiro a que el crítico no me discri-
mine; como crítico, no figura en mis planes discriminar al lector.*

*Por último, advierto que este volumen no es una mera edi-
ción ampliada del que en 1971 llevaba el mismo título. Aquel
reunía sólo 15 trabajos, y éste en cambio incluye 37. Se trata
de estudios seleccionados de seis de mis libros de crítica literaria:* Literatura uruguaya siglo XX *(1963; 2.ª ed. ampliada,
1969),* Letras del continente mestizo *(1967; 3.ª ed. 1974),* Sobre artes y oficios *(1968),* Crítica cómplice *(1971),* El recurso
del supremo patriarca *(1979; 5.ª ed. 1985) y* El ejercicio del criterio *(1981; 3.ª ed. 1986). Asimismo incorporo textos más recientes, hasta ahora no incluidos en volumen.*

En la primera parte (La comarca) *se reúnen estudios sobre
autores uruguayos. La segunda* (El continente), *que es la más*

extensa, está dedicada a escritores del resto de América Latina y a uno de Estados Unidos. *(No por azar se trata de Faulkner, uno de los autores que más ha influido en narradores como Onetti, Rulfo, Novas Calvo, Bombal, Leñero, Fuentes, García Márquez.)* Por último, la tercera (El mundo) *incluye trabajos referidos a escritores europeos.*

M. B.

LA COMARCA

Felisberto Hernández o la credibilidad de lo fantástico

«Primero se veía todo lo blanco: las fundas grandes del piano y del sofá, y otras, más chicas, en los sillones y las sillas. Y debajo estaban todos los muebles; se sabía que eran negros porque al terminar las polleras se les veían las patas. Una vez que yo estaba solo en la sala, le levanté la pollera a una silla; y supe que aunque toda la madera era negra el asiento era de un género verde y lustroso.» Así empezaba un relato de Felisberto Hernández, «El caballo perdido», publicado hace dieciocho años. Desde entonces hasta ahora, este narrador tan singular y controvertido, se ha pasado levantando las polleras a las cosas, a los temas, a las almas. En toda la obra de Hernández (es decir, en sus cinco últimos títulos, ya que las narraciones que publicó entre 1925 y 1931 son virtualmente desconocidas e inhallables) hay un tono de travesura, de divertida curiosidad por lo lóbrego y lo prohibido; hay, en definitiva, un humorista. Pero el humor de Felisberto Hernández es muy difícil de catalogar, precisamente porque no es sa-

15

tírico. Por lo general, cuando un humorista se asoma a un ámbito más o menos abyecto, asienta largamente el filo de su ironía, y cuando corta, lo hace de veras y para siempre. Borges es un buen ejemplo de esta actitud satírica del creador que reacciona frente a algo que le provoca simultáneamente un sentimiento de atracción y otro de repulsa.

Pero la clave del acercamiento de Hernández a la abyección y al absurdo, acaso resida en la curiosidad. Este escritor se siente atraído y se divierte, y es su propia diversión lo que lo salva de la náusea. Por eso es difícil el diagnóstico, porque siempre se corre el riesgo de atribuir al autor la parte de abyección que va implícita en sus temas. Felisberto Hernández no es un alma sucia. Por el contrario, es un alma ingenua y decidida, que habla de los tabúes con la misma naturalidad que si se tratase de lugares comunes. Ello lo convierte en un hipersensible detector de lo falso, de la hipocresía, de los prejuicios, de ese submundo vergonzante que reside detrás de las fachadas. Con su prosa imprevista, llena de pequeñas trampas, de emboscadas sutiles, se introduce dondequiera y donde quiere, nada más que para revelarse a sí mismo, y revelarle al lector, que lo prohibido tiene su gracia.

Hace muchos años que se rastrean en la obra de Felisberto Hernández claves freudianas, notorias frustraciones, símbolos sexuales. Evidentemente, existen esas claves, abundan esos símbolos. Justamente, esa abundancia es lo único sospechoso. ¿Por qué tantas claves, tantos símbolos? Tengo al respecto una interpretación personal que probablemente no habrá de conseguir muchas adhesiones: el humorista que reside vitaliciamente en Felisberto Hernández, le ha hecho (sin que le importe correr el riesgo de que su obra sea malinterpretada) una mala jugada a los gustadores y disgustadores de sus cuentos. Es decir, se ha propuesto convencerlos de que escribe con más líbido que tinta. De ahí esa formidable diseminación de símbolos sexuales, de ahí ese mapa perfecto de inhibiciones, de ahí esa estructura casi clínica de su tribu de yoes.

Examine cuidadosamente el lector la obra de Hernández, y comprobará que hay claves en exceso, y aún más: que esas claves se hallan distribuidas con deliberada estrategia, como si estuvieran destinadas a apuntalar las más clásicas interpretaciones psicoanalíticas. Efectuar una auscultación freudiana en la obra de Felisberto Hernández es más o menos lo mismo que, para un estudioso del ajedrez, ir reconociendo en una partida los pormenores de la Defensa Filidor o del Contragambito Falkbeer; encuentra todas las respuestas previstas. Por eso, es fácil vanagloriarse como crítico de las revelaciones en cadena que es posible extraer de los relatos de Hernández, pero también cabe la posibilidad de que este narrador sea un seudo hermético, es decir, que escribe *para ser interpretado*. Como en el viejo y delicioso cuento de Hänsel y Gretel, que deliberadamente iban dejando migas que marcaban su ruta, así Felisberto Hernández va dejando indicios que conducen al símbolo. Sólo que esta vez no hay pájaros que se coman las migas.

Más de una vez se han señalado las vecindades de Felisberto Hernández con la obra de Kafka o la de Jorge Luis Borges. No recuerdo, en cambio, que se haya notado su relativa coincidencia con su casi homónimo: el argentino Macedonio Fernández. Pero aun con respecto a este notable humorista del absurdo, Felisberto Hernández mantiene una clara diferencia de enfoque, de actitud creadora. Mientras que Macedonio Fernández no pierde de vista la realidad, pero corta deliberadamente las amarras que lo unen a la misma, a fin de obtener la libertad que le permite hacer maravillas con lo absurdo, Felisberto, en cambio, a veces parece perder de vista lo real, pero nunca corta deliberadamente las amarras. Quizá resida allí su salvación. Las únicas veces en que casi las corta (*Las hortensias*, y antes, «Muebles El Canario») consigue sus dos únicos —e ilevantables— fracasos. Alberto Zum Felde vio con claridad que «el estado mórbido, semiclínico de los personajes de Hernández, abarca una escala extensa y muy elástica, que va de la hiperestesia a la alucinación, o, y aún, al delirio, pero no inhibe íntegramente la personalidad, le afecta sólo en parte; son semilocos, razonantes»[1].

[1] Indice crítico de la literatura hispanoamericana (tomo II: La narrativa), México, 1959, Editorial Guarania, pág. 461.

Semialienada es, por ejemplo, la protagonista de su último libro, *La casa inundada*[2], un relato en que Hernández cumple la infrecuente hazaña de conmover por la vía del ridículo. Esa viuda monumental, siempre rodeada de agua y de rituales («su cuerpo sobresalía de un pequeño bote como un pie gordo de un zapato escotado»), empieza siendo ambiguamente cómica y acaba imponiéndose al lector como una presencia majestuosa, patética. El relato breve «El cocodrilo», que acompaña a *La casa inundada*, es un cuento hábilmente redondeado y, asimismo, un espléndido y divertido ejercicio de imaginación, pero la acuosa peripecia de la señora Margarita es algo más que todo eso.

En *La casa inundada* está, quizá, el mejor Hernández, el que es capaz de crear situaciones absurdas sin desprenderse de lo verosímil (expediente que, por otra parte, ya había usado en «El Balcón», relato incluido en el volumen *Nadie encendía las lámparas* y que tiene asegurado un lugar incanjeable en cualquier antología del cuento uruguayo). Quizá sea imposible encontrar en la realidad un personaje tan egomarginal, tan humildemente vanidoso, como esa mórbida y minuciosa recordadora que es la señora Margarita, en cuya casa, inundada de agua y de recuerdos, puede navegar, sin que el lector se asombre, todo un cortejo de budineras con velas. Sin embargo, los detalles y pormenores de esa situación absurda no son inverosímiles, ni violentan ninguna ley, ni provocan catástrofe alguna. No en todos sus relatos, pero sí en los mejores de ellos, Felisberto Hernández demuestra que puede construirse una literatura fantástica sin trastocar violentamente los valores o los límites de la credibilidad. En esos casos, Hernández accede a lo fantástico sin apartarse de nuestra horma coloquial, ni alejarse de nuestro escaso —y a veces superfluo— costumbrismo.

Hasta ahora, Hernández sólo había contado con entusiastas panegíricos y críticas demoledoras, pero ambas valoraciones provenían siempre de las élites intelectuales. El último li-

---

[2] Montevideo, 1969, Editorial Alfa.

bro, al que hago referencia en esta nota, se agotó rápidamente. Aun los gustadores del arte tan peculiar de Felisberto Hernández, no creyeron que este narrador llegase a gozar de una extendida popularidad, ya que su estilo de imaginar ha requerido siempre un entrenamiento del lector, una progresiva aclimatación a sus cánones. Sin embargo es posible que, paulatinamente, Felisberto Hernández vaya interesando a un número creciente de lectores; acaso sólo falta que esos lectores se den cuenta de que no se trata de un escritor que reside en las nubes, sino de alguien que viene, con su personal provisión de nubes, a residir en nuestro alrededor.

(1961)

Juan Carlos Onetti y la aventura del hombre

La atmósfera de las novelas y los cuentos de Juan Carlos Onetti, dominados y justificados por su carga subjetiva, estaba anunciada en una de las confesiones finales de *El pozo* (su primer libro, publicado en 1939): «Yo soy un hombre solitario que fuma en un sitio cualquiera de la ciudad; la noche me rodea, se cumple como un rito, gradualmente, y yo nada tengo que ver con ella». Ni Aránzuru (en *Tierra de nadie*) ni Osorio (en *Para esta noche*) ni Brausen (en *La vida breve*) ni Larsen (en *El astillero*), dejaron de ser ese hombre solitario, cuya obsesión es contemplar cómo la vida lo rodea, se cumple como un rito y él nada tiene que ver con ella.

Cada novela de Onetti es un intento de complicarse, de introducirse de lleno y para siempre en la vida, y el dramatismo de sus ficciones deriva precisamente de una reiterada comprobación de la ajenidad, de la forzosa incomunicación que padece el protagonista y, por ende, el autor. El mensaje que éste nos inculca, con distintas anécdotas y en diversos grados de indirecto realismo, es el fracaso esencial de todo vínculo, el malentendido global de la existencia, el desencuentro del ser con su destino.

El hombre de Onetti se propone siempre un mano a mano con la fatalidad. En *Para esta noche*, Ossorio no puede convencerse de la posibilidad de su fuga y es a ese descreimiento que debe su ternura ocasional hacia la hija de Barcala. Sólo es capaz de una moderada —y equívoca— euforia sentimental, a plazo fijo, cuando querer hasta la muerte significa lo mismo que hasta esta noche. En *La vida breve* llega a tal extremo el convencimiento de Brausen de que toda escapatoria se halla clausurada, que al comprobar que otro, un ajeno, ha cometido el crimen que él se había reservado, protege riesgosamente al homicida mejor aún de lo que suele protegerse a sí mismo. Para él, Ernesto es un mero ejecutor, pero el crimen es inexorablemente suyo, es el crimen de Brausen. La única explicación de su ayuda a Ernesto, es su obstinado deseo de que el crimen le pertenezca. Lo protege, porque con ello defiende su destino. *La vida breve* es, en muchos sentidos, demostrativa de las intenciones de Onetti. En *Para esta noche*, en *Tierra de nadie*, había planeado su obsesión; en *La vida breve*, en cambio, intenta darle alcance. Emir Rodriguez Monegal ha señalado que *La vida breve* cierra en cierto sentido ese ciclo documental abierto diez años atrás por *El pozo*. El ciclo se cierra, efectivamente, pero en una semiconfesión de impotencia, o más bien de imposibilidad: el ser no puede confundirse con el mundo, no logra mezclarse con la vida. De esa carencia arranca paradójicamente otro camino, otra posibilidad: el protagonista crea un ser imaginario que se confunde con su existencia y en cuya vida puede confundirse. La solución irreal, ya en el dominio de lo fantástico, admite la insuficiencia de ese mismo realismo que parecía la ruta preferida del novelista y traduce el convencimiento de que tal realismo era, al fin de cuentas, un callejón sin salida.

Sin embargo, no es en *La vida breve* donde por primera vez Onetti recurre a este expediente. Paralelamente a sus novelas, el narrador ha construido otro ciclo, acaso menos ambicioso, pero igualmente demostrativo de su universo, de las interrogaciones que desde siempre lo acosan. En dos volúmenes de relatos: *Un sueño realizado y otros cuentos* (1951) y *El infierno tan temido* (1962), ha desarrollado temas menores dentro de la estructura y el espacio adecuados. A diferencia de otros narradores uruguayos, ha hecho cuentos con temas de cuento, y novelas con temas de novela.

Es en «Un sueño realizado», el relato más importante del primer volumen, donde recurre francamente a una solución de índole fantástica, y va en ese terreno más allá de Coleridge, de Wells y de Borges. Ya no se trata de una intrusión del sueño en la vigilia, ni de la vulgar pesadilla premonitoria, sino más bien de forzar a la realidad a seguir los pasos del sueño. La reconstrucción, en una escena artificiosamente real, de todos los datos del sueño, provoca también una repetición geométrica del desenlace. El autor elude expresar el término del sueño; ésta es en realidad la incógnita que nunca se despeja, pero es posible aclararla paralelamente al desenlace de la escena. En cierto sentido, el lector se encuentra algo desacomodado, sobre todo ante el último párrafo, que en un primer enfrentamiento siempre desorienta. Desde el principio del cuento, la mujer brinda datos a fin de que Blanes y el narrador consigan reconstruir el sueño con la mayor fidelidad. Así recurre a la mesa verde, la verdulería con cajones de tomate, el hombre en un banco de cocina, el automóvil, la mujer con el jarro de cerveza, la caricia final. Pero cuando se construye efectivamente la escena, se agrega a estas circunstancias un hecho último y decisivo: la muerte de la mujer, que no figuraba en el planteo inicial. El desacomodamiento del lector proviene de que hasta ese momento la realidad se calcaba del sueño, es decir, que los pormenores del sueño permitían formular la realidad, y ahora, en cambio, el último pormenor de la escena permite rehacer el desenlace del sueño. Es este desenlace —sólo implícito— del sueño, el que transforma la muerte en suicidio. El lector que ha seguido un ritmo obligado de asociaciones, halla de pronto que éste se convierte en otro, diametralmente opuesto al anunciado por la mujer.

No es esta forzosa huida del realismo, el único ni el principal logro de «Un sueño realizado». Cuando el narrador presenta a la mujer, confiesa no haber adivinado, a la primera mirada, lo que había dentro de ella ni aquella cosa como una cinta blanduzca y fofa de locura que había ido desenvolviendo, arrancando con suaves tirones, como si fuese una venda pegada a una herida, de sus años pasados, para venir a fajarme con ella, como a una momia, a mí y a algunos de los días pasados en aquel sitio aburrido, tan abrumado de gente gorda y mal vestida,

y agrega:

La mujer tendría alrededor de cincuenta años y lo que no podía olvidarme de ella, lo que siento ahora que la recuerdo caminar hacia mí en el comedor del hotel, era aquel aire de jovencita de otro siglo que hubiera quedado dormida y despertara ahora un poco despeinada, apenas envejecida pero a punto de alcanzar su edad en cualquier momento, de golpe, y quebrarse allí en silencio, desmoronarse roída por el trabajo sigiloso de los días.

Es decir, que ésta también es una rechazada, alguien que no pudo introducir su soledad en la vida de los otros, pero sin que esto llegue a serle de ningún modo indiferente; por el contrario, le resulta de una importancia terrible, sobrecogedora.

Cuando ella le explica a Blanes cómo será la escena, y concluye diciéndole: «Entretanto yo estoy acostada en la acera, como si fuera una chica. Y usted se inclina un poco para acariciarme», ella sabe efectivamente que alcanzará su edad (la de la chica que debió ser) en ese momento y podrá así quebrarse en silencio, desmoronarse roída por el trabajo sigiloso de los días. Esa propensión deliberada hacia la caricia del hombre, ese elegir la muerte como quien elige un ideal, fijan inmejorablemente su ternura fósil, desecada, aunque obstinadamente disponible. Para ella, Blanes no representa a nadie; es sólo una mano que acaricia, es decir, el pasado que acude a rehabilitarse de su egoísmo, de su rechazo torpe, sostenido. La caricia de Blanes es la última oportunidad de perdonar al mundo. En «Un sueño realizado», Onetti aísla cruelmente al ser solitario e indeseable, superior a la tediosa realidad que construye, superior a sus escrúpulos y a su cobardía, pero irremediablemente inferior a su mundo imaginario.

Los cuentos de Onetti tienen, no bien se los compara con

sus novelas, dos diferencias notorias: la obligada restricción del planteo, que simplifica, afirmándolo, su dramatismo, y también el relativo abandono —o el traslado inconsciente— de la carga subjetiva que en las novelas soporta el protagonista y que constituye por lo general una limitación, una insistencia a veces monótona del narrador. La simetría, que en las novelas parece evidente en *La vida breve* (el asesinato de la Queca se halla en el vértice mismo del argumento) y más disimulada en *El astillero* (la entrevista de Larsen con el viejo Petrus, que en muchos sentidos da la clave de la obra, tiene lugar en el centro de la novela), constituye en los cuentos una modalidad técnica. Siempre hay un movimiento de ida y otro de vuelta, una mitad preparatoria y la otra definitiva. En la primera parte de «Un sueño realizado» la mujer cuenta su sueño; en la segunda, se construye la escena. También en «Bienvenido Bob», el narrador diferencia hábilmente al adolescente del comienzo, «casi siempre solo, escuchando jazz, la cara soñolienta, dichosa, pálida», del Roberto final, «de dedos sucios de tabaco», «que lleva una vida grotesca, trabajando en cualquier hedionda oficina, casado con una gorda mujer a quien nombra "miseñora"». En «Esbjerg, en la costa», la estafa separa dos zonas bien diferenciadas en las relaciones de Kirsten y Montes. En «La casa en la arena», la llegada de Molly transforma el clima y provoca las reacciones siniestras, faulknerianas, del Colorado. Ese vuelco deliberado, que significa en Onetti casi una teoría del cuento, no quita expectativa a sus ficciones. La mitad preparatoria suele enunciar los caminos posibles; la final, pormenoriza la elección.

En los cuentos de Onetti —y, de hecho, también en sus novelas— es poco lo que ocurre. La trama se construye alrededor de una acción grave, fundamental, que justifica la tensión creada hasta ese instante y provoca el diluido testimonio posterior. Con excepción de «Un sueño realizado» —cuya solución es en cierto modo un mero regreso a su desenlace— los otros cuentos del primer volumen carecen precisamente de solución. Existe una esforzada insistencia en descubrir el medio (con sus pormenores, sus datos, sus inanes requisitos) en que el relato se suspende. Existe asimismo el evidente propósito de fijar las nuevas circunstancias que, a partir del punto final, agobiarán al personaje.

Nada culmina en «Bienvenido Bob», como no sea el increíble desquite, pero en el último párrafo se establece la cronicidad de un presente que seguirá girando alrededor de Roberto hasta agotar su voluntad de regreso, su capacidad de recuperación.

Voy construyendo para él planes, creencias y mañanas distintos que tienen la luz y el sabor del país de juventud de donde él llegó hace un tiempo. Y acepta: protesta siempre para que yo redoble mis promesas, pero termina por decir que sí, acaba por muequear una sonrisa creyendo que algún día habrá de regresar al mundo y las horas de Bob y queda en paz en medio de sus treinta años, moviéndose sin disgusto ni tropiezo entre los cadáveres pavorosos de las antiguas ambiciones, las formas repulsivas de los sueños que se fueron gastando bajo la presión distraída y constante de tantos miles de pies inevitables.

Nada culmina tampoco en «Esbjerg, en la costa», pero Montes

terminó por convencerse de que tiene el deber de acompañarla [a Kirsten], que así paga en cuotas la deuda que tiene con ella, como está pagando la que tiene conmigo; y ahora, en esta tarde de sábado como en tantas noches y mediodías [...] se van juntos más allá de Retiro, caminan por el muelle hasta que el barco se va [...] y cuando el barco comienza a moverse, después del bocinazo, se ponen duros y miran, miran hasta que no pueden más, cada uno pensando en cosas tan distintas y escondidas, pero de acuerdo, sin saberlo, en la desesperanza y en la sensación de que cada uno está solo, que siempre resulta asombrosa cuando nos ponemos a pensar.

De modo que la tarde del sábado es también allí un presente crónico, un incambiable motivo de separación, que desde ya corrompe todo el tiempo e invalida toda escapatoria.

En cuanto se desprende de sus relatos, puede inferirse que el mensaje de Onetti no incluye, ni pretende incluir, sugerencias constructivas. Sin embargo, resulta fácil advertir que el hombre de estos cuentos se aferra a una posibilidad que lentamente se evade de su futuro inmediato. Roberto tiende, sin esperanza, a recuperar la juventud de Bob; Kirsten no puede olvidar su Dinamarca, y Montes no puede olvidar la Dinamarca de Kirsten; sólo la mujer de «Un sueño realizado» consigue su caricia, a costa de desaparecer.

Lo peculiar de todo esto es que la actitud de Onetti —como dice Orwell acerca de Dickens— «ni siquiera es destructiva. No hay ningún indicio de que desee destruir el orden existente, o de que crea que las cosas serían muy diferentes si aquél lo fuera». Onetti dice pasivamente su testimonio, su visión cruel, agriamente resignada, del mundo contra el que se estrella; pero arrastra consigo un indisimulado convencimiento de que no incumbe obligadamente a la literatura modificar las condiciones —por deplorables que resulten— de la realidad, sino expresarlas con elaborado rigor, con una fidelidad que no sea demasiado servil. Es claro que estos cuentos no logran transmitir en su integridad el clima oprimente de Onetti ni todos los matices de su mundo imaginario. Sus novelas resultan siempre más agobiadoras. Eladio Linacero padece una soledad más inapreciable y más cruel que la del último Bob; Brausen realiza sueños más vastos que la mujer acariciada por Blanes; el Díaz Grey de *La vida breve* está en varios aspectos más encanallado que su homónimo de «La casa de la arena»; el Larsen de *El astillero* está más seguro en su autoflagelación que el Montes de «Esbjerg, en la costa». No obstante, esos relatos breves son imprescindibles para apreciar ciertas gradaciones de su enfoque, de su visión agónica de la existencia, que no siempre recogen las novelas. Los cuentos parecen asimismo (con excepción de «El infierno tan temido») menos crueles, menos sombríos. Por alguna hendidura penetra a veces una disculpa ante el destino, un breve resplandor de confianza, que los Brausen, los Ossorio, los Aránzuru, los Linacero, no suelen irradiar ni percibir. Confianza que, por otra parte, no es ajena a «la sensación de que cada uno está solo, que siempre resulta asombrosa cuando nos ponemos a pensar».

Entre el primero y el segundo de los volúmenes de cuentos publicados por Onetti, hay otro relato, titulado «Jacob y

25

el otro», que obtuvo la primera de las menciones en el concurso literario que en 1960 fuera convocado por la revista norteamericana *Life en español*. Situado, como la mayor parte de sus narraciones, en la imaginaria y promedial Santa María, «Jacob y el otro» abarca un episodio independiente, basado en dos personajes (el luchador Jacob van Oppen y su representante el Comendador Orsini) que sólo están de paso. Santa María los recibe, a fin de presenciar una demostración de lucha y un posible desafío, en el que estarán en juego quinientos pesos. El desafiante es un almacenero turco, joven y gigantesco, pero su verdadera promotora es la novia («pequeña, intrépida y joven, muy morena y con la corta nariz en gancho, los ojos muy claros y fríos») que precisa como el pan los quinientos pesos, ya que está encinta y necesita el dinero para la obligatoria boda.

Con este planteamiento y la aprensión de Orsini por la actual miseria física de su pupilo, Onetti construye un cuento acre y compacto, mediante sucesivos enfoques desde tres ángulos: el médico, el narrador, el propio Orsini. Con gran habilidad, el escritor hace entender que quienes gobiernan el episodio son la novia del turco y Orsini, mientras que Jacob y el desafiante son meros instrumentos; pero en el desenlace uno de esos instrumentos se rebela y pasa a actuar por sí mismo. Aunque Onetti empieza por contar ese desenlace (en la versión del médico que opera al gigante maltrecho), en realidad el lector ignora de qué luchador se trata; sólo imagina el nombre, y por lo común imagina mal. Lo que verdaderamente pasó, sólo se sabrá en las últimas páginas. Es un relato cruel, despiadado, en que los personajes dejan al aire sus peores raíces; por lo tanto, no invita a la adhesión. Pero con personajes desagradables y hasta crapulosos, puede hacerse buena literatura, y el cuento de Onetti es una inmejorable demostración de esa antigua ley.

El volumen que se titula *El infierno tan temido*, incluye, además del relato que le da nombre, otros tres: «Historia del caballero de la rosa y de la virgen encinta que vino de Liliput», «El álbum» y «Mascarada». Este último es, seguramente, el menos eficaz de todos los cuentos publicados hasta ahora por Onetti. La anécdota es poco más que una viñeta, pero soporta una cargazón de símbolos y semisímbolos, que la agobian hasta frustrarla. No obstante, puede tener cierto interés para la historia de nuestra narrativa. Se trata de un cuento publicado separadamente hace varios años, cuando todavía no estaba de moda la novela objetiva. Si se lee el cuento con atención, se verá que el personaje María Esperanza está visto (por cierto que muy primitivamente) como objeto, y como tal se lo describe, sin mayor indagación en su intimidad. «El álbum» cuenta, como casi todas las narraciones de Onetti, una aventura sexual. Pero —también como en casi todas— planea sobre la aventura un reducido misterio, un arcano de ocasión, que oficia de pretexto, de justificación para lo sórdido. El muchacho de Santa María que se vincula a una desconocida, a una extraña que «venía del puerto o de la ciudad con la valija liviana de avión, envuelta en un abrigo de pieles que debía sofocarla», juega con ella el juego de la mentira, de los viajes imaginarios, de la ficción morosamente levantada, palmo a palmo. Pero cuando la mujer se va y sólo queda su valija, el crédulo se enfrenta con un álbum donde innumerables fotografías testimonian que los viajes narrados por la mujer no eran el deslumbrante impulso de su imaginación, sino algo mucho más ramplón: eran meras verdades. Ese desprestigio de la verdad está diestramente manejado por Onetti, que no puede evitar ser corrosivo, pero en esa inevitabilidad funda una suerte de tensión, de ímprobo patetismo.

En «El caballero de la rosa» el logro es inferior. Hay un buen tema, una bien dosificada expectativa, tanto en la grotesca vinculación de la acaudalada doña Mina con una pareja caricatural, como en el proceso que lleva a la redacción del testamento. Pero la expectativa conduce a poca cosa, y el agitadísimo final sólo parece un flojo intento de construir un efecto. Hay buenos momentos de prosa más o menos humorística, pero si se recuerda la excepcional destreza que Onetti ha puesto otras veces al servicio de sus temas, este relato pasa a ser de brocha gorda. En compensación, «El infierno tan temido» es el mejor cuento publicado hasta hoy por Onetti. En su acepción más obvia, es sólo la historia de una venganza;

27

pero en su capa más profunda, es algo más que eso. Risso, el protagonista, se ha separado de su mujer, a consecuencia de una infidelidad de extraño corte (ella se acostó con otro, pero sólo como una manera de agregar algo a su amor por Risso). La mujer desaparece, y al poco tiempo empieza a enviar (a él, y a personas con él relacionadas) fotos obscenas que, increíblemente, van documentando su propia degradación. Risso llega a interpretar esa agresiva publicidad, ese calculado desparramo de la impudicia, como una insólita, desesperada prueba de amor. Y quizá (pese al testimonio de alguien que narra en tercera persona y adjetiva violentamente contra la mujer) tuviera razón. Lo cierto es que el último envío acierta «en lo que Risso tenía de veras vulnerable»; acierta, en el preciso instante en que el hombre había resuelto volver con ella. Lucien Mercier ha escrito que este cuento «es una introducción al suicidio». Yo le quitaría la palabra *introducción*: es el suicidio liso y llano. La perseverancia con que Risso construye su interpretación, esa abyección que él transfigura en prueba de amor, demuestra algo así como una inconsciente voluntad de autodestrucción, como una honda vocación para ser estafado. En rigor, es él mismo quien cierra las puertas, clausura sus escapes, crea un remedo de credulidad para que el golpe lo voltee mejor. De tan mansa que es, de tan mentida o tan inexperta, su bondad se vuelve sucia, más sucia acaso que la metódica, entrenada venganza de que es objeto. Para meterse con tema tan viscoso, hay que tener coraje literario. Como sólo un Céline pudo hacerlo, Onetti crea en este cuento la más ardua calidad de obra artística: la que se levanta a partir de lo desagradable, de lo abyecto. Es ese tipo de literatura que si no llega a ser una obra maestra, se convierte automáticamente en inmundicia. La hazaña de Onetti es haber salvado su tema de este último infierno, tan temido.

«Yo quiero expresar nada más que la aventura del hombre.» Esta declaración de intenciones aparentemente mínimas, pertenece a Juan Carlos Onetti y consta en un reportaje efectuado por Carlos María Gutiérrez. Por más que la experiencia aconseje no prestar excesivo crédito al *arte poética* de los creadores, conviene reconocer que ésta de Onetti, tan cautelosa, es asimismo lo suficientemente amplia como para albergar no sólo su obra en particular, sino casi toda la literatura contemporánea. Desde Marcel Proust a Michel Butor, desde Italo Svevo a Cesare Pavese, desde James Joyce a Lawrence Durrell, son varios los novelistas de este siglo que podrían haber refrendado ese propósito de expresar nada más que la aventura del hombre. Todo es relativo sin embargo; hasta la aventura.

Para Proust, la aventura consiste en remontar el tiempo hasta ver cómo el pasado proyecta «esa sombra de sí mismo que nosotros llamamos el porvenir»; para Pavese, en cambio, la aventura es un destello instantáneo («la poesía no nace de *our life's work*, de la normalidad de nuestras ocupaciones, sino de los instantes en que levantamos la cabeza y descubrimos con estupor la vida»); para Butor, en fin, la aventura consiste en rodear la peripecia de incontables círculos concéntricos, todos hechos de tiempo. Y así sucesivamente. Ahora bien, ¿cuál será, para Onetti, la aventura del hombre? Ya que su *arte poética* no derrama mucha luz sobre el creador, tratemos de que esta vez sea la creación la que ilumine el *arte poética*.

Con doce libros publicados en poco menos de treinta años, Onetti representa en nuestro medio uno de los casos más definidos de vocación, dedicación y profesión literarias. Desde *El pozo* hasta *Juntacadáveres* este novelista ha logrado crear un mundo de ficción que sólo contiene algunos datos (y, asimismo, varias parodias de datos) de la maltratada realidad; lo demás es invención, concentración, deslinde. Pese a que sus personajes no rehúyen la vulgaridad cotidiana, ni tampoco las muletillas del coloquialismo vernáculo, por lo general se mueven (a veces podría decirse que flotan) en un plano que tiene algo de irreal, de alucinado, y en el que los datos verosímiles son poco más que débiles hilvanes.

Hay, evidentemente, como ya lo han señalado otros lectores críticos, una formulación onírica de la existencia, pero quizá fuera más adecuado, decir insomne en lugar de onírico. En las novelas de Onetti es difícil encontrar amaneceres luminosos, soles radiantes; sus personajes arrastran su cansancio de medianoche en medianoche, de madrugada en madrugada. El mundo parece desfilar frente a la mirada (desalentada, minuciosa, inválida) de alguien que no puede cerrar los ojos y que, en esa tensión agotadora, ve las imágenes un poco borrosas, confundiendo dimensiones, yuxtaponiendo cosas y rostros que se hallan, por ley, naturalmente alejados entre sí. Como sucede con otros novelistas de la fatalidad (Kafka, Faulkner, Beckett), la lectura de un libro de Onetti es por lo general exasperante. El lector pronto adquiere conciencia, y experiencia, de que los personajes están siempre condenados; sólo resta la posibilidad —no demasiado fascinante— de hacer conjeturas sobre los probables términos de la segura condena.

Sin duda, desde un punto de vista narrativo, este quehacer parece destinado a arrastrar consigo una insoportable dosis de monotonía. Onetti ha sido el primero en saberlo. No alcanza, para estar en condiciones de proponer un mundo de ficción, con estar seguro, como lo está Onetti, del sinsentido de la vida humana. No alcanza con dominar la técnica y los resortes del oficio literario. La máxima sabiduría de este autor es haber reconocido, penetrantemente y desde el comienzo, esa limitación temática que a través de veintinueve años habría de convertirse en rasgo propio.

Desde *El pozo* supo Onetti que su obra iba a ser un renovado, constante trazado de proposiciones acerca de la misma encerrona, del mismo círculo vicioso en que el hombre ha sido inexorablemente inscrito. En aquel primer relato figuraba una reveladora declaración: «El amor es maravilloso y absurdo, e, incomprensiblemente, visita a cualquier clase de almas. Pero la gente absurda y maravillosa no abunda, y las que lo son, es por poco tiempo, en la primera juventud. Después comienzan a aceptar y se pierden». Virtualmente, todas las novelas que siguieron a *El pozo*, son historias de seres que empezaron a aceptar y se perdieron, como si el autor creyese que en la raíz misma del ser humano estuviera la inevitabilidad de su autodestrucción, de su propio derrumbe.

Poco después de este comienzo, Onetti tal vez haya intuido (o razonado, no importa) que había dos caminos para convertir su cosmovisión en inobjetable literatura. El primero: la creación de un trozo de geografía imaginaria, que, aunque copioso en asideros reales, pudiera surtir de nombres, de episodios y personajes, a todo su orbe novelístico, con el fin de que el tronco común y el intercambio de referencias (como sucedáneos de una más directa sustancia narrativa) sirvieran para estimular el mortecino núcleo original de sus historias. Una compilación codificada de todas las novelas de Onetti revelaría que aquí y allá se repiten nombres, se reanudan gestos, se sobreentienden pretéritos. Ningún lector de esta morosa saga podrá tener la cifra completa, podrá realizar la indagación decisiva, esclarecedora, si no recorre todas sus provincias de tiempo y de lugar, ya que ninguna de tales historias constituye un comportamiento estanco; siempre hay un nombre que se filtra, un pasado que gotea sin prisa enranciando el presente, convirtiendo en viscosa la probable inocencia. Mediante esa correlación, Onetti construye una suerte de *enigma al revés*, de misterio preposterado, donde la incógnita —como en su maestro Faulkner— no es la solución sino el antecedente, no el desenlace, sino su prehistoria. Esto es más importante de lo que pueda parecer a simple vista, porque no sólo revela una modalidad creadora de Onetti, sino que, en última instancia, también sirve para desemejarlo de Faulkner, su célebre, obligado precursor.

Es cierto que el novelista norteamericano (por ejemplo, en *¡Absalom, Absalom!*) perfora el tiempo a partir de una peripecia que se nos da desde el comienzo; es cierto asimismo que esa novela consiste en una inmersión en el pasado, gracias a la cual la anécdota se ilumina, adquiere sentido, recorre su propia fatalidad. Pero también es cierto que cada personaje de Faulkner posee una fatalidad distinta, particular, propia, mientras que en Onetti la fatalidad es genérica: siempre ha de conducir a la misma condena. Todos los personajes de Faulkner —como ha anotado Claude-Edmonde Magny— han sido hechizados por el destino, pero todos tienen un destino diferente. De ahí que en Onetti resulte más coadyuvante aún que en Faulkner (y asimismo más funcional o inevitable) el recurso de desandar el pasado, de rastrear en él la aparente motivación, porque si el desenlace preestablecido (no por capricho, sino por legítima convicción de su autor) es la condena, entonces parece bastante explicable que a Onetti no le interese saber hacia dónde va el personaje (de todos modos, él ya lo sabe, y el lector también), sino de dónde viene, porque es en el pasado donde reside su única raigambre de misterio.

El otro camino entrevisto desde el comienzo por Onetti para convertir su obsesión en literatura, es el andamiaje técnico, el bordado estilístico. A medida que se fue acercando a esa novela-clave que, hasta la aparición de *El astillero*, fue considerada como su obra mayor (me refiero a *La vida breve*), su oficio literario se fue enrareciendo, fanatizando en el merodeo del detalle, en una vivisección vocabulista que provisoriamente lo acercó a algunas de las más influyentes y diseminadas manías de Jorge Luis Borges. Si las palabras de Jean Génet («la oscuridad es la cortesía del autor hacia el lector») resultasen verdaderas, de inmediato Onetti pasaría a ser el más cortés de nuestros literatos.

Paradójicamente, ese barroquismo de la frase, de la imagen, de la adjetivación, no sirvió para ocultar los trucos, sino para revelarlos. *La vida breve* no es tan sólo importante como novela de gran aliento, como obra ambiciosa parcialmente lograda, sino también, y principalmente, como medida de un indudable viraje de su autor, como punto y aparte de su trayectoria. Después de esa novela, y a partir de *Los adioses* (1954), Onetti pudo apearse de la complicación verbal, del puntillismo estilístico. No se bajó de golpe, claro, y es obvio que durante años ha venido extrañando el cambio. Ni *Los adioses* (1954) ni *Una tumba sin nombre* (1959) ni *La cara de la desgracia* (1960), alcanzan para mostrar a un escritor capaz de transitar la llaneza estilística con la misma seguridad que antes tuviera para lo complejo. Pero en *El astillero* (1961) Onetti se acerca a un equilibrio casi perfecto, a una economía artística que resulta algo milagrosa si se tiene en cuenta la ingrata materia humana que maneja, el ejercicio del asco en que prefiere inscribir su asentada, luctuosa sabiduría.

En apariencia, *El astillero* sigue un orden cronológico, una línea de trazado sinuoso pero de segura dirección; el barroquismo ha desaparecido casi totalmente de la adjetivación y el compás metafórico, provocando la imprevista consecuencia de que las pocas veces en que se hace presente

(«A través de los tablones mal pulidos, groseramente pintados de azul, Larsen contempló fragmentos rombales de la decadencia de la hora y del paisaje, vio la sombra que avanzaba como perseguida, el pastizal que se doblaba sin viento. Un olor húmedo, enfriado y profundo, un olor nocturno o para ojos cerrados, llegaba del estanque.»)

ocasione un efecto de contraste, cree un lote de brillantes imágenes que se estaciona al borde de la sordidez y momentáneamente la reivindica. En *El astillero*, Onetti ha reservado la hondura y hasta la complejidad para el sentido último de la historia, que es, como en sus obras anteriores, la obligada aceptación de la incomunicación humana. Sólo en *El pozo* había usado Onetti un lenguaje tan obediente al interés narrativo, tan poco encandilado por el aislado destello verbal.

Muchos de los más exitosos gambitos literarios de Onetti provienen de su habilidad para traladar (transformándolo) un procedimiento heredado, para apoyar una técnica de segunda mano sobre bases de creación personal, por él inauguradas. Así como ha transformado el fatalismo sureño de Faulkner mediante el simple expediente de volverlo estático, incambiable; así como ha trasplantado el regusto de Céline por la bazofia, mediante el simple recurso de quitarle dinamismo e insuflarle un desaliento tanguero; así también ha conseguido renovar otros procederes y técnicas, exprimidos hasta el cansancio por varios lustros de influencias encadenadas. Por ejemplo: Onetti crea un ámbito fantasmagórico, irreal, sin recurrir a ninguna de las tutorías de la literatura fantástica; nada más que valiéndose de convenciones realistas, de diálogos creíbles, de seres aplastados, de monólogos interiores que sólo adolecen de la improbabilidad de estar demasiado bien escritos. Que con ese regodeo en lo vulgar, esa chatura cotidiana, esa impostación de lo probable, haya podido levantar un mugriento, húmedo, neblinoso, pero también alucinado alrededor, que a veces parece estar aguardando el paso de la Carreta Fantasma, debe ser acreditado a la maña concertadora de este escritor, a su capacidad de sugerir, más allá de los límites de su mero lenguaje literario.

Pero hay un traslado todavía más sutil. En *El astillero*, Onetti emplea una técnica que hasta ahora había sido monopolizada por los poetas. Un poeta suele partir de sobreentendidos; suele dar por obvios ciertos episodios que sólo él y su sombra (en algunos casos, tan sólo su sombra) conocen; suele referirse, en las entrelíneas, a esa propiedad privada, como si fuera *vox populi* y no *vox Dei*. Otros novelistas han precedido a Onetti en la adopción de ese truco, pero —desde Max Frisch hasta Lawrence Durrell— todos han sido víctimas del prejuicio de explicarse; siempre concluyen por brindar las claves que al principio trataron de escamotear. Onetti, en cambio, realizando también en su obra esa vocación de solitario (y, a veces, de prescindente) que lo ha mantenido tercamente al margen de grupos, revistas, compromisos y manifiestos, siempre se guarda algún naipe en la manga, la baraja que en definitiva no va a ceder a nadie, ésa que seguramente romperá en pedazos, en estricta soledad, ni siquiera frente al espejo. Detrás de los sobreentendidos, el lector vislumbra la presencia de un creador que no quiere darse nunca por entero, que cree en esa última inútil reserva, como si allí pudiera concentrarse y justificarse un magro desquite contra ese sinsentido de la vida que constituye su obsesión más firme, su pánico más sereno y sobrecogedor.

En las líneas generales, en la esfumada superficie, *El astillero* es increíblemente simple: sólo la fantasmal empresa de un tal Petrus, sólo un astillero situado junto a la conocida Santa María, que Brausen había definido en *La vida breve* como «una pequeña ciudad colocada entre un río y una colonia de labradores suizos»; un astillero ruinoso que no tiene ni trabajo ni obreros ni clientes, sólo un Gerente Técnico y un Gerente Administrativo, que llevan sin embargo planillas e improvisan el cobro extraoficial de sus gajes mediante la malbaratada venta de antiguos materiales. A ese anexo santamariano llega Junta Larsen (el mismo Larsen que había aparecido en las primeras páginas de *Tierra de nadie*; el mismo Junta del penúltimo capítulo de *La vida breve*), Larsen el proscripto, el gordo, cínico cincuentón que, junto a sus agrias composiciones de lugar, todavía conserva una última disponibilidad de fe, una dosis inédita de entusiasmo, una dulzona, miope ingenuidad. Está condenado, claro, *porque es de Onetti;* admitámoslo de una buena vez para que no nos siga exasperando. Pero antes de alcanzar su condena, antes de tragarla como una hostia, como un indigesto espíritu santo, Larsen deberá recorrer su periplo, deberá sorprenderse frente a Kunz y Gálvez (los gerentes de mentira), besar la frente perdida de Petrus, rehusar la comunicación con la mujer de Gálvez, intentar la seducción de la semitarada Angélica Inés, pero deberá también acostarse con Josefina, la sirvienta, o sea, la mujer genérica, universal, usada.

Con el abandono del barroquismo, con la consciente sobriedad de *esta aventura* de *este hombre* llamado Larsen, ha quedado en evidencia un Onetti que hasta ahora sólo había sido intuido, adivinado, a través de promesas, símbolos, fisuras. En *Para esta noche* escribió Onetti unas palabras introductorias que definían aquella novela como un cínico intento de liberación. *El astillero* ¿será algo de eso? En opinión de Díaz Grey (ese comodín de Onetti que a veces es él mismo, otras veces es sólo Díaz Grey, y otras más es alguien tan impersonal que resulta Nadie), Larsen puede ser definido así:

Este hombre que vivió los últimos treinta años del dinero sucio que le daban con gusto mujeres sucias, que atinó a defenderse de la vida sustituyéndola por una traición, sin origen, de dureza y coraje; que creyó de una manera y ahora sigue creyendo de otra, que no nació para morir sino para ganar e imponerse, que en este mismo momento se está imaginando la vida como un territorio infinito y sin tiempo en el que es forzoso avanzar y sacar ventajas.

Antes, en *La vida breve,* Junta Larsen había tenido «una nariz delgada y curva y era como si su juventud se hubiera conservado en ella, en su audacia, en la expresión imperiosa que la nariz agregaba a la cara». Y más lejos aún, en *Tierra de nadie,* Larsen había avanzado, «bajo y redondo, las manos en el sobretodo oscuro», o había estado esperando, «gordo,

35

cínico». Sí, Larsen fue desde siempre, desde su origen literario, un cínico, pero cuando llega al Astillero ya está gastado, maltratado, pobre, tan débil y doblado que se resigna a la fe, una fe crepuscular, deshilachada («entonces, con lentitud y prudencia, Larsen comenzó a aceptar que era posible compartir la ilusoria gerencia de Petrus, Sociedad Anónima, con otras formas de la mentira que se había propuesto no volver a frecuentar»); es un Larsen que ha perdido dinamismo y capacidad de menosprecio, que ha perdido sobre todo la monolítica entereza de lo sórdido, que se ha dejado seducir por una postrera, tímida confianza, no importa que el pretexto de esa confianza esté tan sucio y corrompido como el imposible futuro próspero del Astillero; al igual que esos ateos inverecundos que en el último abrir de ojos invocan a Dios, Larsen (que no usa seguramente a Dios) en su última arremetida tiene la flaqueza de alimentar en sí mismo una esperanza.

Por eso, si bien *El astillero* es también como *Para esta noche*, un intento de liberación, no es empero, un cínico intento. Larsen ha sido tocado por algo parecido a la piedad, ya que el autor no puede esta vez ocultar una vieja comprensión, una tierna solidaridad hacia este congénito vencido, hacia este vocacional de la derrota. Pasando por encima de todos los cínicos, de todos los pelmas, de todos los miserables, que pueblan el mundo de Onetti novelista, el personaje Larsen tiende un cabo a su colega Eladio Linacero, que en *El pozo* había formulado una profecía con apariencia de deseo: «Me gustaría escribir la historia de un alma, de ella sola, sin los sucesos en que tuvo que mezclarse, queriendo o no». Onetti ha ejecutado ahora aquel deseo de una de sus criaturas. Aquí está escrita la historia del alma de Larsen: hasta ha sido escrita sin los sucesos (sencillamente porque no hay sucesos).

También aparece con mayor claridad (debido tal vez a que, sin barroquismo, todo se vuelve más claro) que Larsen, más definidamente aún que Linacero, o que el Aránzuru de *Tierra de nadie*, o que el Ossorio de *Para esta noche*, o que el Blanes de «Un sueño realizado», no es una figura aislada, un individuo, sino El Hombre. En un artículo sobre *El astillero*, Angel Rama señalaba la vertiente simbólica, pero es posible ampliar el hallazgo. Onetti va de lo particular (Larsen) a lo general (El Hombre) pero después regresa a lo particular, y El Hombre pasa a ser además *todo hombre*, cada hombre, Onetti incluido. En el castigo que, desde antiguo, Onetti viene infligiendo a sus personajes, hay algo de sadismo, pero al cerrarse el circuito Larsen-El Hombre-Onetti, el viento ya ha cambiado la dirección del castigo y éste pasa a llamarse autoflagelación. Una autoflagelación que también tiene cabida en el obsesivo tratamiento de la virginidad, de la adolescencia.

Allí ha estado, para muchos personajes de Onetti, la única posibilidad de pureza, de última verdad. En *El astillero*, el creador castiga triplemente a Larsen: la virgen (Angélica Inés) que a los quince años «se había desmayado en un almuerzo porque descubrió un gusano en una pera», tiene alguna anormalidad mental («está loca», dice Díaz Grey, «pero es muy posible que no llegue a estar más loca que ahora»); la mujer de Gálvez, que representa para Larsen la única posibilidad de comunicación, aparece ante sus ojos corrompida, primero por el embarazo, luego por el alumbramiento, volviéndose por lo tanto inalcanzable; sólo Josefina es asequible, pero Josefina es la mujer de siempre, su igual, hecha de medida no ya para la comunicación, sino para que él tenga conciencia de que se halla «en el centro de la perfecta soledad». Por eso es triple el castigo: la virginidad (Angélica Inés) está desbaratada por la locura, la comprensión (mujer de Gálvez) está vencida por el alumbramiento, la posesión (Josefina) está arruinada por la incomunicación.

Entonces uno se da cuenta de que esta suerte de odio del creador hacia sí mismo (o quizá sea más adecuado llamarle inconformidad) fue más bien una constante a través de los doce libros y los veintinueve años; sólo que estuvo hábilmente camuflada por un verbalismo agobiador, por una visión de lupa que al lector le mostraba el poro aunque le hurtaba el rostro. Fue necesario llegar a *El astillero* para encontrar a un Onetti que empuña por primera vez una segunda franqueza (¿brutal? ¿químicamente pura?), un Onetti que por primera vez supera, al comprenderlo, al transformarlo en arte, ese sentimiento de autodestrucción y de castigo, un Onetti que por fin se inclina sobre ese Larsen que (para él) es todos nosotros, y es también él mismo, a fin de sentirlo «respirar con lágrimas».

¿Aventura del hombre? Por supuesto que sí. Pero sobre todo la aventura del hombre Onetti, que a través de los años y de los libros ha venido afinando artísticamente su actitud solitaria, corroída, melancólica, deshecha, hasta convertirla en este sobrio diagnóstico de derrota total que es *El astillero*, hasta reivindicarla en una depurada y consciente piedad hacia ese ser humano, que para Onetti es siempre el derrotado. Ni el abandonado Astillero sirve ya para reparar barco alguno, ni el abandonado individuo sirve ya para reparar ninguna de las viejas confianzas. Pero en mi ejemplar de *El astillero*, quedó subrayado sin embargo un amago de escapatoria, un sucedáneo de la esperanza:

> Lo único que queda para hacer es precisamente eso: cualquier cosa, hacer una cosa detrás de otra, sin interés, sin sentido, como si otro (o mejor otros, un amo para cada acto) le pagara a uno para hacerlas y uno se limitara a cumplir en la mejor forma posible, despreocupado del resultado final de lo que hace. Una cosa y otra cosa, ajenas, sin que importe que salgan bien o mal, sin que no importe qué quieren decir. Siempre fue así: es mejor que tocar madera o hacerse bendecir; cuando la desgracia se entera de que es inútil empieza a secarse, se desprende y cae.

Ahora que Onetti, con *El astillero*, ha cumplido *en la mejor forma posible*, esperamos que su anuncio tenga fuerza de ley; esperamos que en la lobreguez de su vasto mundo de ficción, la desgracia se entere de que es inútil, y empiece a secarse, y se desprenda y caiga.

Después de leídos y releídos los doce libros de Onetti, uno tiene la impresión de que en algún día (o año incompleto, o simple temporada) del pasado, este autor debe haber concebido no sólo la idea de una Santa María promedial y semi-inventada, sino también la historia total de ese enquistado mundo, con los respectivos pobladores y el correspondiente tránsito de anécdotas. Uno tiene la impresión de que únicamente después de haber creado, distribuido, correlacionado y fichado, ese universo propio, Onetti pudo empezar calmosamente a escribir su saga. Sólo a partir de una organización y un orden casi fanáticos, es posible admitir la increíble capacidad del narrador para hacer que sus novelas se crucen, se complementen, y hasta recíprocamente se justifiquen. Sólo a partir de esa trama general, concertada y precisa hasta límites exasperantes, es posible comprender que la historia narrada en *Juntacadáveres* (1964), ya estuviera bosquejada en una novela de 1959, *Una tumba sin nombre* (ver páginas 29 a 31); que, en *El astillero* (1961), la peripecia que luego es desarrollada en *Juntacadáveres* significara un mero episodio en el pasado del protagonista; que el cuento «El álbum», incluido en *El infierno tan temido* (1962), estuviera atravesado por varios personajes que reaparecen en la novela más reciente; y, sobre todo, que en el penúltimo capítulo de *La vida breve* (1950) ya apareciera, como un misterioso diálogo marginal, la misma conversación que, quince años más tarde, sirve de cierre a *Juntacadáveres*. Recomiendo al lector un tranquilo cotejo de estos dos diálogos. Se verá que algunas frases son textualmente reproducidas; otras, en cambio, reaparecen con una leve variante, como si el autor hubiera querido dejar constancia de la inevitable erosión, que, de recuerdo en recuerdo, soportan las palabras.

Antes destaqué, con referencia al cuento «Mascarada», cierta condición de adelantado de la novela objetiva que podría ser reclamada por Onetti. Pero ahora veo más claramente otro rasgo afín. Piénsese que una de las novedades introducidas por Robbe-Grillet *(Le voyeur)* o Michel Butor *(L'emploi du temps)* fue la omisión de un hecho fundamental dentro de la minuciosa construcción de una novela. Pues bien, Onetti se ha pasado *omitiendo* hechos importantes, pero en vez de confiarlos eternamente a la vocación remendadora del lector cómplice, con tales elusiones ha escrito nuevas novelas, en las cuales por supuesto también hay sectores omitidos (algunos de ellos ya desarrollados en novelas anteriores; otros, a desarrollar probablemente en novelas futuras). Presumo que, para algún erudito de 1990, representará una desafiante tentación el relevamiento de un índice codificado que incluya todos los personajes onettianos, sus cruces y relaciones, así como las anécdotas de cada novela que aparecen imbricadas en las demás.

Pese a todos los presupuestos (mundo único, encerrona del hombre, derrota total) que el lector de Onetti está dispuesto a admitir y reconocer en su obra, *Juntacadáveres* significa un viraje, aun cuando, de una primera y apresurada lectura, pueda inferirse una confirmación de aquellos presupuestos. Si *El astillero* era una historia virtualmente despojada de sucesos, *Juntacadáveres* en cambio es una historia con sucesos. Larsen (el personaje que hiciera, creo, su primera aparición en *Tierra de nadie*) ahora abre y regentea un prostíbulo en Santa María, pero la fructuosa empresa es sólo un pretexto para enfrentar al farmacéutico y concejal Barthé con el histriónico cura Bergner. Como consecuencia de la despiadada pugna, el único derrotado es Larsen, cuyo apodo Juntacadáveres recaba su origen de una demostrada capacidad para conseguir que «gordas cincuentonas y viejas huesosas» *trabajen* para él. Pero esa historia, primariamente sórdida, se entrelaza con otra: la de Jorge Malabia (ya incorporado al mundo de Onetti en *Una tumba sin nombre* y en «El álbum») extrañamente atraído por Julita, la viuda de su hermano, que cada día inventa una puesta en escena distinta para su obsesión cardinal. La relación, entre tierna y monstruosa, que mantienen el lúcido adolescente y la cuñada loca, se convierte (no sé si en cumplimiento de la voluntad del autor, o a pesar de ella) en el centro narrativo de la novela. El problema del prostíbulo, la consiguiente lucha entre el cura y el boticario, el malón de tóxicos anónimos que van socavando las paces conyugales del pueblo, la ambigua intervención de Marcos (hermano de Julieta) en contra y en pro de Larsen, la infaltable presencia del testigo Díaz Grey, la relación de éste con el fidelísimo Vázquez (otro conocido de relatos anteriores); todo eso pasa a un plano secundario, aunque, eso sí, descrito con gran destreza formal y riqueza de lenguaje.

El paseo por la ciudad, que las prostitutas Nelly e Irene llevan a cabo en su lunes de asueto; las meditaciones de Díaz

Grey sobre la tentación del suicidio y la teoría del miedo; la descripción del demagógico silencio del cura; el texto mismo de los anónimos (conviene transcribir esta obrita maestra de la ponzoña:

Tu novio, Juan Carlos Pintos, estuvo el sábado de noche en la casa de la costa. Impuro y muy posiblemente ya enfermo fue a visitarte el domingo, almorzó en tu casa y te llevó a ti y a tu madre, al cine. ¿Te habrá besado? ¿Habrá tocado la mano de tu madre, el pan de tu mesa? Tendrás hijos raquíticos, ciegos y cubiertos de llagas, y tú misma no podrás escapar al contagio de esas horribles enfermedades. Pero otras desgracias, mucho antes, afligirán a los tuyos, inocentes de culpa. Piensa en esto y busca la inspiración salvadora en la oración»),

son muestras de un asombroso dominio del oficio, incluidos los efectos puros y los impuros. No obstante, aun justificado con esa pericia, el tema del prostíbulo no puede competir con el episodio del adolescente y la loca, acaso como decisiva prueba de que los cadáveres metafóricos juntados por el veterano Larsen, nada tienen que hacer frente al cadáver de carne, de locura y de hueso, comprendido y querido por Jorge Malabia, ese neófito del destino que en la última página pronuncia una obscenidad, como absurda (y sin embargo pertinente) manera de reencontrarse con la dulzura, la piedad, la alegría, y también como única forma de abroquelarse contra el mundo normal y astuto que lo está esperando más allá del final. En la obra de Onetti, Julita puede ser considerada una más de las formas de pureza (un concepto que, en éste y otros casos, el autor no vacila en asimilar a la locura) extinguidas, o quizá salvaguardadas, en última instancia por la muerte. Pero ésta es acaso la primera vez en que semejante rescate por distorsión no deja como secuela la fatalizada actitud del «hombre sin fe ni interés por su destino». En este libro, Onetti pone en boca de Jorge Malabia la misma palabrota que pronunciara Eladio Linacero en la primera de sus novelas. Sin embargo, y pese a la persistente influencia de Pierre Cambronne, hay una visible distancia entre una y otra actitud. El antiguo pro-

41

tagonista, después del exabrupto, seguía diciendo: «y ahora estamos ciegos, en la noche, atentos y *sin comprender*». Jorge Malabia, en cambio, inmediatamente después de haberlo pronunciado, se baja del insulto cosmoclasta para acceder a la comprensión, a la cifra de un mundo por fin aprendido.

La verdad es que, de todos modos, para el lector y el crítico de Onetti, *Juntacadáveres* cumple una función despistadora. Por lo pronto me atrevería a decir que esta novela es mucho más entretenida que cualesquiera anteriores. Presumo que el lector se estará preguntando si esto es elogio o diatriba. La verdad es que frecuentemente se confunde fluidez narrativa con frivolidad, y viceversa; no falta quien considere el tedio estilístico como casi sinónimo de la hondura. *Juntacadáveres* es entretenida y no me parece justo reprocharle esa cualidad. Claro que no se trata del magistral despojo, de la impecable concepción de *El astillero;* seguramente *Juntacadáveres* no llega al nivel de esa obra mayor. Conviene recordar, sin embargo, que *El astillero* es la culminación de un largo recorrido, y por lo tanto Onetti pudo volcar en ese libro lo más depurado de su oficio, los más insobornables de sus descreimientos, lo más profundo de su corroida y corrosiva sapiencia. Pero *Juntacadáveres* es otra cosa, otro camino, tal vez otra actitud.

Angel Rama ha señalado con razón que «no es casual que la mayoría de las obras de Onetti transcurran en lugares cerrados y en horas nocturnas, ni es extraño que sean escasas las referencias al paisaje natural, el cual tiende a manifestarse surrealísticamente, en estado de descomposición alucinatoria». Pero ¿se ha fijado alguien en el paisaje, en el aire libre de esta nueva novela? Compárese el alucinado, pero también neblinoso y sucio alrededor, de *El astillero*, con esta descripción insólitamente aireada, incluida en la nueva novela: «El olor de los jazmines invadió a Santa María con su excitación sin objeto, con sus evocaciones apócrifas; fue llegando diariamente como una baja y larga ola blanca...», y luego: «Noviembre se llenó de asombros triviales por el exceso de jazmines y en su mitad fue un noviembre normal, reconocible, con precios y cifras de las cosechas, con renovadas discusiones sobre puentes, caminos y tarifas de transportes, con noticias de casamientos y muertes». Tengo la impresión de que tanto la cualidad amena como el enriquecimiento del alrededor, responden a un cambio sustancial en la actitud de Onetti. Una transformación que no es tan visible, porque el tema elegido (la instalación del prostíbulo, frente al plúmbeo puritanismo, frente a la hipocresía provinciana) lleva implícitas connotaciones tan sórdidas, que el lector ingresa en la novela esperando la agotada cosmovisión de siempre. No la halla, al menos como un gesto totalizador, y el chasco puede automáticamente convertirse en desconfianza, como si la (todavía íntima) vitalidad que respira la novela, fuera una suerte de traición a la ya veterana complicidad del lector, a su demostrada baquía en los meandros del mundo onettiano. Reconozco que *Juntacadáveres* es una novela desigual, que aquí y allá deja personajes y cabos sueltos, con zonas varias de decaimiento literario; pese a ello, no puedo avalar el diagnóstico negativo emitido por otros críticos. Después de *El astillero* y su veta gloriosamente agotada, la última novela me parece una nueva apertura que puede deparar formidables sorpresas. Hasta *El astillero* inclusive, tuve la impresión de asistir como lector, a un proceso (notablemente descrito) de deterioro. Ahora, frente a *Juntacadáveres*, me parece reconocer un Onetti renovado. Como si después de la madurez, no fueran obligatorios el desgaste, la corrosión. Todo pronóstico parece aún prematuro, pero *Juntacadáveres*, con su entrenada y prometedora inmadurez, podría ser también un punto de partida, el comienzo de un buen talante creador. Sin abandonar los temas y los ambientes que desde siempre lo obseden, sin reconciliarse con el absurdo llamado destino, sin exiliarse de sus viejos pánicos, Onetti parece haber trazado dos rayas sobrias y conclusivas debajo de la suma de sus consternaciones, para abrir de inmediato una cuenta nueva, una revisada disposición de ánimo. En *Juntacadáveres* hay, como siempre, seres fatigados, prostituidos, deshechos; pero lo nuevo es cierta tensión vital, cierta capacidad de recuperación, cierto impulso hacia adelante y hacia arriba. No es mucho, pero acaso *Juntacadáveres* sea el primer desprendimiento de la desgracia. Por algo vuelven al diálogo los temas políticos, las nomenclaturas sociales, que no aparecían desde las novelas de la primera época.

La recorrida curiosa, ingenua, bien dispuesta, de Nelly e Irene; la sólida capacidad de comunicación de María Bonita; el duro aprendizaje del amor que realiza Jorge Malabia; la plebeya lucidez de Rita; sirven para verificar que Onetti ha escapado, o está escapando, a la tentación del circular y obsesivo regodeo en la fatalidad. «Volvió a sentir», dice el autor refiriéndose a Díaz Grey, «con tanta intensidad como cinco años atrás, pero con una cariñosa curiosidad que no había conocido antes, la tentación del suicidio». Esa puede ser también la actitud del actual Onetti, ya no frente al suicidio sino frente a lo fatal: una cariñosa curiosidad. Pero la curiosidad y el cariño no forman parte de la muerte sino de la vida. Y eso se nota. Santa María y sus hechos no han variado en su aspecto exterior. No obstante cabe recordar, como fue dicho en *El pozo* (hace casi treinta años), que «los hechos son siempre vacíos, son recipientes que tomarán la forma del sentimiento que los llene». Eso es lo que ha variado: el sentimiento. Y es de esperar que el cambio ayude a Onetti a convertir su vieja derrota metafísica en una nueva victoria de su arte.

(1965)

Idea Vilariño o la poesía como actitud

Poemas de amor[1] es el último libro de Idea Vilariño. Su publicación me parece el mejor de los motivos para examinar restrospectivamente toda la obra (nada extensa, por cierto) de esta escritora, cuyo aporte significa uno de los más altos niveles (sino el más alto) de la poesía uruguaya contemporánea.

Idea Vilariño lleva publicados hasta ahora seis delgados conjuntos de poemas: *La suplicante* (1945), *Cielo cielo* (1947),

---

[1] Montevideo, 1962.

Paraíso perdido (1949; reúne poemas de los anteriores y sólo agrega el que le da título); *Por aire sucio* (1951; hay una primera edición, no venal, de 1950), *Nocturnos* (1955), *Poemas de amor* (1958; edición manuscrita, de escasos ejemplares, que virtualmente no salió a la venta). Al margen de su obra lírica, publicó en 1952 un estudio sobre Julio Herrera y Reissig, y las páginas de *Clinamen, Número, Marcha y Asir,* acogieron en diversas oportunidades sus estudios sobre letras de tango, además de poemas, traducciones, notas críticas e investigaciones sobre ritmos en poesía.

Hoy, a los diecisiete años de haberse publicado su primer cuaderno, hay que reconocer que la aparición de Idea significó un hecho insólito en la poesía uruguaya, no sólo por el soplo renovador que, en materia de ritmo y de lenguaje, casi desde su arranque representó su obra, sino también —y principalmente— por la desolada, sincera, patética visión del mundo que, en versos de buena ley, trasmitía esa voz nueva e implacable.

Idea Vilariño no es hoy, ni ha sido nunca, un poeta fácil; pero quizá lo haya sido menos en sus primeros poemas. De ahí que el lector demorara en acercarse a su obra. Acaso haya querido el público verificar primero si, debajo del envase más o menos hermético, no existía el mismo vacío a que lo tenía acostumbrado un inacabable jubileo de versificadores domésticos.

Algunos críticos relevaron sin embargo la obra de Idea Vilariño, con un entusiasmo que no sólo era franca y pensada adhesión a una actitud literaria y humana, sino también rechazo y censura hacia el pretendido lirismo de tantos otros, invalidado desde sus raíces por una incurable frivolidad. En un instante en que la poesía femenina uruguaya (estaban, claro, las honrosas excepciones de Esther de Cáceres, Sara de Ibáñez, Clara Silva) parecía confortablemente instalada en un territorio que pretendía ser Arcadia conceptual pero no pasaba de ser aburrida y árida *tierra de nadie,* una nueva promoción de escritoras (Idea Vilariño, Orfila Bardesio, Ida Vitale, Amanda Berenguer, Silvia Herrera), sin integrar virtualmente un grupo, ni mostrar mayores afinidades estilísticas o temáticas, coincidió sin embargo en una actitud autoexigente y existencial, y demostró (con diversos lenguajes y en distintos niveles de calidad) que su poesía no era un mero pretexto. En realidad tenían algo que decir, algo que comunicar.

Creo que, dentro de esa promoción, Idea Vilariño es la que ha calado más hondo en su propio mundo, y, por consiguiente, la que da una visión más original e incanjeable del mundo exterior. Sus breves poemarios muestran a un escritor de circuito cerrado, a alguien que gira desveladamente alrededor de sus angustias. Pese a las dificultades de comunicación que muestran los primeros poemas, Idea tiene en última instancia la fuerza y el ritmo necesarios para establecer la inevitable, obligada comunicación con su lector.

En el momento de su aparición, los cinco poemas de su primer libro (*La suplicante*) pudieron ser tomados como la transcripción de una plenitud. Un lenguaje pródigo, rico en imágenes («Transparentes los aires, transparentes / la hoz de la mañana, / los blancos montes tibios, los gestos de las olas, / todo ese mar que cumple / su profunda tarea, / el mar ensimismado, / el mar, / a esa hora de miel en que el instinto / zumba como una abeja somnolienta»), atravesado de naturaleza («Vas derramando oro, / vas alzando ceniza, / vas haciendo palomas de los tallos sensibles, / y hojas de oro caliente que se incorporan desde / y nubes de ceniza que se deshacen sobre / la caricia que crece»), de exigente osadía, de todavía inmune intrepidez («Concédeme esos cielos, esos mundos dormidos»; «Tú, el negado, da todo»), proponían, acaso inconscientemente, el retrato de un poeta seguro de sí mismo, abrigado en sus negaciones, protegido por sus certezas, bien plantado en sus influencias. Al cabo de cinco títulos posteriores (desde *Cielo cielo* hasta *Poemas de amor*), y después de haber reconocido, verso a verso, el atormentado proceso creador que en ellos comparece, *La suplicante* parece sólo un balbuceo, aunque (justo es reconocerlo) se trate de un balbuceo brillante y prometedor).

Sin embargo, al considerar la poesía posterior de Idea, ya no será lícito hablar de brillo. A partir de *Cielo cielo*, el énfasis se opaca, como consecuencia de que también se opaca la visión del mundo. Paradójicamente, es en esa pérdida de brillo imaginero, es en la niebla de dudas que va a cubrir la cada vez más despojada (en lo formal) y desamparada (en lo espiritual) poesía de Idea, donde va a estar el núcleo de su eficacia, el secreto de su fuerza y comunicabilidad. Los ajenos legados, buenos y malos, que recogía el primer cuaderno, las breves caídas en la comprensible tentación del lujo verbal, la esplendidez del ejercicio rítmico, han de pasar por dos horcas caudinas: el ascetismo formal y el sufrimiento físico.

De ahí que, con respecto al primer cuaderno, *Cielo cielo* testimonie una vacilación verbal, una perplejidad (aún no dominada) frente al instrumento literario recién descubierto. El poeta desciende de su intrepidez, de sus certezas, de su invulnerabilidad. «Estoy temblando», dice el primer verso de «Callarse», y más adelante: «El sol no existe aquí más que en palabras». El cotejo entre las versiones de una misma imagen (la boca), tal vez sirva para medir la diferencia. Dice el poeta en el primer cuaderno: «Cuando una boca suave boca dormida besa / como muriendo entonces / a veces, cuando llega más allá de los labios / y los párpados caen colmados de deseo / tan silenciosamente como consiente el aire / la piel con su sedosa tibieza pide noches / y la boca besada / en su inefable goce pide noches, también». Pero en *Cielo cielo* la imagen regresa con un lastre tremendo de amargura, de hastío recién inaugurado: «boca de piel de ah de vida hastiada / renegada de cuanto no le es boca / llena de hastío y de dolor y de / vida de sobra / dada tirada así llena de llanto / de música o lo mismo / de materia de aire pesado y dulce / de canto temblor pánico / de hastío sí / de espanto sí de miedo triste».

Cuando en 1949 publica Idea Vilariño su *Paraíso perdido*, en realidad reúne (y reordena) cuatro poemas de su primer cuaderno y dos del segundo, agregando sólo el que da título al volumen. En el camino quedan tres poemas de *Cielo cielo* (que habrá de recoger provisionalmente en 1950, en la primera edición de *Por aire sucio*), uno titulado «El mar» (ciertamente, lo más flojo y retórico de su producción) del primer cuaderno, y cuatro versos del poema «La suplicante», que asimismo sufre un trastrocamiento de imágenes en su parte III.

A esta altura, Idea se ha decidido por la eliminación casi total de los signos de puntuación, despojo éste que contribuye a la penitente austeridad, infligida por el poeta a su propio verso.

Aun considerando la distancia, sobre todo formal, que media entre el primer cuaderno y el segundo, conviene destacar que, en *Cielo cielo*, el dolor, la repulsa trágica de las apariencias, la sobrecogedora instalación del hastío, más que como experiencias, estaban dados como intuiciones. El amor y la muerte siempre rondaron el temario de este poeta, pero al principio sólo significaron una amalgama intelectual, pensada literalmente antes que vivida en carne propia. La dramática promiscuidad de esas dos palabras en la poesía de Idea, su mutua atracción, su emulsión lírica, sobrevendrán después, y subsistirán hasta los más recientes *Poemas de amor*.

En realidad, la madurez expresiva de Idea, se inicia a partir del poema «Paraíso perdido». En esta pequeña obra maestra no sobra ni falta nada, y, pese a su rigor, a su ascética forma, compromete al lector en la revelación, en el hallazgo de una nostalgia conmovedora. «No quiero ya no quiero hacer señales / mover la mano no ni la mirada / ni el corazón. No quiero ya no quiero / la sucia sucia sucia luz del día. / Lejana infancia paraíso cielo / oh seguro seguro paraíso.» Aquí inicia el poeta su larga negación, su temerario y a la vez desvalido enfrentamiento del absurdo destino.

Cuando Idea Vilariño llega a las dos ediciones (1950 y 1951) de *Por aire sucio*, no sólo viene de la enfermedad y el sufrimiento; viene también de la incomunicación y la clausura, del abandono total, del arrabal de la muerte: «Solo como un perro / como un ciego un loco / como una veleta girando en su palo / solo solo solo / como un perro muerto / como un santo un casto / como una violeta / como una oficina de noche / cerrada / incomunicada / no llegará nadie / ya no vendrá nadie / no pensará nadie en su especie de muerte». Lo que antes era vislumbre e intuición, ahora es recuerdo y llaga. Después del abandono y los fantasmas, es otro ser el que retoma el mundo. «Lo que era sólo lucidez premonitoria en los primeros versos», escribió hace unos años Emir Rodríguez Monegal a propósito de aquel libro, «es ahora experiencia. El poeta ha mudado de piel. Y aunque la vida vuelva a sus cauces, aunque el amor y las estaciones vuelvan, aunque la luz no sea ya sólo el amarillo de afuera, el poeta no puede esconder las cicatrices del dolor, el poeta no puede ya mentirse».

La muerte se ha alejado, los fantasmas se han quemado en un mero azar, pero su letal ceniza ha contaminado el aire. Desde el vibrante «transparentes los aires transparentes», que compareció en la primera línea de su primer cuaderno, y aun después de que el poeta rechazara, o intentara rechazar, «la sucia sucia luz del día» («Paraíso perdido»), sobrevino la pesadilla física y moral, el roce casi obsceno con la muerte, y desde entonces el ser, el aparentemente recuperado ser, debe transitar «por aire sucio». Del aire transparente al aire sucio; de la plenitud, al abandono; de los seres que «se miran con miradas de eternos» («La suplicante») al otro ser lacerioso, «incomunicado / solo como un muerto en su caja doble». Se fueron los fantasmas, pero queda el abandono clavado en el futuro. Por eso es otro ser el que regresa: con memoria, pero sin ilusiones. Sabe que un azar cualquiera alejó el sufrimiento, sabe que los fantasmas pueden ser fácilmente convocados, sabe que la muerte tiene el puño en el aire, listo, levantado. ¿Cómo gozar de la vida cuando a ésta se la ve tan frágil, tan absurdamente frágil, cuando se la ve transcurrir como una aleatoria postergación de la muerte? para conjurar tal sordidez, tal fatalidad, este poeta se halla más inerme que otros. Carece de ese raído paño de lágrimas que se llama Dios. No obstante, posee un impulso, un sucedáneo de poder: quiere dar testimonio de una sombría visión, de su infierno particular, de su buceo en la conciencia, de su legítima y condenada aspiración a una lejana, borrosa felicidad. Quiere comunicarse con el lector, ese Alguien, y acaba por jugar a tal única cifra toda su posibilidad de salvación. En lo cual hace bien, porque se salva.

Poco a poco este ser vuelto a la vida, desdeñoso de su resurrección, irá precisando, definiendo, los contornos de su ansiedad, de sus negaciones, de sus ascos, de su decepción. En *Nocturnos* (el más importante, el más logrado de sus libros), publicado en 1955, el estremecido grito parece transformarse en voz serena. Pero la diferencia es más de envase que de contenido, y tiene que ver particularmente con una mayor madurez expresiva. En gesto exigente y autocrítico, Idea ha querido despojar su poesía de todo lo superfluo, de toda palabra canjeable, de toda emoción parásita. Se ha quedado con la esencia de sus torturas, de sus nostalgias, de su cruenta franqueza, de su más solitaria soledad.

De ahí que este libro resulte el más penetrante, el más hondo, el más certero. Cuando uno lee los cinco primeros versos del segundo nocturno («Si alguien dijera ahora / aquí estoy y tendiera / una mano cautiva que se desprende y viene / la tomaría / creo»), no puede ser insensible a cierta serenidad que ellos propagan. Pero bastará levantar los ojos hasta el título: «Andar diciendo muerte», para advertir que el círculo de temas es el mismo. Sólo que en esta vuelta el trazo está más firme, más seguro de la propia cicatriz que recorre. Entonces todo le sirve al poeta para documentar su rechazo de la estructura en que se halla inscrito: desde los seres queridos («Quienes son quiénes son. / Qué camada de muertos para el suelo que pisan / qué tierra entre la tierra mañana / y hoy en mí / qué fantasmas de tierra obligando a mi amor») hasta la pasión («Noche cerrada y ciega / sin nadie / en la locura / de una pasión entera fracasando en la sombra»), desde la presencia humana («dame la soledad / la muerte el frío / todo / todo antes que este sucio / relente de los hombres») hasta el sueño que espera («Habrá que continuar / que seguir respirando / que soportar la luz / y maldecir el sueño»).

En el curso de su obra poética, Idea ha tratado de desbaratar las apariencias, ha querido siempre alcanzar la motivación más profunda de los seres y de las cosas. Es especialmente en ese sentido que el símbolo y el ámbito de la noche le sirven como forma de concentración, le impiden distraerse en rostros y esperanzas: «la tierra por la noche / el cielo por la noche / sin palabras sin hombres / en lo azul en lo abstracto / inmóvil sin un soplo / sin respirar / estando / con majestad con aire / con limpieza infinita». La noche se convierte así en la no-presencia, en el espacio ideal para pensar y re-pensar a solas sobre la comprimida, empalizada, agredida soledad. Y entonces sí es posible arribar al sereno diagnóstico: «No hay ninguna esperanza / de que todo se arregle / de que ceda el dolor / y el mundo se organice». A partir de *Nocturnos*, las influencias literarias (Juan Ramón Jiménez, Pedro Salinas, Raymond Queneau) que habían acompañado, a prudente distancia, diversas etapas de la poesía de Idea, quedan como lejanas sombras en el horizonte. El poeta encuentra su mejor lenguaje, el exactamente ajustado a su intención más honda, el que menos deforma su sentido, su esencia.

Quien haga un inventario superficial, exterior, de los temas de Idea Vilariño; quien escoja (no precisamente al azar) un poema aislado y no representativo; quien se fije más en las meras palabras que en los contextos, podrá acaso concluir, como el crítico Hugo Emilio Pedemonte[2], que «de todo esto no queda una imagen de poesía». Pero sucede que este poeta no puede ser asumido en una lectura salteada, presurosa, frívola; sus poemas no son simples arranques, abruptos estallidos, sino que están inscritos en un mundo, amargo sí, y tal vez excesivamente desolado, pero siempre coherente.

Curiosamente (y éste quizá sea el rasgo más difícil de reconocer en una poesía tan tensa, tan rigurosa), en el cimiento espiritual de ese ser que niega, que rechaza, que sufre, que no olvida, ha existido una constante aspiración a la dicha, una última esencia de amor —y hasta de ternura— que ha sido guardada como un fondo de reserva, como una extrema justificación de la existencia. Tal disponibilidad ha subyacido en todas las etapas de su obra, pero es en su último libro, *Poemas de amor*, donde se hace más evidente y definida. «Estoy aquí / en el mundo / en un lugar del mundo / esperando / esperando», dice en uno de los poemas más breves. Cuando la espera culmina, cuando el amor adviene, las palabras imitan (consciente, deliberadamente) la felicidad: «Un pájaro me canta / y yo le canto / me gorjea al oído / y le gorjeo», pero el ser íntimo, el último reducto de la verdad, sabe que el amor es una abundancia transitoria («Amor amor jamás / te apresaré»; «Qué lástima que sea sólo esto / que quede así / no sir-

---

[2] *Nueva poesía uruguaya*, Madrid, 1958, p. 216.

va más»; «Puedo sólo sufrir / por los días perdidos / por lo imposible ya / por el fracaso») durante la cual no es posible ahorrar para el mezquino futuro; sabe que la soledad sólo provisionalmente admite su derrota («sos un extraño huésped / que no busca no quiere / más que una cama / a veces. / Qué puedo hacer / cedértela. / Pero yo vivo sola»); que, más allá de esa pobre tregua llamada amor, la soledad retomará las riendas de la vida. En el último poema de *Nocturnos*, ya había sido mencionado «ese vacío / más allá del amor / de su precario don / de su olvido».

Esa inclemente perspectiva, esa condena a cumplir, ese futuro cerrado, no impiden sin embargo la plenitud del amor; más bien la intensifican, la dramatizan. Es una plenitud a corto plazo, siempre amenazada, pero con ella construye Idea tres o cuatro poemas, en los cuales lo erótico, lo romántico, o hasta lo puerilmente doméstico del amor, se inscribe en una capacidad de comunicación raras veces reconocible en nuestra copiosa poesía femenina. Me refiero a los poemas «Carta I», «Carta II», «No te amaba» y «Ya no». Transcribo este último:

Ya no será
ya no
no viviremos juntos
no criaré a tu hijo
no coseré tu ropa
no te tendré de noche
no te besaré al irme.
Nunca sabrás quién fui
por qué me amaron otros.
No llegaré a saber por qué ni cómo nunca
ni si era de verdad
lo que dijiste que era
ni quién fuiste
ni quién fui para ti
ni cómo hubiera sido
vivir juntos

querernos
esperarnos
estar.
Ya no soy más que yo
para siempre y tú ya
no serás para mí
más que tú. Ya no estás
en un día futuro
no sabré dónde vives
con quién
ni si te acuerdas.
No me abrazarás nunca
como esa noche
nunca.
No volveré a tocarte.
No te veré morir.

  · No todos los poemas del volumen alcanzan esta altura. En realidad, me parece que *Poemas de amor* es un libro menos riguroso, menos autoexigente y concentrado que *Nocturnos*, al que sigo considerando el punto culminante de la poesía de Idea. Curiosamente, algunos de los poemas más breves («Estoy aquí»; «Yo quisiera»; «Estoy tan triste») dejan un flanco, que si no llega a ser de debilidad formal, es por lo menos de una menor fuerza expresiva. Al parecer, la medida actual, el ritmo interior de la poesía de Idea, se desenvuelve mejor en más espacio, en desarrollos de más prolongada tensión. Justamente, los poemas que menciono más arriba como más logrados, son de los más extensos del último libro.

  Aun con estas objeciones menores, *Poemas de amor* resultará siempre un libro fundamental en la trayectoria de este poeta, ya que testimonia virtualmente la única apertura (todo lo transitoria que se quiera) de su mundo aherrojado, oprimido, perplejo. Una apertura que no sólo permitió al poeta expatriarse momentáneamente de su soledad, sino que también permite al lector echar un vistazo al fondo humano y conmovedor de un ser que busca, con más o menos desesperanza, lo que todos buscamos. No importa mayormente que, desde ahora, la puerta vuelva a cerrarse. La comunicación ha sido establecida.

(1962)

Eduardo Galeano: un estilo en ascuas

Para quien conozca a Eduardo Galeano exclusivamente por su actividad más notoria —el periodismo— su lado literario puede constituir una sorpresa. Desde su precoz intervención en la militancia estudiantil hasta su desempeño como director del diario *Epoca*, pasando por dinámicas etapas como secretario de redacción de los semanarios *El Sol* y *Marcha*, como codirector de un programa de ágiles *interviews* en televisión y como autor de un reportaje-libro: *China 1964 (Crónica de un desafío)*, a los veintiséis años Galeano es sin duda uno de los periodistas uruguayos de trayectoria más incisiva, inteligente y creadora.

Después de semejante actitud definida y beligerante, era de esperar —y hasta de temer— que al desembocar en el quehacer literario Galeano se sintiera tentado, como tantos otros, por formas de denuncia, muy compartibles en su intención y en sus postulados, pero lamentablemente ajenas a la exigencia artística.

La verdad es que Galeano, ya desde su primera obra, *Los días siguientes* (1963), había sorteado hábilmente ese riesgo. Todavía inmadura en varias zonas, *nouvelle* más que novela, ese librito sirvió sin embargo para demostrar que Galeano era quizá, entre los narradores más jóvenes, el que estaba más cerca de conseguir un lenguaje propio y un estilo de indudable calidad literaria.

En ese primer libro, Galeano se enfrentó a su nuevo oficio con cautela (quizá excesiva), con modestia, con seriedad, y, lo mejor de todo, con talento. Después de haber leído una decena de páginas, representaba un alivio comprobar que el nuevo narrador no escribía desde un estante de obras famosas ni desde una prominente erudición. En Galeano hay influencias (¿en quién no?) pero no imitación. Hay una concepción de los seres y de las cosas, una visión entre tierna y sombría, que evidentemente desciende directamente de Pavese, pero que el escritor uruguayo convierte en algo propio. Ni su tierna reticencia ni su sombrío desprendimiento (dos rasgos característicos de aquel primer libro) son los mismos que los del italiano; sólo se trata de un parentesco espiritual, de un vago aire de familia.

Los días siguientes trae un epígrafe de Faulkner: «Papá dice que es como la muerte: un estado en que quedan los demás», que permite entender mejor el sentido del título. El relato es, en una primera y superficial lectura, apenas un itinerario de acercamientos y semi rupturas entre Mario —narrador en primera persona— y Marta, una muchacha que mantiene cierta confusa relación con un amigo de Mario, llamado Carlos, hasta que en la pág. 34, éste se suicida con luminal. No obstante, en una lectura más profunda, es posible advertir que *Los días siguientes* transita por ese «estado en que quedan los demás».

Sin que el relato se resigne a hacer explícita la averiguación ni descienda jamás al nivel de la encuesta, Carlos va atando cabos. Claro que tales cabos no provienen exclusivamente de los indicios que, en intermitentes descuidos, le va proporcionando Mario; también provienen de sí mismo. Existe un personaje, Ferreyra, integrante del curioso círculo de rostros que rodea a la muchacha, que siempre confunde a Mario y lo nombra: «Carlos», y el viviente se deja llamar con el nombre del muerto.

Hay una zona de ambigüedad en la que no aparece con claridad suficiente si Mario está tratando de prolongar, reemplazándolo y reivindicándolo, el amor no correspondido de Carlos hacia Marta, o si pretende definir en la muchacha el verdadero rostro del muerto para sólo después vencerlo y reemplazarlo, o si simplemente se propone averiguar qué parte de culpa tuvo Marta, o tuvo él mismo, en el suicidio de Carlos. Las tres intenciones, que aparecen asimismo como tres posibilidades superpuestas, son barajadas por el autor con suficiente habilidad como para mantener un módico misterio psicológico.

Aparentemente, algunos de los cabos que ata Mario son apenas falsos cabos; varios de los mejores instantes de confidencia y sexo que vive con Marta, son posteriormente aniquilados por cierta frivolidad de efecto retroactivo; y, por último, la imagen fantasmal del amigo muerto («Te parecés a Carlos, ¿sabías?», le dice Lidia, una amiga de Marta) se instala en él como un demérito, como una amargura sin levante. Galeano lleva con verdadera destreza a su protagonista hasta situarlo frente a una última perspectiva en que todo se mezcla, en que nada es categórico, en que la única hipnotizadora visión es la tristeza. «Veo veo: triste», dice la línea final.

Entrelazada con esa historia central, por cierto muy bien contada, corre una adicional peripecia de unión y desunión, que es vivida por el mismo Mario con otra mujer: Nina. Esta segunda relación, que en sí misma podría tener validez y en realidad incluye buenos diálogos, no llega a empalmar con la anécdota mayor y en cierto modo la perjudica. Galeano no logra hacer totalmente creíble esa coexistencia de dos mujeres en la vida más bien pasiva del protagonista, y ése es probablemente el único punto en que revela cierta inexperiencia. Parece evidente que el relato habría ganado en profundidad y en concentración, de haberse limitado a plantear la relación Mario-Marta-Carlos; Nina no sólo está sobrando en el conflicto sino que además dispersa la atención del lector. No obstante, si bien la presencia de Nina disminuye la eficacia total del relato, no llega de ningún modo a malograrlo. Por otra parte, Galeano posee un estilo sobrio, depurado, en el que hasta los matices psicológicos más sutiles están dados con sencillez, sin cargazón inútil. Los diálogos son verosímilmente montevideanos, pero están compuestos una octava más alta de la corriente parla ciudadana. Es decir: están lo bastante cerca de la realidad como para ser creíbles, pero han sido asimismo lo suficientemente recreados como para constituirse en literatura.

Superado ya el comprensible complejo de primer libro, los cuentos de *Los fantasmas del día del león* (1967) permiten la aproximación a un creador por cierto mucho más maduro, más consciente de las posibilidades de los temas que maneja, y sobre todo más legítimamente osado en el ejercicio de su aventura.

Nada de esto —entendámonos bien— quiere significar que la narrativa de Galeano transcurra en una Arcadia inaccesible o en un limbo de metáforas. Por el contrario, en el relato que da título al libro, hay un evidente propósito (político, social) de desarrollar uno de los lugares comunes (la heroicidad de la policía) más cortejados por la llamada prensa grande; heroicidad por cierto muy confortable cuando se trata de arremeter —a sablazos, con bayoneta calada, o simplemente a tiros— contra estudiantes u obreros inermes, pero bastante menos visible cuando se trata de enfrentarse a pistoleros, que, en vez de piedras o baldosas rotas, empuñan armas por lo menos tan letales como las pertenecientes a las desordenadas fuerzas del orden.

Basándose en el episodio tristemente célebre, ocurrido en el invierno de 1965, que acabó con la vida de los pistoleros argentinos que se habían refugiado en un apartamento de la calle Julio Herrera y Obes, y que constituye un excepcional catálogo, una prodigiosa sinopsis de la hipocresía, la cobardía, la cursilería y la bambolla, que integran el estólido promedio de estos sucesos reveladores, Galeano construye una anécdota («Lo que el Bolita contó»), convergente con la cacería, que si bien en sus datos es tributaria del episodio policial, en su desarrollo muestra la ductilidad y la capacidad creadora de Galeano para imaginar un contrapunto de estricto valor narrativo.

Es cierto que los distintos tramos de «La batalla de Julio Herrera y Obes» (el subtítulo sintetiza admirablemente el lado ridículo de la temblorosa euforia policial) son transcripciones textuales (en algunas de ellas, el demagógico cinismo invade la zona de lo inefable) de los comentarios periodísticos que provocara la operación de caza humana. Pero también es cierto que la tijera de Galeano los recorta sin perder de vista el episodio inventado; éste no es opacado por la realidad, y se convierte en el nervio mismo del relato, gracias a la sensibilidad del autor para re-crear un lenguaje popular en el que las citas y glosas tangueras tienen, es cierto, un colorido funcional, pero además sirven como factor desencadenante.

No obstante, y pese a la fuerza de ese relato mayor, para mi gusto el indudable talento de Galeano encuentra sus mejores posibilidades en la dimensión, el ritmo, las exigencias y hasta el efecto, característicos del cuento breve. Resulta claro que este autor, pese a su juventud, posee una tradición de lecturas que —a diferencia de otros narradores de su promoción— no lo inmovilizan sino lo estimulan, lo ayudan a atreverse.

La visión desprevenida y libérrimamente fabuladora de dos criaturas de escasa edad: un varón (en «Señor Gato») y una niña (en «Homenaje»), le sirven a Galeano para enfocar ciertos absurdos y contradicciones del mundo adulto. El procedimiento no es el mismo en ambos relatos. En «Señor Gato», el recurso clave es cierta objetiva ambigüedad, presente aun en la última línea del relato; en «Homenaje», la óptica estrictamente infantil le permite a Galeano inscribirse en una tradición que pasa por Richard Hughes *(A High Wind in Jamaica)* y su honda percepción, por Raymond Queneau *(Zazie dans le métro)* y su humor a saltos, y llega hasta el más reciente Bruno Gay-Lussac de *La robe*.

La ambigüedad también está presente en «Fotografía del grano de mostaza», un relato que basa su poder hipnotizante en la eficacia del diálogo pero también, y sobre todo, en lo que ese mismo diálogo sabiamente elude. Este cuento es casi una filigrana del sobreentendido y en él Galeano demuestra haber asimilado inmejorablemente las lecciones del viejo y despojado Hemingway al rehallar la difícil equidistancia entre la aséptica credibilidad del diálogo (los personajes no tienen por qué dar demasiados datos acerca de episodios que conocen de sobra) y un mínimo asidero para quien lo lee.

En «Para una noche del fin del verano», Galeano construye pacientemente la prehistoria del imprevisto desenlace. Podría decirse que hay un desarrollo de ida y otro de vuelta, pero sólo el primero (después de un encuentro con su amante montevideana, el protagonista regresa a Punta del Este donde debe esperarlo su mujer, fría, acomplejada, indigestada de pastillas) figura en la narración. El desarrollo de vuelta, o sea la valoración retroactiva, queda a cargo exclusivo del lector, que a partir del final sorpresivo ha de reconstruir inevitablemente toda la situación hasta que la misma adquiera su dimensión exacta.

Con este libro concentrado, de estilo en ascuas, rico de diálogo, nutrido de hondos significados laterales, Galeano da un decisivo paso adelante y se instala en el nivel más creador de la última promoción de narradores uruguayos.

(1967)

Crónica de sueños no cumplidos

«La mujer y el hombre soñaban que Dios los estaba soñando». Así comienza *Memoria del fuego*, trilogía de Eduardo Galeano, de la que ya han aparecido los dos primeros volúmenes (I, *Los nacimientos;* II, *Las caras y las máscaras*). En la historia de todos los pueblos suele haber un sueño que transcurre en el subsuelo o en el *sobrecielo* de las arduas vigilias. Tal historia soñada también existe en los pueblos de América Latina, pero hasta ahora no había sido escrita sino fragmentariamente y nunca con el sentido integrador y pesquisante de *Memoria del fuego*.

En su libro más célebre, *Las venas abiertas de América Latina*, Galeano había analizado con maestría y refutado con autoridad el currículo oficial del subcontinente, pero en su nueva obra desarrollada, anécdota tras anécdota, desengaño tras desengaño, los anales clandestinos, los sueños derrotados, la injusticia acumulada en tantos siglos de rabia y vasallaje.

La historia oficial ha sido siempre un inventario de victorias; los derrotados interesan menos. Hay, sin embargo, algunos célebres derrotados (Artigas, Martí, Sandino y hasta, si se analiza a fondo su circunstancia, San Martín y Bolívar) cuya influencia sobre el presente es considerablemente mayor que la de muchos triunfadores. *Memoria del fuego* es la saga de un sueño: el de los vencidos. Los indios, los mestizos, los negros, pero también los que amaron con fuerza incontenible, los precursores de la solidaridad, los que se dejaron matar por sus ideales.

Precisamente, en la crónica de las frustraciones, de los sueños no cumplidos, de las esperanzas mutiladas, ahí reside el impulso secreto de una América Latina más cabal de lo que en realidad vino a ser. De todas maneras es bastante útil llegar a descifrar el tono y el mensaje de esas posibilidades perdidas. Perdidas, no muertas. El libro de Galeano es algo así como una posibilidad de resurrección para aquella soñada América posible que en cada emboscada fue perdiendo brío, aliento, expectativa. Los sucesivos colonialismos, imperialismos y racismos han sido demasiado poderosos como para que los pueblos inermes, esos antiguos dueños de tierra y subsuelo, de fauna y flora, pudieran hacer algo más que mantener a duras penas su escarmentada identidad. Y como los subyugados indios no alcanzaban a satisfacer la demanda colonial fue preciso importar esclavos adicionales. Diez millones de negros fueron traídos de Africa. Como señaló Galeano en un programa de televisión, al cruzar el océano esos millones de africanos no trajeron consigo sus dioses agrarios, sino sus dioses de la guerra. ¿Para qué iban a traer divinidades y mitos que en definitiva iban a beneficiar a sus amos? En cambio, para defenderse de esos amos trajeron a los dioses de la guerra; pero ni siquiera éstos fueron capaces de librarlos del genocidio y del timo. En punto a dioses bélicos, la civilización blanca y cristiana ha sido la mejor pertrechada. Y si no que le pregunten a Hiroshima.

Reveladoramente, el libro de Galeano tiene mucho que ver con la poesía. Por una parte hay un astuto reconocimiento de cuándo la historia nace ya siendo arte, siendo poesía. Por ejemplo cuando al llamado del cura Hidalgo «la Virgen mexicana de Guadalupe declara la guerra a la Virgen española de los Remedios», y mientras ésta es vestida de generala «el pelotón de fusilamiento acribillará el estandarte de la de Guadalupe por orden del virrey». O cuando el Gobierno de Buenos Aires difunde un violento folleto contra Artigas en el que lo llama «genio maléfico, apóstol de la mentira, lobo devorador, azote de la patria, nuevo Atila, oprobio del siglo y afrenta del género humano», y alguien lleva esos papeles al campamento de Artigas y éste, sin desviar siquiera la vista del fogón, apenas dice: «Mi gente no sabe leer». O cuando Manuela Sáenz, la amante quiteña de Bolívar, 23 años después de la muerte del Libertador, «se divierte arrojando desperdicios a los perros vagabundos que ella ha bautizado con los nombres de los generales que fueron desleales a Bolívar. Mientras Santander, Páez, Córdoba, Lamar y Santa Cruz disputan los huesos, ella enciende su cara de luna, cubre con el abanico su boca sin dientes y se echa a reír. Ríe con todo el cuerpo y los muchos encajes volanderos.»

Sin embargo, no siempre la historia nace hecha arte; la mayoría de las veces es necesario convertirla en poesía. Si todo el libro viniera en ese envase tal vez sería excesivo, pero el autor dosifica tan hábilmente el aporte, que allí están probablemente los mejores fragmentos del libro. Por ejemplo cuando, lejos del Cuzco, la tristeza de Jesús preocupa a los indios tepehuas, y entonces inventan la danza de los viejos, y cuando Jesús vio a la Vieja y al Viejo «haciendo el amor, levantó la frente y rio por primera vez». Y esos mismos tepehuas que salvaron a Jesús de la tristeza tienen otra peculiaridad. «Para decir *amanece*, ellos dicen *se hace Dios*». O cuando en 1834 el recién estrenado Gobierno uruguayo envía a la Academia de Ciencias Naturales de París los últimos cuatro indios charrúas que habían sobrevivido a la «obra civilizadora» del general Rivera: «Antes de un par de meses los indios se dejan morir. Los académicos disputan los cadáveres». Sólo sobrevive el guerrero Tacuabé, que en el museo, cuando se iba el público, hacía música: «Frotaba el arco con una varita mojada en saliva y arrancaba dulces vibraciones a la cuerda de crines».

Desde los mitos hasta el siglo XX; desde las tierras donde nace el río Juruá y el Mezquino era dueño del maíz y del fuego hasta (es sólo una idea para el tercer volumen) que Henry Kissinger programa y organiza la caída y la muerte de Salvador Allende. Hay más de un Mezquino en nuestros manuales de historia, pero sólo en raras ocasiones comparecen por sus reales méritos. Los manuales son frecuentemente escritos por los historiadores de las burguesías criollas, y su castellano suele ser tan dócil y encorvable que resulta particularmente apto para ser traducido al inglés.

Galeano reconoce que su versión no es objetiva. La objetividad implica distancia, y la verdad es que ya hemos sido demasiado distanciados de nuestros orígenes, de nuestros motivos, de nuestras sublevaciones.

¿Puede interesarle a la América Latina de hoy el concepto de libertad que difunden el *Reader's Digest* y los Cuerpos de Paz? ¿Puede interesarle ir pasivamente al encuentro de las leyes, liberales o conservadoras, que la clase dominante creó y articuló como instrumento y soporte de sus intereses cuantiosos? Es esa misma clase dominante la que nos ha impuesto su concepto de libertad. Nos ha colonizado también en ese rubro, pero su libertad no coincide con la nuestra. Más aún, su libertad existe a partir de nuestra dependencia.

¿Podemos, frente a esa malversación, caer en la trampa de la objetividad? ¿Objetividad para quién, para qué? ¿Podemos imponernos la objetividad mientras que el enemigo prohíbe, encarcela, confisca, castiga, nada más que por ejercer ya ni siquiera el derecho de opinión, sino el de la mera información? Gran receta la objetividad, insuperable fórmula para cuando se reinicie el juego limpio. Mientras tanto, reclamamos el derecho a ser subjetivos, a poner no sólo la verdad, sino también nuestra pasión, en defensa de lo justo, en defensa del próximo prójimo.

Memoria del fuego podría haber sido subtitulada *Historia marginal de América Latina*. A menudo la verdad no se halla en los textos del poder, sino apenas en las notas al pie, pero en la mayoría de los casos sólo se hace presente en las anotaciones que en los márgenes va haciendo cada lector, cada comunidad, cada pueblo.

Los profetas de este siglo, desde George Orwell hasta Nicholas Meyer, son augures de la ignominia o de la catástrofe, y sus razones tendrán. Pero los profetas del mundo que era viejo antes de ser nuevo eran más optimistas. *Las caras y las máscaras* concluye con la transcripción del vaticinio de Chilam Balam, «el que era boca de los dioses»: «Los de trono prestado han de echar lo que tragaron. Muy dulce, muy sabroso fue lo que tragaron, pero lo vomitarán. Los usurpadores se irán a los confines del agua... Ya no habrá devoradores de hombres... Al terminar la codicia, se desatará la cara, se desatarán las manos, se desatarán los pies del mundo».

De modo que, puesto a elegir entre Orwell y Chilam Balam, me quedo con este último, ya que si terminada la codicia se desatarán los pies del mundo, puede que eso quiera decir que el mundo echará a andar. Enhorabuena.

(1984)

Cristina Peri Rossi: vino nuevo en odres nuevos

«Pienso, entonces que se escribe porque se muere, porque todo transcurre rápidamente y experimentamos el deseo de retenerlo; la literatura es testimonio, precisamente porque todo está condenado a desaparecer, y eso nos conmueve y a veces nos pide a gritos residencia. Escribo, por lo tanto, porque estoy momentáneamente viva, en tránsito, y no quiero olvidar aquella calle, un rostro que vi mientras caminaba, o la alegría que sentí al manifestar por la calle junto a compañeros que no habían leído libros, ni sabían lo que hacía yo, ni me lo preguntaban, pero alcanzaba con saber que en ese momento estábamos uno al lado del otro, hacíamos algo juntos, y ese sentimiento creaba la confraternidad.» Si se piensa que esta cita (reportaje a Cristina Peri Rossi, en *Marcha*, 27 de diciembre de 1968) pertenece a una escritora nacida en 1941, hay que admitir que algo está cambiando en las letras nacionales; por lo menos que una parte de los jóvenes que escriben han acelerado su ritmo de maduración vital, y, lo que es más estimulante, que ese cambio se ha producido en su nivel de simples seres humanos antes aún que en su calidad de escritores. A conclusiones como las arriba transcriptas, o parecidas, también llegaron en su momento algunos escritores de promociones anteriores, pero por lo general esa certeza sobrevenía sólo después de los cuarenta.

Tal sazón no corresponde, por cierto, a todos los jóvenes. También hay jóvenes-viejos que respiran aliviados cuando alguno de sus mayores afloja el paso o cae en concesiones. Justamente por su ejercicio en varios géneros (cuento, poesía, ensayo); por su modo tajante, y a la vez austero, de expresar sus convicciones y de entender su militancia; por su franqueza sin cálculo cuando se ve conminada a hacer la nómina de sus preferencias nacionales (dos vivos: Onetti, Idea, y tres muertos: Felisberto, Megget, Falco); por su comprensible incomprensión de ciertos desgarramientos que sufren *otros* (el hecho de escribir un poema al Che no siempre significa la cómoda instalación que ella detecta); por la dimensión estética en que deliberadamente coloca su ejercicio literario; por haber sido premiada por sus pares (Jorge Onetti, Eduardo Galeano, Jorge Ruffinelli); en fin, por sus cálidas esperanzas no cicatrizadas, Cristina Peri Rossi es particularmente representativa de los jóvenes-jóvenes, y por eso valdría la pena encarar su personalidad literaria como un ente total que incluya no sólo sus cuentos, sus poemas, sus ensayos, sino también su respuesta vital, comprometida.

Empezaré por un *mea culpa*. Admito que se trata de un prejuicio bastante necio, pero la verdad es que nunca me han gustado los títulos en gerundio; quizá por eso, cuando apareció el primer libro de Peri Rossi, *Viviendo* (1963), no lo leí de inmediato sino un par de años después. Curiosamente, y quizá por primera y única vez en mi experiencia de lector, encontré que el gerundio titular estaba justificado por el texto. Tal como lo quiere la gramática, expresaba allí el verbo en abstracto: los personajes de los tres relatos («Viviendo», «El baile», «No sé qué») son seres marginales, que no consiguen afirmarse en ese imprescindible trozo de vida, inevitablemente concreto, capaz de dar sentido y justificación a un azar individual. Tanto Anabella, la prematura solterona de «Viviendo», como Silvia, la peluquera pueblerina («El baile») que se deslumbra por error, o Sonia, la opaca y lúcida protagonista de «No sé qué», padecen una congénita imposibilidad de actuar, de influir de algún modo en su propio destino. El suyo no es el fracaso del que juega y pierde, sino del que no se atreve a jugar. No es la soledad que vive de recuerdos, sino la que no llegó a fabricarlos. Sin embargo, Anabella, Silvia y Sonia tienen sendas oportunidades de enderezar sus respectivas y monocordes existencias; secillamente, hacen muy poco por asir la ocasión, cuando ésta las roza. No son víctimas del azar, sino más bien sus victimarias.

El presente está tan condicionado por rutinas, prejuicios y recuerdos ingrávidos, que toda relación con él queda inmovilizada en una frustración cualquiera. Es, con todo, un mundo de apariencias, pero curiosamente la apariencia no es aquí una realidad idealizada o ambicionada, sino que constituye un nivel tan mezquino como las pobres vidas que a duras penas cubre. Extrañamente, ese tácito desprestigio de las apariencias (¡qué *boccato di cardinali* para la crítica estructuralista!) infunde un cierto respeto en el lector, quien lentamente llega al convencimiento de que estos personajes hacen de su melancolía una suerte de compromiso. Viven sin amor porque eligen, conscientemente o no, la soledad; hay una parálisis social, una atonía sentimental, un sopor psicológico, en esos seres que contemplan desinteresadamente el alrededor y contagian su letargo al paisaje. Pero eso mismo los arranca, en tanto que personajes literarios, del mero realismo, y les inculca una condición poco menos que fantasmal. No se trata sin embargo de apariciones, de almas en pena, sino de esa índole espectral que tienen ciertos hombres y mujeres, incapaces de imbricarse en su medio; fantasmas sí, pero de carne y hueso. Ya señaló alguna vez José Carlos Alvarez que «hay algo de monocorde en estas tres narraciones; parecería que ellas forman parte de una letanía hecha una grisura, una lluvia, un silencio, y una melancolía provocados y buscados. Pero todo surge con tanta autenticidad en *Viviendo* y con una sugerencia tan atractiva, que bien se puede disculpar a la autora una reiteración que tiene algo de transfigurante». En esa falta de reacción a los estímulos exteriores, en ese torpor aparentemente irremediable, hay seguramente un símbolo, una metáfora estructural que sólo ahora, al aparecer su segundo libro, se clarifica. Casi podríamos decir que los relatos de *Viviendo* son los museos antes de ser abandonados, o sea que se trata de un orden ya carcomido, sin respuesta válida para el hombre de hoy y su dramática conciencia.

En el lapso que media entre los dos libros, hay, entre otros, dos textos de la autora, aislados pero significativos: el relato «Los amores» y el poema «Homenaje a los trabajadores uruguayos del 1.º de mayo, aplastados por soldados y policías». El primero lleva a una instancia de demencia la anquilosis temperamental, la resistencia al cambio, que ya aparecía en algunos personajes de *Viviendo*; el segundo, pese a su título de pancarta, es una reacción estremecida y estremecedora frente a aquellos sectores de la sociedad, voluntariamente ciegos y sordos, que se autoconvencen de una paz que no existe. Este poema otorga verdadero sentido a la simbología latente en los relatos anteriores y posteriores, ya que Peri Rossi es en poesía mucho más directa que en su zona narrativa. Ese poema incluye una ironía desgarrada, una contenida energía, que en cierta manera lo aproximan a los certeros poemas políticos de Ernesto Cardenal.

Los museos abandonados obtiene el Premio de los Jóvenes, de la Editorial Arca, en 1968, y es publicado en 1969; dos años que probablemente serán decisivos en la vida del país. La muerte está en las calles; la obcecación en el poder; el poder pierde sus máscaras. Evidentemente, es hora de abandonar los museos, con sus estatuas que perdieron vigencia, sus momias acalambradas en gesto hipócrita, y también con sus irreparables deterioros y su olor a podrido. Es hora de abandonar las valetudinarias excusas, los lugares comunes en vías de desintegración, las cobardías en cadena. Es hora de salir al aire libre. No piense el lector, sin embargo, que Peri Rossi dice este mensaje con la exactitud y la puntualidad de un teorema o de un panfleto. De ningún modo; la narradora (que conoce bien su oficio y maneja hábilmente su instrumento) instala su convicción en una alegoría, pero luego ésta funciona de acuerdo a leyes alegóricas y no a pasamanería política.

Para decir lo que quiere o lo que intuye, revisa el anaquel mitológico y extrae Ariadnas y Eurídices, pero de inmediato ajusta los tornillos a los presupuestos míticos y, al poner al día sus símbolos, les hace rendir significados nuevos. Ahora sí hay presencias definidamente fantasmales: son las viejas maneras de concebir arte y vida, muerte y justicia. A veces llega a pensarse que el mundo total es un gran museo destinado a quedarse solo, y esta imagen está en cierto modo refrendada por el único relato, «Los extraños objetos voladores», que transcurre fuera de los vacantes repositorios culturales.

Este cuento, que ocupa exactamente la mitad del volumen, me parece el punto más alto de la producción de Peri Rossi. Cierto engolosinamiento metafórico, cierta anfractuosidad poética, que a veces aminoran la eficacia de los tres relatos de museos, están ausentes de este riguroso texto, en que la autora muestra su mejor condición de cuentista nato. Sin hacerle trampas al lector, ni tramparse a sí misma, Peri Rossi construye una atmósfera de creciente terror, pero conviene aclarar que se trata de un espanto normal, de cotidiano desarrollo, algo que no golpea sino que (lo que es mucho más grave) transforma. Aquí el estilo es despojado; la anécdota (pese a la insólita pauta en que transcurre), de una sobriedad sin fisuras; el penitente final produce en el lector el buscado sobresalto metafísico. Todo eso metido en un contorno regulado por la costumbre; norma ésta poco menos que obligatoria, ya que a medida que el relato avanza, casi podría decirse que el lector asiste a sucesivas efracciones de la rutina, y hasta se vuelve corresponsable de esa fractura de tradiciones. El cuento es la historia de una amenaza (un objeto marrón se instala en el espacio, y su presencia nihilista trastorna y limita progresivamente la realidad), una suerte de ultimatum absurdo y sin embargo verosímil. Todos los recursos literarios de la autora (que son casi siempre eficaces, originales) están puestos al servicio de una alarma, es cierto; pero una alarma en que nos va la vida.

Después de la enquistada soledad de *Viviendo*: este abandono de los museos, del orden antiguo, de la caduca estructura. ¿Qué vendrá después? Quizá puedan hacerse pronósticos a partir de la frase final del último cuento, «Los refugios»:

«Cubrí a Ariadna con una de las sábanas que protegían a las estatuas del polvo y del tiempo. Nos quedamos adentro, en silencio, hasta que todo estalló, como una gran fruta madura, como una formidable víscera descompuesta». O sea: después del abandono, la presencia fantasmal de los viejos mitos, de los antiguos moldes; después de esa presencia y de su fracaso, el estallido renovador, la destrucción para construir. Ahí adquiere su sentido la dedicatoria que encabeza el volumen: «A los guerrilleros. A sus héroes innominados. A sus mártires. A sus muertos. Al Hombre Nuevo que nace de ellos. Aunque éste sea, en definitiva, el más torpe homenaje que se les pueda hacer». Sin embargo, no es un *torpe* homenaje. Este afán de transfigurar en arte, de convertir en alegoría, un angustioso pero decisivo viraje de la historia, de nuestra historia; esta intención de convertir en estremecimiento estético un cataclismo social; este propósito de no hacer panfleto sino remoción; todo ello forma parte de una respuesta revolucionaria al desafío de este siglo, de este año, de este mes, de este minuto.

(1969)

EL CONTINENTE

Rubén Darío, Señor de los tristes[1]

Según narra su compatriota Ernesto Cardenal, Rubén Darío nació «en una tierra de tránsito, y simbólicamente su madre lo dio a luz en una carreta en mitad de un viaje, a su paso por Metapa». Lo de la carreta es pintoresco, quién lo duda, y podría dar adecuada solución a incontables charadas de demagógica cursilería. Pero yo prefiero detenerme en aquello otro de «en mitad de un viaje». Se me figura que también la poesía de Darío nace así, en mitad de un largo viaje que arranca en Víctor Hugo y llega, por ahora, hasta Neruda; no ten-

---

[1] Con el título «Señor de los tristes», un trabajo más breve fue leído por el autor el 20 de enero de 1967 en Varadero, Cuba, en ocasión del *Encuentro con Rubén Darío*, organizado y convocado por Casa de las Américas. Considerablemente ampliado, ese texto se transformó luego en el que aquí se incluye, cuyo objeto fue servir de «introducción» a una antología poética de Darío preparada unos meses más tarde para la Colección Literaria Latinoamericana de la misma Casa de las Américas. Este destino explica y justifica varias alusiones al trabajo de antologista, que figuran en el texto.

go dudas de que el itinerario sería muy distinto sin aquella decisiva y alumbradora escala de Metapa.

Como se sabe, sucedió hace un siglo: el 18 de enero de 1867. A partir de ese acontecimiento, la biografía extraliteraria de Darío podría resumirse en pocas referencias: dos matrimonios, uno por libre elección (con Rafaela Contreras) y otro por violentas presiones (con Rosario Murillo); cierta unión duradera, aunque no oficial (con Francisca Sánchez); varios cargos diplomáticos (representando a Colombia, a Nicaragua) y corresponsalías periodísticas (la más importante: *La Nación*, de Buenos Aires); constantes viajes, mucho alcohol; frecuentes concesiones políticas y aislados gestos de valor cívico; estilo manirroto de vida, serias apreturas económicas; muerte en su Nicaragua, el 6 de febrero de 1916, junto a la imbatible Rosario; escándalo *post mortem*, durante el cual parientes y amigos se disputan, revólver en mano, el corazón y el cerebro del poeta.

Advierto que en este prólogo se hablará muy poco de modernismo y no se entrará en la discusión acerca de quién fue el iniciador del movimiento. «No hay escuelas; hay poetas», dijo Darío desde la entraña misma del modernismo.

Que la poesía en español no es la misma desde que Darío la sacudió con sus letanías y *dezires*, con sus exámetros optimistas y sus alejandrinos camuflados, es algo que ni Jorge Luis Borges, pese a su congénito espanto frente al lugar común, deja hoy de reconocer, tal como lo atestigua su mensaje, leído el 25 de marzo de 1967, con motivo de la inauguración de un busto de Darío en la ciudad mexicana de Guadalajara.

Pero acaso no sea ése el planteo más adecuado. El problema consiste en saber si, después de leer a Darío, el *lector* sigue siendo el mismo. O sea, someter a este poeta al infalible *test* que permite reconocer a los grandes creadores, esos que nos conmueven, en el intelecto o en la entraña, y al conmovernos nos cambian, nos transforman. Sospecho que, a esta altura, habrá que apearse inevitablemente del púlpito crítico y convertirse en mero lector-feligrés. Pues bien, en este último carácter debo confesar que buena parte de la poesía de Darío no me sacude, ni me transforma. Alguna vez el poeta terminó un soneto con esta interrogante: «¿*No oyes caer las gotas de mi melancolía?*». Y uno siente la tentación de responder: «No. No las oigo. Oigo sí caer las gotas de sangre en la poesía de Vallejo, como oigo caer las gotas de lluvia y de melancolía en la de Juan Ramón. Pero en tu poesía, Rubén, sólo oigo caer las palabras con que inventas tu melancolía».

Es claro que Darío tiene todo el derecho de inventarse una melancolía, que es un modo como cualquier otro de ocultar, valorizándola, la melancolía verdadera. Tiene todo el derecho de inventarse metafóricas trincheras de protección y llenarlas con sus pajes y faisanes para desorientarnos, para que creamos que, detrás de ellas, hay un elegante jardín, un bestiario de importación, un carnaval perpetuo, y no lo que realmente hay: un hombrecillo malhumorado, solitario, triste, huraño, patético, y —¿por qué no?— esencialmente bueno, sentado en su piedra de amargura, tratando a toda costa de no ver en sí mismo. Quizá por eso sea el suyo confesadamente un canto errante. Darío es, como Rimbaud, un capitán que guía su barco sin su brújula, pero en tanto que Rimbaud ha extraviado definitivamente la suya, Darío la lleva en el bolsillo, por las dudas.

En ocasión del polémico y enriquecedor Encuentro con Darío, convocado —a través de Casa de las Américas— por la Cuba revolucionaria y celebrado en Varadero en enero de 1967, se habló bastante de las cortes y los bestiarios darianos, y en vista de eso se me ocurrió formular —y formularme— algunas preguntas que me parecieron de rigor. Por ejemplo: ¿sabemos acaso qué impulso entrañable pudo haber llevado a Darío a fabricarse su zoo de cristal, su corte de ensueños imposibles? ¿Qué esotérico resentimiento, a mirarse sus manos de indio chorotega o nagrandano, y decretar que eran de marqués? ¿Sabemos acaso de qué indigencia o de qué hambre proviene el casi inocente desquite de sus candelabros y manjares? ¿De qué imborrable cicatriz, el implícito cinismo que le dicta la salutación a ese buitre, que él, metafóricamente, denomina águila? ¿Sabemos, podemos siquiera conjeturar, cómo se habrá sentido después de cada abdicación, después de cada verso frívolo que él pegara como un parche poroso sobre su acalambrada, contenida desesperación? ¿Sabemos cuántas oscuras borracheras de vino ordinario y pegajoso habrán mediado entre su «champaña del fino baccarat» y su «miel celeste»?

De todos modos, es esa zona conjetural y oscura la que más me interesa en la obra de Darío, y a ella pertenece el reducido núcleo de poemas que conmueven mis fibras de lector y dejan su rastro en mi vida sensible; esos pocos poemas que instalan para siempre a Darío en la galería de mis venerables venerados, de mis jóvenes eternos. Me refiero a *«Sinfonía en gris mayor»*, *«Yo soy aquel que ayer no más decía»*, *«Nocturno»* («Los que auscultasteis el corazón de la noche...»), *«Allá lejos»*, *«Lo fatal»*, *«Epístola a la señora de Leopoldo Lugones»*, *«Los bufones»* y *«A Francisca»*. Poemas concentrados, notables, indiscutibles obras maestras. Si tuviera que hacer una rigurosísima antología dariana para mi uso personal, con toda seguridad me limitaría a ese octeto de perfecciones. No obstante, soy el primero en reconocer que eso no sería justo. Antes que nada, porque hay muchos otros poemas que, si bien no llegan a estremecer tan profundamente como aquéllos mi modesta autobiografía intelectual, son sin embargo excelentes. Es el caso, entre otros, de «Blasón», «Coloquio de los centauros», «Responso», «Yo persigo una forma», «Salutación del optismista», «A Roosevelt», «La dulzura del Angelus», «A Phocás el campesino», «Filosofía», «Letanías de Nuestro Señor Don Quijote», «La cartuja», «Poema del otoño», «En las constelaciones». Y luego, porque en su Colección Literatura Latinoamericana, la Casa de las Américas ha seguido una política de amplitud, merced a la cual se exhiben materiales que, por distintas razones (que pueden abarcar desde la rigurosa calidad artística al interés meramente documental), son dignos de ser conocidos, brindándole así al lector la oportunidad de que los ordene y juzgue, de acuerdo con sus personales preferencias.

Es así como un poema tan retórico e hinchado como la «Marcha triunfal», que de ningún modo cuenta con mi entusiasmo, se incluye sin embargo en la Antología, ya que, dentro de esa política cultural, no me parece adecuado privar al lector de tan importante elemento de juicio (sin olvidar, por otra parte, la enorme popularidad de que goza la «Marcha», gracias a los claros clarines de Berta Singerman). No se incluyen, en cambio, dos poemas frecuentemente citados por críticos y exégetas: «Salutación al águila» y «Canto a la Argentina». En el primer caso, porque considero que su nivel artístico, aparte de toda consideración política, es francamente bajo, y no hay allí otro factor que justifique su inclusión; en el segundo, porque, a mi parecer, y sin perjuicio de admitir la decisiva importancia de ese poema como escala intermedia entre la *Silva a la agricultura de la zona tórrida*, de Bello, y el *Canto general*, de Neruda, sólo algunos breves respiros de ese largo aliento sobrepasan la rutinaria función de encargo. (Para Octavio Paz, el *Canto a la Argentina* reúne las ideas predilectas de Darío: «paz, industria, cosmopolitismo, latinidad», o sea «el evangelio de la oligarquía hispanoamericana de fines de siglo, con su fe en el progreso y en las virtudes sobrehumanas de la inmigración europea».)

A través de las distintas generaciones que lo han mirado con lupa, Darío ha ido desmintiendo muchas profecías. Aun aquellos que lo miraron con la mejor intención y la mayor agudeza, se equivocaron en sus pronósticos. «No será nunca un poeta popular», dictaminó su coetáneo José Enrique Rodó en 1899, pero ya antes de su muerte, en 1917, el crítico uruguayo tuvo ocasión de comprobar la tremenda popularidad de Darío. En 1930, Borges señaló malhumorado que Darío «amueblaba a mansalva sus versos en el *Petit Larousse*», pero veinticuatro años más tarde agregó la siguiente nota al pie: «Conservo estas impertinencias para castigarme por haberlas escrito». Otro argentino, Enrique Anderson Imbert, atribuía en 1952 el lenguaje hiperbólico de algún poema dariano al «repliegue aristocrático en sí mismo», pero hoy ya parece más claro que el repliegue en sí mismo de Darío tenía otros modos de expresarse.

Es cierto que Darío trató de cerrar todas las puertas, de tapiar todas las aberturas, de ocultar todas las rendijas, para que nadie curioseara en su trastienda. Afortunadamente, no dio abasto. La verdad es que era muy pobre hombre para tan rico poeta. No tan pobre sin embargo como para que no lo advirtiera y reconociera: «Cuando quiero llorar, no lloro / y a veces lloro sin querer». Pues bien, cuando llora sin querer, en esas pocas veces, se produce un pequeño relámpago, una luz brevísima de reconciliación. Es entonces que aparece el «buey que vi en mi niñez echando vaho un día», o recuerda «allá en la casa familiar, dos enanos como los de Velázquez» y se ve a sí mismo «silencioso en un rincón», como alguien que «tenía miedo». Es entonces que se tortura, en medio del insomnio, y se interroga: «¿a qué hora vendrá el alba?». Es entonces que piensa en «el espanto seguro de estar mañana muerto». Es entonces que ese ser desvalido, desamparado, indefenso, siente que se le caen todos los endecasílabos de su orgullo, todas las guirnaldas de su vanidad, todos los abanicos de sus marquesas, y queda por fin solo ante nosotros, solo y débil, solo y hombre. Es entonces que no precisa recurrir al inagotable depósito de su retórica, para sentir el sencillo y sagrado nudo en la garganta, y expresar su desamparo en uno de los gritos más sobrecogedores que haya proferido poeta alguno: «¡Francisca Sánchez acompáña-mé!». Y es sólo entonces, sólo cuando oímos esa voz estrangulada, ese alarido de soledad, esa incanjeable confesión de parte, que acudimos (con o sin Francisca Sánchez) y pasamos sobre los faisanes de hojalata, sobre los pajes de cartón, sobre las mitras y los Mitres de papel, sobre los candelabros de utilería, y empezamos a decirle que no se preocupe, que de algún modo estamos con él, que ya sabemos que cumple cien años, claro, pero que no los representa.

Hay quienes sostienen (sobre todo en los últimos tiempos) que lo único que vale en Darío es su aspecto Art Nouveau. Es posible que esa tesis signifique una mera prolongación esnob de la comercialísima embestida Art Nouveau lanzada por los avispados anticuarios de París. Una vez que tal renacimiento refenezca, la poesía de Darío perecerá o (así lo espero) sobrevivirá, no tanto por su lado Art Nouveau como por otros rasgos más permanentes, aunque seguramente menos cotizables en la bolsa de valores frívolos.

Aparentemente, no hay uno sino varios Daríos. Así como en su línea biográfica, el Darío de la dulce Rafaela Contreras y el de la humanísima Francisca Sánchez, tiene poco de común con el de la temible Rosario Murillo, así también podría decirse que hay en Darío un poeta que mira hacia el pasado y otro que reclama un futuro; uno que arremete contra la voracidad yanqui (más que la tan difundida oda «A Roosevelt», vale la pena recordar su invectiva en prosa, escrita en Buenos Aires:

«No, no puedo, no quiero estar de parte de esos búfalos de dientes de plata. Son enemigos míos, son los aborrecedores de la sangre latina, son los Bárbaros [...] Tiene templos para todos los dioses y no creen en ninguno; sus grandes hombres, como no ser Edison, se llaman Lynch, Monroe, y ese Grant cuya figura podéis confrontar en Hugo, en «El año terrible». En el arte, en la ciencia, todo lo imitan y lo contrahacen, los estupendos gorilas [sic] colorados. Mas todas las rachas de los siglos no podrían pulir la enorme Bestia»)

y otro que adula al Tío Sam y reclama la influencia norteamericana para América Latina; uno que formula al cisne preguntas casi políticas, y otro que pide al búho su silencio perenne; uno que usa y abusa de la voluptuosidad como estilo y sistema (por ejemplo, en «Copla esparça»), y otro que sale al encuentro de su infancia en una de las más despojadas y sobrias evocaciones («Allá lejos») que haya dado la poesía de todos los tiempos; uno que en 1901 se inscribe entusiastamente en la vieja tradición del pecado («Que el amor no admite cuerdas reflexiones») y otro que, en el año mismo de su muerte, se arrepiente y remuerde («Salmo»), en un desesperanzado tira y afloja con las memorias de la tentación.

Tal vez sea imposible explicar y explicarse a Darío si no se comprende que, pese a su poderoso torrente verbal, a su excepcional dominio del verso, fue además un ser débil, desconcertado («triste, genial y errabundo», lo caracterizó Baldomero Fernández Moreno), infantilmente goloso de la estabilidad económica que nunca consiguió, dispuesto con entusiasmo a todas las variantes del derroche, derruido casi siempre por el alcohol, y sobre todo esencialmente solitario. Su erotismo (¿quién que Es no es erótico?), tan zarandeado por críticos y biógrafos, es algo más que un *leitmotiv* y sale en su obra al osado encuentro de la muerte. El juego frívolo de los primeros y débiles poemarios, se convierte, en *Prosas profanas*, en una adulta y calculadora elegancia; luego, ésta deja paso a una angustia existencial («nada distingue mejor», dice Pedro Salinas, «a la poesía rubeniana que ese sentimiento agónico del erotismo»), en medio de la cual el poeta asiste, como testigo malherido, a la condena del amor, a la hecatombe de los sentidos, a la extorsión y el chantaje de la muerte. Por eso no le alcanza la explicación católica (sus poemas religiosos están llenos de quejas que son reproches, de dudas que son casi blasfemias) y recurre al ocultismo. Es hombre de poca fe, pero siempre con ganas de que ella aumente; su estilo de vida es de ateo, claro, pero siempre con ganas de que se purifique.

Lo cierto es que otros dioses, otros mitos, otros héroes, lo obseden. La Hélade entera, y varios Olimpos, están a su disposición. El, por supuesto, no los desperdicia. Eso ha sido llamado *paisaje de cultura*, pero no es prudente tomarlo al pie de la letra. El *paisaje de cultura*, como todo paisaje, cambia de acuerdo a quien lo ve. Poetas hubo, en pleno modernismo, que miraron hacia los mitos con actitud y postura míticas. No es exactamente el caso de Darío, quien explota las posibilidades humanas de los mitos, usándolos como pretextos, o poniéndolos al servicio de sus preocupaciones de hombre. Y esto no sólo aparece, con meridiana claridad, en el buen humor de la «Balada» en que, después de elogiar a todo el mitológico equipo de musas, las arroja por la borda para celebrar a la musa de carne y hueso; también está presente en el tratamiento que suele dispensar a los seres míticos. Los Centauros, por ejemplo, en el célebre «Coloquio», hacen suya buena parte de la filosofía dariana. «Las cosas tienen un ser vital», anuncia Quirón varias décadas antes que el centauro Robbe-Grillet. Incluso al cisne, a ese grave símbolo de su mitología personal, a ese ex envase de Júpiter, Darío le formula interrogantes que aluden menos al Olimpo que a la Casa Blanca: «¿Seremos entregados a los bárbaros fieros? / ¿Tantos millones de hombres hablaremos inglés?»

Rodó lo llamó «artista poéticamente calculador»; Unamuno, «peregrino de una felicidad imposible»; Antonio Machado, «corazón asombrado de la música astral»; su compatriota Manolo Cuadra, «descomunal ratero»; Cardoña Pena, «sabor antiguo de ceniza»; Blanco Fombona, «poeta de buena fe descarriada»; González Blanco, «inaprehensible e inadjetivable»; Pedro Henríquez Ureña, «cristiano con ribetes de epicúreo moderno»; Torres Bodet, «sátiro que Apolo no ensordeció»; Mejía Sánchez, «poeta primaveral, de la alegría de vivir»; Octavio Paz, «ser raro, ídolo precolombino, hipogrifo». Antes, mucho antes, allá por 1893, José Martí, el menos retórico de todos, lo había llamado: «Hijo».

Dije antes que, en apariencia, había varios Daríos. Lo cierto es que ese poeta que pasa lentamente entre la hipérbole y la sencillez, entre la América legendaria y la España de pacotilla, entre las ambigüedades de Verlaine y las claridades de Martí, entre las fiestas galantes de Watteau y las brujas de Goya, entre el Art Nouveau y las columnas dóricas, entre la Corte de los Milagros y el Parnaso, entre el prestigiado y literario *spleen* y el aburrimiento liso y llano, entre el vino y las metáforas del vino, es *uno* esencialmente, si bien complejo y a veces contradictorio. (El propio Darío, a través de Quirón, justificó en el «Coloquio de los Centauros» esa armonía de lo dispar: «Son formas del Enigma la paloma y el cuervo».) Sus actitudes personales o sus etapas poéticas, son placas más o menos traslúcidas bajo las cuales puede casi siempre adivinarse el mismo rostro estupefacto, interrogante, ansioso, deslumbrado.

En estos días han surgido fervorosos partidarios de la desmitificación de Darío. No está mal. Siempre es bueno acabar con los mitos, y Darío tiene sin duda una porción de su obra que admite ese tratamiento de higiene histórica. No obstante, si por un lado conviene desmitificar a Darío, por otro también conviene desmitificar la pereza lectora de quienes sólo lo juzgan por la «Marcha triunfal» o por las marquesas de *Prosas profanas* o por sus genuflexiones frente al águila imperial. El hecho de que Darío haya sido un desorientado político, y sobre todo un débil de carácter («Tuvo entusiasmo; le faltó indignación», dice certeramente Paz) no autoriza a disminuirlo como poeta.

Tanto en la época de Darío como en la nuestra (y esto es mucho más grave, ya que ahora la situación en América Latina tiene un carácter explosivo que no tenía a principios de siglo, y en consecuencia hace más culpable cualquier ambigüedad política), ha habido claudicaciones bastante menos ingenuas que las de Darío; es curioso, sin embargo, que no provoquen la misma indignación. Ahora que las marquesas y sus abanicos han dejado lugar a las fundaciones y sus dólares, vamos a no ponernos exigentes tan sólo con respecto al pasado. Si acaso (por ser en cierto modo la mala conciencia del escritor latinoamericano, puesta en el escaparate) quemamos a Darío en la hoguerita de nuestras provincianas pudibundeces, vamos por lo menos a no hacerle trampa, vamos a no propinarle un golpe bajo, vamos a hacernos cargo de que no lo estamos quemando sólo a él, como chivo emisario de todas las generaciones que vinimos después y tenemos otros datos, otros naipes escondidos en la manga; vamos a hacernos cargo de que también nos estamos quemando nosotros. Es aquello que dijo cierto lejano y muy decente precursor de Marx: «Quien esté libre de pecado, que arroje la primera piedra». Y conste que no me parece mal que nos quememos. Sí me parece mal que quememos tan sólo a Darío, que lo designemos, por fácil aclamación, el único responsable de nuestras complejas, retorcidas, disimuladas culpas.

En otra oportunidad señalé que, dentro del modernismo, Rodó no había sido un adelantado del siglo XX, ya que, aunque lo había visitado como turista, su verdadera patria temporal había sido el siglo XIX, al que pertenecía con toda su alma y toda su calma. Por el contrario, Darío, ese «loco de crepúsculo y aurora», fue sin ninguna duda un adelantado. Buena parte de la mejor poesía en español, escrita y publicada en los últimos veinte años, tiene en él un antecedente, no forzado sino natural. Puede mencionarse el *Canto a la Argentina* como un borrador del *Canto general*. Pero hay otros anuncios. Casi todos los estudios sobre Darío comienzan afirmando que el modernismo está muerto, y de esa afirmación deducen urgentemente que la poesía de Darío está igualmente muerta. Por eso me parece oportuno señalar que en la producción de Darío hay muchos poemas (y no siempre escritos en los últimos años) que se evaden hasta de las más amplias definiciones del modernismo. Singularmente, son esas fugas las que me parecen de una más palmaria actualidad. Poemas como «Allá lejos» o los que integran la serie «A Francisca», están augurando toda una corriente de actualísima poesía intimista, franca, tierna y a la vez despojada. La «Epístola a la señora de Leopoldo Lugones» es tan inobjetablemente actual que puede leerse como si hubiera sido escrita la semana pasada, es decir sin que sea necesaria una previa acomodación histórica de nuestro ánimo. Octavio Paz califica este poema de «indudable antecedente de lo que sería una de las conquistas de la poesía contemporánea: la fusión entre el lenguaje literario y el habla de la ciudad». Habría que agregar que toda una concepción del prosaísmo poético, tan importante en la poesía que actualmente se escribe en América Latina y en España, se halla prefigurada en ese poema escrito en 1907.

El lector superficial cae a veces en trampas que él mismo se construye. Es obvio que la poesía contemporánea se aleja cada vez más de las obligaciones de la rima: esa comprobación, en principio irrefutable, suele llevar sin embargo a opiniones harto más discutibles. Por ejemplo: que la rima constituye en Darío un factor de envejecimiento, de pobreza. El lector menos frívolo advierte, empero, que en el autor de «Blasón» la rima no fue un freno sino un factor de enriquecimiento. Darío tuvo casi siempre la suprema habilidad de pasar sobre el consonante sin anunciarlo con campanillas. En un extenso poema, ordenado en pareados, como la mencionada «Epístola», es realmente milagroso que no haya casi ningún final de verso que esté (famosa maldición en el sistema de pareados) al rutinario servicio de su consonante. El poeta ha llevado a cabo una proeza: que cada palabra en rima nos parezca la indispensable, la más justa.

Quizá Rodó no estuviera del todo errado cuando recogió, brindándole su aval, la contundente afirmación de que Darío no era «el poeta de América». Creo, no obstante, que ya es hora de revisar aquel dictamen, en primer término porque la preocupación latinoamericana (y no *americana* a secas) de Darío comenzó verdaderamente después de escrita la frase de Rodó (y aun no sería desatinado pensar que la misma influyó en el cambio de actitud), y luego porque, ahora que podemos apreciar con suficiente perspectiva la obra de Darío, ésta adquiere un carácter latinoamericano que quizá no pudieran advertir sus propios coetáneos. La verdad es que el famoso afrancesamiento de Darío («galicismo mental», llegó a escribir Valera) tuvo un carácter muy particular. Aun la zona más afrancesada de su poesía, tiene poco que ver con la de cualquier francés influido por franceses. «Difiere Darío —ha señalado C. M. Bowra— de los poetas europeos de su tiempo porque es la voz de la naturaleza humana a un nivel muy simple y toma las cosas como ocurren, sin ajustar su vida a un plan.» ¿Qué más latinoamericano que esa permanente disponibilidad? La singular atracción que siente Darío, por ejemplo, frente a los parnasianos, es ya en sí misma una variante intelectual del corriente deslumbramiento latinoamericano ante los míticos resplandores de París; pero el toque creador con que ese oscuro nicaragüense va haciendo suyos los ritmos y temas, primero entrevistos y luego heredados, la osadía ejemplar con que los inserta en la más rancia tradición hispánica, así como la seguridad que se inventa para convertirse (una vez que las muertes de Julián del Casal, en 1893, las de Martí y Gutiérrez Nájera, en 1895, y la de José Asunción Silva, en 1896, le dejan libre el camino) en indiscutido jefe del modernismo, y también para sacudir decisivamente la modorra que padecía la poesía española, todo eso es estilo y temperamento esencialmente latinoamericanos.

«La experiencia europea le reveló la soledad histórica de Hispanoamérica», señala Octavio Paz, y eso es cierto incluso en un sentido personal, o sea que también le reveló su soledad de hispanoamericano en Europa. «Jamás pude encontrarme sino extranjero entre estas gentes», escribió desde París, y en la «Epístola» relata: «Y me volví a París. Me volví al enemigo / terrible, centro de la neurosis, ombligo / de la locura...» En cambio, deja en su obra repetida constancia de que considera a Chile y Argentina como segundas patrias, y siempre se mostró agradecido con los otros países latinoamericanos en que vivió. Es verdad que la monumental influencia de Víctor Hugo rige sus primeras indagaciones («Caupolicán», «Tutecotzimi»), pero no es menos cierto que, a partir de *Cantos de vida y esperanza*, su visión del solar hispanoamericano parte ya de una mirada propia, personal. Si el poeta se siente postergado y no suficientemente reconocido en Nicaragua, si se queja de la asfixia latinoamericana, y aun si en cierta etapa piensa crédulamente que Europa compensará de algún modo esas carencias, todo ello sirve para confirmar que a Darío, como a todo artista latinoamericano que se instala en París, le preocupaba especialmente la repercusión de su obra en América Latina.

Por otra parte, a ningún europeo dirigió Darío un pedido tan expreso como el que consta en el último verso de la aquí tantas veces mencionada «Epístola»: «Y guárdame lo que tú puedas del olvido». Más que a su destinataria bonaerense, aquella solicitud de Darío parece dirigida a sus futuros antologistas. Después de todo, esta antología es también un intento de obedecer aquella lejana aspiración del poeta.

(1967)

Vallejo y Neruda: dos modos de influir

Hoy en día parece bastante claro que, en la actual poesía hispanoamericana, las dos presencias tutelares se llaman Pablo Neruda y César Vallejo. No pienso meterme aquí en el atolladero de decidir qué vale más: si el caudal incesante, avasallador, abundante en plenitudes, del chileno, o el lenguaje seco a veces, irregular, entrañable y estallante, vital hasta el sufrimiento, del peruano. Más allá de discutibles o gratuitos cotejos, creo sin embargo que es posible relevar una esencial diferencia en cuanto tiene relación con las influencias que uno y otro ejercieron y ejercen en las generaciones posteriores, que inevitablemente reconocen su magisterio.

En tanto que Neruda ha sido una influencia más bien paralizante, casi diría frustránea, como si la riqueza de su tórrente verbal sólo permitiera una imitación sin escapatoria, Vallejo, en cambio, se ha constituido en motor y estímulo de los nombres más auténticamente creadores de la actual poesía hispanoamericana. No en balde la obra de Nicanor Parra, Sebastián Salazar Bondy, Gonzalo Rojas, Ernesto Cardenal, Roberto Fernández Retamar y Juan Gelman, revelan, ya sea por vía directa, ya por influencia interpósita, la marca vallejiana; no en balde, cada uno de ellos tiene, pese a ese entronque común, una voz propia e inconfundible. (A esa nómina habría que agregar otros nombres como Idea Vilariño, Enrique Lihn, Claribel Alegría, Humberto Megget o Joaquín Pasos, que, aunque situados a mayor distancia de Vallejo que los antes mencionados, de todos modos están en sus respectivas actitudes frente al hecho poético más cerca del autor de *Poemas humanos* que del de *Residencia en la tierra*).

Es bastante difícil hallar una explicación verosímil a ese hecho que me parece innegable. Sin perjuicio de reconocer que, en poesía las afinidades eligen por sí mismas las vías más imprevisibles o los nexos más esotéricos, y unas y otros suelen tener poco que ver con lo verosímil, quiero arriesgar sobre el mencionado fenómeno una interpretación personal.

La poesía de Neruda es, antes que nada, palabra. Pocas obras se han escrito, o se escribirán, en nuestra lengua, con un lujo verbal tan asombroso como las dos primeras *Residencias* o como algunos pasajes del *Canto general*. Nadie como Neruda para lograr un insólito centelleo poético mediante el simple acoplamiento de un sustantivo y un adjetivo que antes jamás habían sido aproximados. Claro que en la obra de Neruda hay también sensibilidad, actitudes, compromiso, emoción, pero (aun cuando el poeta no siempre lo quiera así) todo parece estar al noble servicio de su verbo. La sensibilidad humana, por amplia que sea, pasa en su poesía casi inadvertida ante la más angosta sensibilidad del lenguaje; las actitudes y compromisos políticos, por detonantes que parezcan, ceden en importancia frente a la actitud y el compromiso artístico que el poeta asume frente a cada palabra, frente a cada uno de sus encuentros y desencuentros. Y así con la emoción y con el resto. A esta altura, yo no sé qué es más creador en los divulgadísimos *Veinte poemas*: si las distintas estancias de amor que le sirven de contexto, o la formidable capacidad para hallar un original lenguaje destinado a cantar ese amor. Semejante poder verbal puede llegar a ser tan hipnotizante para cualquier poeta, lector de Neruda, que si bien, como todo paradigma, lo empuja a la imitación, por otra parte, dado el carácter del deslumbramiento, lo constriñe a una zona tan específica que hace casi imposible el renacimiento de la originalidad. El modo metaforizador de Neruda tiene tanto poder, que a través de incontables acólitos o seguidores o epígonos, reaparece como un gen imborrable, inextinguible.

El legado de Vallejo, en cambio, llega a sus destinatarios por otras vías y moviendo quizás otros resortes. Nunca, ni siquiera en sus mejores momentos, la poesía del peruano da la impresión de una espontaneidad torrencial. Es evidente que Vallejo (como Unamuno) lucha denodadamente con el lenguaje, y muchas veces, cuando consigue al fin someter la indómita palabra, no puede evitar que aparezcan en ésta las cicatrices del combate. Si Neruda posee morosamente a la palabra, con pleno consentimiento de ésta, Vallejo en cambio la posee violentándola, haciéndole decir y aceptar por la fuerza un nuevo y desacostumbrado sentido. Neruda rodea a la palabra de vecindades insólitas, pero no violenta su significado esencial; Vallejo, en cambio, obliga a la palabra a ser y decir algo que no figuraba en su sentido estricto. Neruda se evade pocas veces del diccionario; Vallejo, en cambio, lo contradice de continuo.

El combate que Vallejo libra con la palabra, tiene la extraña armonía de su temperamento anárquico, disentidor, pero no posee obligatoriamente una armonía literaria, dicho sea esto en el más ortodoxo de sus sentidos. Es como espectáculo humano (y no sólo como ejercicio puramente artístico) que la poesía de Vallejo fascina a su lector, pero una vez que tiene lugar ese primer asombro, todo el resto pasa a ser algo subsidiario, por valioso e ineludible que ese resto resulte como intermediación.

Desde el momento que el lenguaje de Vallejo no es lujo sino disputada necesidad, el poeta-lector no se detiene allí, no es encandilado. Ya que cada poema es un campo de batalla, es preciso ir más allá, buscar el fondo humano, encontrar al hombre, y entonces sí, apoyar su actitud, participar en su emoción, asistirlo en su compromiso, sufrir con su sufrimiento. Para sus respectivos poetas-lectores, vale decir para sus influidos, Neruda funciona sobre todo como un paradigma literario: Vallejo, en cambio, así sea a través de sus poemas, como un paradigma humano.

Es tal vez por eso que su influencia, cada día mayor, no crea sin embargo meros imitadores. En el caso de Neruda, lo más importante es el poema en sí; en el caso de Vallejo, lo más importante suele ser lo que está antes (o detrás) del poema. En Vallejo hay un fondo de honestidad, de inocencia, de tristeza, de rebelión, de desgarramiento, de algo que podríamos llamar *soledad fraternal*, y es en ese fondo donde hay que buscar las hondas raíces, las no siempre claras motivaciones de su influencia.

A partir de un estilo poderosamente personal, pero de clara estirpe literaria, como el de Neruda, cabe encontrar seguidores sobre todo literarios que no consiguen llegar a su propia originalidad, o que llegarán más tarde a ella por otros afluentes, por otros atajos. A partir de un estilo como el de Vallejo, construido poco menos que a contrapelo de lo literario, y que es siempre el resultado de una agitada combustión vital, cabe encontrar, ya no meros epígonos o imitadores, sino más bien auténticos discípulos, para quienes el magisterio de Vallejo comienza antes de su aventura literaria, la atraviesa plenamente y se proyecta hasta la hora actual.

Se me ocurre que de todos los libros de Neruda, sólo hay uno, *Plenos poderes*, en que su vida personal se liga entrañablemente a su expresión poética. (Curiosamente, es quizá el título menos apreciado por la crítica, habituada a celebrar otros destellos en la obra del poeta; para mi gusto, ese libro austero, sin concesiones, de ajuste consigo mismo, es de lo más auténtico y valioso que ha escrito Neruda en los últimos años. Someto al juicio del lector esta inesperada confirmación de mi tesis: de todos los libros del gran poeta chileno, *Plenos poderes* es, a mi juicio, el único en que son reconocibles ciertas legítimas resonancias de Vallejo.) En los otros libros, los vericuetos de la vida personal importan mucho menos, o aparecen tan transfigurados, que la nitidez metafórica hace olvidar por completo la validez autobiográfica. En Vallejo, la metáfora nunca impide ver la vida; antes bien, se pone a su servicio. Quizá habría que concluir que en la influencia de Vallejo se inscribe una irradiación de actitudes, o sea, después de todo, un contexto *moral*. Ya sé que sobre esta palabra caen todos los días varias paladas de indignación científica. Afortunadamente, los poetas no siempre están al día con las últimas noticias. No obstante, es un hecho a tener en cuenta: Vallejo, que luchó a brazo partido con la palabra pero extrajo de sí mismo una actitud de incanjeable calidad humana, está milagrosamente afirmado en nuestro presente, y no creo que haya crítica, o esnobismo, o mala conciencia, que sean capaces de desalojarlo.

(1967)

Lezama Lima, más allá de los malentendidos

Si alguna vez pudo tener vigencia latinoamericana el hallazgo de Rilke que definía la fama como «una suma de malentendidos», debe haber sido en relación con José Lezama Lima, el poeta, ensayista y narrador cubano que el 9 de agosto de 1976 murió en La Habana, su ciudad natal. Figura descollante del grupo *Orígenes* (en el que también participaron Cintio Vitier, Fina García Marruz, Eliseo Diego, Octavio Smith, Angel Gaztelu, José Rodríguez Feo y Virgilio Piñera), no sólo su gravitante poesía sino también su papel de animador cultural adquieren relevancia a partir de 1937, año en que aparece *Muerte de Narciso*, su primer título. Max Henríquez

Ureña sostendría años más tarde que si ese libro inicial «fue una revelación», el segundo, *Enemigo rumor* (1941) «fue una revolución». La obra de Lezama se va completando posteriormente con *Aventuras sigilosas* (1945), *La fijeza* (1949), *Dador* (1960), en poesía; *Analecta del reloj* (1953), *La expresión americana* (1957), *Tratados de La Habana* (1958), *La cantidad hechizada* (1970), ensayos; y *Paradiso* (1966), novela. El conjunto siempre ha sido altamente estimado, a nivel latinoamericano, por una élite intelectual que a menudo se envanece de su propia admiración, como si el mero hecho de entender a Lezama les otorgara una patente de talento y erudición. Primer malentendido. Si bien Lezama es —de ello no cabe duda— un poeta difícil, sólo en raras ocasiones resulta absolutamente impenetrable, hermético.

Quizá deba empezar por admitir que, cuando en algún reportaje me preguntan por *mis poetas*, nunca incluyo a Lezama Lima. Siempre he hallado que se levanta un muro entre su poesía y mi atención de lector, pero ese muro no es precisamente el hermetismo, sino cierta extraña sensación de que la poesía es en él una empresa estrictamente privada, un enfrentamiento entre esa *mirada fija* o *retador desconocido*, que, según Lezama, es la poesía, y el poeta que acepta su reto y la resiste. Quizá el voluntario aislamiento no se limite a la poesía, y tenga su clave en el propio carácter de Lezama. Algo de eso mencionó en alguna de las jugosas entrevistas que a veces concedía:

Creo en la intercomunicación de la sustancia, pero soy un solitario. Creo en la verdad y el canto coral, pero seguiré siendo un solitario... Creo que la compañía robustece la soledad, pero creo también que lo esencial del hombre es su soledad y la sombra que va proyectando en el muro.

Quizá por eso en su poesía no hay puentes hacia el lector, o cuando los hay son tan frágiles que aquél teme emprender su travesía. Sin embargo, el hecho de que rara vez me haya atrevido a cruzar esos puentes precarios, no ha impedido que, desde mi orilla, distinga lo esencial de sus aventuras sigilosas y admire a plenitud la extraña coherencia y la delirante libertad con que este poeta insólito se maneja en su mundo. Quizá haya en la poesía latinoamericana de este siglo sólo otros dos escritores pertenecientes a la misma familia de solitarios libérrimos: los argentinos Macedonio Fernández y Juan L. Ortiz.

Cuando Lezama dice a su entrevistador Ciro Bianchi: «Yo siempre esperaba algo, pero si no sucedía nada entonces percibía que mi espera era perfecta», o a Tomás Eloy Martínez: «La grandeza del hombre es el flechazo, no el blanco», nos parece haber abierto una página cualquiera de *Papeles de reciénvenido* (por cierto, la revista *Orígenes* publicó textos de Macedonio Fernández), pero cuando pronuncia este convincente disparate: «La poesía es un caracol oscuro en un rectángulo de agua», ¿cómo no sentir que estamos en la misma alucinada atmósfera de Juan L. Ortiz? Con Macedonio tiene, además, otra afinidad que en un argentino es casi un elemento constitutivo, pero que en un cubano es virtualmente un rasgo fuera de serie: el culto de la ironía. (Quizá la otra y reciente excepción literaria sea Alejo Carpentier, que en *El recurso del método* adopta por primera vez una ironía constante y muy eficaz, pero que es más alegre y menos corrosiva que la de Lezama.) Claro que en Macedonio la ironía está a flor de palabra y rodeada de una expresa voluntad de juego, en tanto que en Lezama está en la raíz verbal y rodeada de un contorno hechizado, cuando no trágico.

Por supuesto que en la obra de Lezama se podrían rastrear diversas influencias europeas (Proust y T. S. Eliot entre las más notorias). No obstante ello, si se expresa que Lezama es esencialmente cubano, se dice la verdad (el propio Lezama lo dice de sí mismo), pero también en esa verdad hay un malentendido, ya que la cubanidad de Lezama no le viene de la realidad tal cual es, sino de lo que Vitier llama «su experiencia vital de la cultura». No importa que en varios capítulos de *Paradiso* y en muchos poemas (verbigracia: «Venturas criollas», «Oda a Julián del Casal») surja una terminología palmariamente cubana; Lezama nunca toma la fauna, el paisaje, o los simples objetos, en su estado natural, sino que «cada color tiene su boca de agua» y «el agua enjuta se trueca en la lombriz», o sea que el mundo se le da en imágenes, que es un modo de decir que se le da en cultura. Lo cubano en Lezama pasa por la cultura; alguna vez, incluso, dijo que «las culturas entre el *Paradiso* y (su continuación inconclusa) el Inferno se hacen más cercanas, pues en realidad el júbilo del placer y el rechazo del dolor forman parte de un mismo éxtasis». Nótese que dice: «las culturas», o sea que cada novela tiene *su* cultura; yo agregaría que también la tiene cada poema. Como ha señalado agudamente Vitier, en la obra de Lezama «la vida aparece imaginada (a través de la hipérbole y las asociaciones incesantes) mientras la cultura aparece vivida», y agrega este enfoque revelador: «Por eso aquí un estilo asimilado vale tanto como un recuerdo, una alusión no es menos entrañable que una experiencia.» Es claro que en esa *cultura vivida* los ingredientes son universales, y Lezama cita con la misma familiaridad las teogonías de Valmiki que la batalla de Rocroix, el *Diario* de Martí que el *Tao Te Kin*; y sin embargo su manera de encarar y asumir ese ecuménico referenciario, nunca deja de ser cubana. Cortázar ha anotado: (Lezama) «no se siente culpable de ninguna tradición directa. Las asume todas...; él es un cubano con un mero puñado de cultura propia a la espalda, y el resto es conocimiento puro y libre, no responsabilidad de carrera.» El mismo Vitier ha dicho de Lezama: «Es el único entre nosotros que puede organizar el discurso como una cacería medieval.» Aunque pienso que Vitier se refiere al discurso en cuanto oración, sólo quien haya escuchado alguna vez una conferencia de Lezama puede testimoniar, también en esta acepción, la exactitud de lo afirmado. En una cacería medieval, ¿a quién le importaba el animal cazado? Lo espléndido era el espectáculo, el alarde de la cacería. En una conferencia de Lezama ¿a quién le importa el tema? Lo espléndido es asistir a la organización de sus metáforas, de sus series verbales, de sus palabras-imágenes. La primera vez que lo escuché, allá por 1968, estuve hipnotizado durante una hora: iba de estupor en estupor frente al chisporroteo imaginero de aquel voluminoso y disneico orador. Pero al finalizar la conferencia no habría podido decir honradamente cuál había sido el tema. Recordaba fulgores, estallidos, efectos, inéditos acoplamientos de palabras, pero imposible recordar en qué campo temático se inscribían. Quizá por eso nunca pude leer *Paradiso* con delectación, al menos no como novela, y en cambio puedo disfrutar de la mayoría de sus poemas, aunque sea a prudencial distancia. Para sólo citar algunos: «Noche insular: jardines invisibles», «Pensamientos en la Habana», «El arco invisible de Viñales», «Rapsodia para el mulo» y la ya citada «Oda a Julián del Casal». Tengo la impresión de que su estilo brillante y barroco, si bien puede generar cierta fatiga en una novela, tensa magistralmente el arco para la flecha poética.

Cuanto más libre logra ser Lezama en su poesía, mejor tensión adquieren sus imágenes. La imagen es siempre su clave decisiva, pero también su fuerza suasoria. Por lo pronto, Lezama se dicta a sí mismo su retórica, y no se esclaviza a ninguna ajena. Lo cierto es que en sus poemas, las palabras adquieren una nueva vigencia, que no es exactamente la tradicional pero tampoco es totalmente otra. A veces su originalidad está en las vecindades que inaugura, aun en sus títulos: «Doble desliz, sediento», «Pífanos, epifanía, cabritos», «Peso del sabor»; otras veces está en las inéditas profundidades a que somete una palabra más o menos gastada, como ocurre en el «Llamado del deseoso».

Tampoco se esclaviza a un dogma. Y aquí viene otro malentendido. Lezama es confesadamente católico. Pero ¿dónde reside su religiosidad? Difícil hallarla a simple vista en un pagano tan militante y vocacional. Hay que rastrear minuciosamente los textos para encontrar un atisbo de dogma. Y sin embargo está la religión; con su costado pagano, claro. Está en las estructuras poéticas, que a veces son catedralicias, y otras sólo parroquiales; está (lo dice él mismo) en la «religiosidad de un cuerpo que se restituye y se abandona a su misterio»; en cierta liturgia de los oficios terrestres, tantas veces presentes en *Paradiso*; en la eternidad como concepto del no-tiempo, y en esa mística relación de la poesía con la circunstancia que Lezama hereda de Nicolás de Cusa. Por eso su obra jamás podrá ser confundida con la poesía pura, y tiene razón

Fernández Retamar cuando afirma que en Lezama «el reconocimiento de la poesía como aventura verbal lleva al poeta trascendentalista frente al verbo y su misterio, no sonoro... sino místico».

La religiosidad está, paradójicamente, en su enfoque de lo erótico. Cuarto malentendido: el célebre capítulo VIII de *Paradiso* le ha dado fama poco menos que pornográfica. Y aunque si se toman las meras líneas descriptivas de ese capítulo, pueden sacarse todos los cálculos y conjeturas imaginables e inimaginables, lo cierto es que su transcurso está invadido por palabras como verbo, encarnación, fervor, espíritu, etc., de clara impronta litúrgica. De todas maneras, el escándalo y la polémica provocados por ese capítulo, incluyen una exageración, con implicancias extraliterarias que, en algún aspecto, entroncan con el quinto y —por ahora— último malentendido: el específicamente político. Sin perjuicio de reconocer que el capítulo VIII no aporta ningún mérito excepcional a una obra y una trayectoria que no necesitan motivaciones anexas para fundar su prestigio, conviene no obstante señalar que el fragmento aludido no es en absoluto *pornográfico* sino más bien *erográfico*, pero también que esa descripción de lo erótico está salpimentada, y en consecuencia reivindicada, por un humor de redonda eficacia.

Dije antes que el malentendido pornográfico se entroncaba con el político: la verdad es que ambos forman parte de una campaña (a la que el poeta estuvo por supuesto ajeno) destinada a imponer la imagen de un Lezama perseguido por la Revolución. Tanto su confeso catolicismo como su proclamada libertad para encarar lo erótico en todas sus variantes y combinaciones, fueron datos ávidamente recogidos por los órganos de penetración cultural norteamericana y por ciertos intelectuales contrarrevolucionarios —cubanos y no cubanos— residentes sobre todo en Europa, con el propósito de provocar una ruptura entre el escritor y la Revolución. Sin embargo, para su desencanto, la primera edición de *Paradiso* (con su quemante capítulo VIII sin cortes) fue publicada precisamente en Cuba, y en cambio algunas de sus posibles reediciones han encontrado problemas frente a la censura de otros países; para su desencanto complementario, a partir de 1959 se publicaron en Cuba, además de *Paradiso*, numerosos y fundamentales libros de Lezama: *Dador* (1960), *Antología de la poesía cubana* (1965), *Orbita de Lezama Lima* (1966), *La cantidad hechizada* (1970) y *Poesías completas* (1970). Además, la Casa de las Américas publicó en 1970, en su serie Valoración Múltiple, una *Recopilación de textos sobre José Lezama Lima*, que estuvo a cargo de Pedro Simón. Por fin, para mayor frustración de aquellos agoreros, más lezamistas que Lezama, el autor de *Paradiso* siempre permaneció voluntariamente en Cuba, fiel a sus creencias y a su poesía. En una entrevista que concedió a un periodista argentino que lo interrogaba sobre viajes posibles, Lezama explicó así las razones de su evidente propensión sedentaria:

Es que hay viajes más espléndidos: los que un hombre puede intentar por los corredores de su casa, yéndose del dormitorio al baño, desfilando entre parques y librerías. ¿Para qué tomar en cuenta los medios de transporte? Pienso en los aviones, donde los viajeros caminan sólo de proa a popa; eso no es viajar. El viaje es apenas un movimiento de la imaginación... Casi nunca he salido de La Habana. Admito dos razones: a cada salida, empeoraban mis bronquios y además, en el centro de todo viaje ha flotado siempre el recuerdo de la muerte de mi padre. Gide ha dicho que toda travesía es un pregusto de la muerte, una anticipación del fin. Yo no viajo: por eso resucito.

Había escrito en *Enemigo rumor*:«Una oscura pradera me convida». Por supuesto, hay muchas praderas oscuras y posibles, pero ahora el poeta ha aceptado el convite de la más oscura. No olvidemos, sin embargo, que en 1968 había expresado: «Heidegger sostiene que el hombre es un ser para la muerte; todo poeta, sin embargo, crea la resurrección, entona ante la muerte un hurra victorioso». A esta altura, tras haber entonado (¿quién lo duda?) su hurra victorioso, este Gran Solitario, este poeta insólito, este artífice de su resurrección, estará por fin instalado en su oscura pradera, más allá de todo malentendido.

(1976)

Julio Cortázar, un narrador para lectores cómplices

«Es muy fácil advertir que cada vez escribo menos bien, y ésa es precisamente mi manera de buscar un estilo. Algunos críticos han hablado de regresión lamentable, porque naturalmente el proceso tradicional es ir del escribir mal al escribir bien. Pero a mí me parece que entre nosotros el estilo es también un problema ético, una cuestión de decencia. ¡Es tan fácil escribir bien! ¿No deberíamos los argentinos (y esto no vale solamente para la literatura) retroceder primero, bajar primero, tocar lo más amargo, lo más repugnante, lo más obsceno, todo lo que una historia de espaldas al país nos escamoteó tanto tiempo a cambio de la ilusión de nuestra grandeza y nuestra cultura, y así, después de haber tocado fondo, ganarnos el derecho a remontar hacia nosotros mismos, a ser de verdad lo que tenemos que ser?» Así se expresa Julio Cortázar (narrador nacido en Bruselas, de padres argentinos, en 1914) en entrevista concedida a Luis Mario Schneider[1]. En *Los premios* (1960), primera novela de Cortázar (anteriormente había publicado un poema dramático y tres volúmenes de cuentos), ese retroceso a la sinceridad, esa intención de tocar fondo, eran visibles; el método de muestreo entonces utilizado parecía destinado a comprender y rescatar el país *escamoteado*. En *Rayuela* (1963), segunda novela, existe probablemente una intención similar, aunque ya no dirigida al país sino al individuo que también se escamotea a sí mismo. En última instancia, empero, ese propósito podría ser interpretado como un modo extremo, hiperbolizado, de intentar salvar el país mediante el rescate individual de cada una de sus células.

En realidad, hace ya catorce años que Julio Cortázar publicó la primera edición de *Bestiario* (1951), el libro que provocó su ascenso a una inicial notoriedad de élite. En la mayor parte de aquellos ocho cuentos, el autor empleaba una fórmula que le daba un buen dividendo de efectos: lo fantástico

---

[1] En *Revista de la Universidad de México*, mayo de 1963.

acontecía dentro de un marco de verosimilitud y los personajes empleaban los lugares comunes y los coloquialismos en que se especializa el bonaerense. En algunos pasajes, el lector tenía la impresión de que hasta lo fantástico funcionaba como un lugar común. En el cuento «Carta a una señorita de París», por ejemplo, el hecho de que el protagonista vomitara con alguna frecuencia conejitos vivos, era relatado en primera persona y con el acento puesto en un imprevisto resorte del absurdo: mientras el personaje pensaba que no pasaría de diez conejitos, todo le sonaba a normal, mas al producir el conejito undécimo, se veía excedido por lo insólito y sólo entonces recurría al suicidio.

Tal vez ahora, cuando los tres volúmenes de cuentos *(Bestiario, Las armas secretas, El final del juego)* figuran sostenidamente en los cuadros de *best-sellers*, y es oportuna la relectura íntegra de los treinta y un relatos, haya llegado la ocasión de indagar qué formidable secreto ha hecho de Cortázar (pese a la inexplicable exclusión de su nombre en las más difundidas antologías del cuento latinoamericano) uno de los más notables creadores del género en nuestro idioma. «Casi todos los cuentos que he escrito pertenecen al género llamado fantástico por falta de mejor nombre», ha declarado Cortázar,

y se oponen a ese falso realismo que consiste en creer que todas las cosas pueden describirse y explicarse como lo daba por sentado el optimismo filosófico y científico del siglo XVIII, es decir, dentro de un mundo regido más o menos armoniosamente por un sistema de leyes, de principios, de relaciones de causa a efecto, de psicologías definidas, de geografías bien cartografiadas. En mi caso, la sospecha de otro orden más secreto y menos comunicable y el fecundo descubrimiento de Alfred Jarry, para quien el verdadero estudio de la realidad no residía en las leyes sino en las excepciones de esas leyes, han sido algunos de los principios orientadores de mi búsqueda personal de una literatura al margen de todo realismo demasiado ingenuo[2].

---

[2] Véase «El cuento en la revolución», en la revista *El escarabajo de oro.* Buenos Aires, año IV, Núm. 21, diciembre de 1963.

Releyendo prácticamente de un tirón todos los cuentos de Cortázar, es posible advertir que llamarlos *fantásticos* delataba en verdad la falta de mejor nombre, ya que la afinidad esencial que los une y los orienta, pone el acento en otra característica, para la cual lo fantástico es sólo un medio, un recurso subordinado. En la cita que figura más arriba, el propio Cortázar se encarga de brindar el nombre de ese rasgo: la excepción.

Adolfo Bioy Casares, en el prólogo a la *Antología de la literatura fantástica* que en 1940 publicara conjuntamente con Jorge Luis Borges y Silvina Ocampo, al considerar las diversas tendencias de esa rama de la literatura, expresa que «algunos autores descubrieron la conveniencia de hacer que en un mundo plenamente creíble sucediera un solo hecho increíble; que en vidas consuetudinarias y domésticas, como las del lector, sucediera el fantasma». Si se hace la prueba de aproximar esa comprobación a la obra de Cortázar, se verá que sólo se corresponde con una de sus zonas. Para adecuarla al resto de su producción habría que hablar más bien de la conveniencia de hacer que en un mundo plenamente gobernado por reglas sucediera un solo hecho excepcional; que en vidas consuetudinarias y domésticas, como la del lector, sucediera de pronto la excepción, el vuelco sorpresivo. En una lista de cuentos mencionados por Cortázar como seguros integrantes de una antología de su propio gusto (Poe, Maupassant, Capote, Borges, Tolstoy, Hemingway, Dinesen, y también «Un sueño realizado» de nuestro Juan Carlos Onetti), ese culto de la excepción aparece como un común denominador. Cortázar ha relatado que un escritor argentino, muy amigo del boxeo, le decía que «en ese combate que se entabla entre un texto apasionante y su lector, la novela gana siempre por puntos, mientras que el cuento debe ganar por *knock-out*»[3]. El lector de Cortázar sabe, por experiencia, lo que es quedar fuera de combate; pero sabe también que, aunque este narrador utilice a veces algún fantasma para llegar al ansiado *knock-out*, la con-

_____
[3] Véase nota 2.

tundencia del impacto tiene a menudo que ver con algo tan cercano y tan concreto como la lisa y llana realidad. Si se tiene la paciencia de efectuar una suerte de lectura colacionada de los treinta y un cuentos, se verá que muchos de los elementos o recursos fantásticos usados en los mismos, son meras prolongaciones de lo real, o sea que lo increíble no parte (como en la clásica literatura feérica, o en las viejas sagas chinas de lo sobrenatural) de una raíz inverosímil, sino que proviene de un dato (un sentimiento, un hecho, una tensión, un impulso neurótico) absolutamente creíble y verificable en la realidad[4]. Un cuento como «Cartas de mamá» construye su fantasmagoría a partir de un tangible remordimiento; «Las ménades» crea la suya a partir de una historia colectiva que desgraciadamente no es nada irreal; «La casa tomada», trasmuta en fantasmal una retirada que, en el trasfondo de su ansiosa anécdota, acaso simbolice algo así como el Dunkerke de una clase social que poco a poco va siendo desalojada por una presencia a la que no tiene el valor, ni tampoco las ganas, de enfrentar. En «Omnibus», lo fantástico está dado sólo por esa cosa insólita, misteriosa, innominada, que siempre parece a punto de desencadenarse y sin embargo no se desencadena; lo fantástico no es lo que ocurre sino lo que amenaza ocurrir.

Pero no todos los cuentos de Cortázar recurren a lo fantástico. Es más: casi me atrevería a afirmar que esa doble posibilidad, *fantasía-realismo*, constituye un ingrediente más de su tensión, de su indeclinable ejercicio del suspenso. No bien el lector se da cuenta de que este narrador no usa exclusivamente lo real ni exclusivamente lo fantástico, queda para siempre a la angustiosa espera de los dos rumbos. «La noche boca arriba», es un ejemplo típico de un cuento que sólo al final

---

[4] La falta de ese mínimo lazo con la realidad, es lo que a mi entender hace menos valioso, dentro de la siempre estimable producción de Cortázar, un libro como *Historias de cronopios y de famas* (1962). Sin embargo, aun dentro de esta obra, la parte más interesante me parece la primera, «Manual de instrucciones». Es una suerte de desembozada anti-realidad, pero así como el más frenético ateísmo puede ser utilizado como *ultima ratio* para demostrar la existencia de Dios, así también esa *anti-realidad* depende en última instancia de la fuerza y las prerrogativas de lo real.

suelta sus amarras con lo estrictamente verosímil. «Después del almuerzo» y «Los buenos servicios», por el contrario, están anunciando siempre un desenlace irreal y en cambio acceden a la sorpresa justamente por la puerta de servicio. En «El Móvil», se planifica la anécdota de modo tal que todo el cuento aparece como muy realista, pero luego resulta que son el impulso, la razón de esa misma anécdota los que se vuelven inexorablemente fantásticos, irreales. En «Circe», el horror planea tan puntualmente sobre el barniz romántico de la historia que cuando la peripecia se desliza (perfecta equidistancia entre Escila y Caribdis) entre aquel barniz romántico y su complementario horror, es el arduo equilibrio el que se convierte en excepción.

En la desvelada búsqueda de la excepción suele ocurrir que Cortázar desorganice el tiempo. «Sobremesa» plantea un cruce de cartas entre dos personas perfectamente lúcidas, cartas redactadas, por otra parte, en términos absolutamente cuerdos. La colisión irreal viene de una asombrosa incompatibilidad entre las respectivas realidades, entre las respectivas corduras; lo fantástico del relato deriva de ese deliberado y habilísimo desajuste, porque si las cartas que firma Federico Moraes constituyen la regla, las que firma Alberto Rojas serán entonces la excepción, y viceversa. «El tiempo, un niño que juega y mueve los peones», reza el epígrafe de Heráclito; pero el lector tiene la espesa, escalofriante impresión de estar frente a dos tableros, desigualmente gobernados, uno por el tiempo propiamente dicho, y otro por un simple *partenaire* del tiempo. El escalofrío viene precisamente de no saber cuál es cuál. En «Las armas secretas» también es el tiempo quien dispone y predispone. Por el mero recurso de intercalar oportunamente un episodio del pasado, Cortázar deposita en el cuento una carga de excepción, allí sí fantasmal.

Sin embargo, resulta curioso comprobar que los dos mejores cuentos («El perseguidor», «El final del juego») de estos tres volúmenes, se atienden a anécdotas que ni por un instante abandonan el carril fehaciente, el minucioso tilde del detalle. ¿Y la excepción? En el primer caso, la excepción es el protagonista: Johnny Carter, el saxofonista negro, consumidor de drogas, olvidadizo, mujeriego, preocupado (como el espléndido personaje de «La flor amarilla» y tantas otras criaturas de Cortázar) por el tiempo. Johnny tiene alucionaciones, ve extrañas urnas, vislumbra una puerta que ha empezado a abrirse, una puerta junto a la cual está Dios, «ese portero de librea, ese abridor de puertas a cambio de una propina». Al igual que el escritor, el personaje busca sus propios medios (la droga, la alucinación, el éxtasis cuando toca el saxo alto) de fabricarse una personal fantasmagoría, pero ésta, precisamente debido al empleo de tales medios, se vuelve verosímil. Para admitirla, el lector no tiene por qué expatriarse del sentido común. En «El final del juego», sutil y aparentemente inocente recreación de adolescencia, el narrador imagina (o evoca) una limpia trama lineal, sin interpolaciones ni trastrueques. En esa historia de tres muchachas que, junto a las vías del ferrocarril, juegan a las *estatuas* y a las *actitudes*, y de ese modo impresionan y aluden a un joven pasajero de rulos rubios y ojos dulces que viaja diariamente en el tren de las dos y ocho, todo parece preparado para un cuento manso, distendido. El juego de las estatuas es atractivo, porque inmoviliza provisionalmente a los ágiles; es alegre, porque esa parálisis fingida apenas significa una broma, una parodia. Pero en el cuento de Cortázar aparece una excepción a esa regla: la lisiada Leticia, que sólo disimula el defecto físico cuando se inmoviliza en el juego. Su parálisis real socava retroactivamente la liviandad y la inocencia del entretenimiento.

Con tales fracturas de lo corriente, de lo vulgar, de lo siempre admitido, Cortázar no está sin embargo trastornando o enredando la historia o los valores del género. Más bien está creando en la línea acumulativamente clásica que pasa por Poe, Maupassant, Chejov, Quiroga, Hemingway; una línea que implica un rigor (rigor en la sencillez, cuando el tema la vuelve obligatoria, y también rigor en la complejidad, cuando ésta se convierte en el único medio de transformar el cuento en algo realmente significativo) que va desde la técnica hasta la sensibilidad, desde la intuición verbal hasta la firme autocrítica; una línea que implica que el cuento no nace ni muere en su anécdota sino que contiene (son palabras de Cortázar) «esa fabulosa apertura de lo pequeño hacia lo grande, de lo individual y circunscrito a la esencia misma de la condición humana». La gran novedad que este notable escritor introduce en el género, no es (como en *Rayuela*) una revolución formal o de estructura; la gran novedad es la de su inteligencia, la de su alma; es su flamante, renacido, inédito aprovechamiento de la lección de los viejos maestros, esos alertados tronchadores de lo cotidiano, esos tenaces salvadores de la hondura.

La trama de *Los premios* (1960), la primera de sus dos novelas, no es demasiado complicada. Se ha realizado una rifa, organizada por algún ente vagamente estatal, con un viaje transoceánico como máxima recompensa. La novela junta en el *Malcolm* al más heterogéneo de los pasajes, pero el novelista no confía en el azar en la misma medida que sus personajes; de ahí que los elija en carácter de muestras de varias capas sociales, varios estratos de cultura, diversos niveles generacionales. Los personajes de *Los premios* son deliberadamente representativos. Semejante método de muestreo le da a la novela cierta rigidez especulativa, acentuada aún más por el confinamiento de los pasajeros a la mitad, sólo a la mitad, del *Malcolm*. Porque a la otra mitad —la que incluye la popa— los pasajeros no tienen acceso: un coordinado hermetismo de impenetrables puertas y exóticos marineros, impide inexorablemente el paso. A lo largo de las cuatrocientas y pico de páginas de que consta la novela, el lector no sabrá a ciencia cierta (el pretexto del tifus siempre suena a falso) por qué misteriosa razón el tránsito a la popa está vedado. La prohibición alcanza a los pasajeros y también al lector.

El viaje es, en definitiva, algo trunco, ya que sólo durará tres días, y el ciclo se cerrará volviendo al café London, en Perú y Avenida, que había sido el punto inicial de concentración de los *premiados*. A despecho de la cura en salud de Cortázar («no me movieron intenciones alegóricas y mucho menos éticas»), toda la novela es una invitación al reconocimiento de símbolos y claves. El más obvio de estos símbolos llevaría a asimilar la suerte del *Malcolm* con la de una Argentina más o menos actual, considerando a ésta como un país que tenía un destino y se quedó sin él, un país de frustración

—como tantos otros de América Latina— tripulado por tímidos o indiferentes o conformistas o, en el mejor de los casos, por improvisados rebeldes que van al sacrificio. Quienes pretenden averiguar las secretas motivaciones de los cambios de rumbo (el secreto de la popa), pagan con una inútil lucidez (la popa está vacía) o también con la vida. Los únicos personajes que se realizan son Medrano —asesinado en el preciso instante en que se hace la luz en su ámbito interior— y el Pelusa, una mente primitiva y decidida que se salva por el vigor y la pureza, aunque esos mismos rasgos no le alcancen para que los demás se salven de sus inevitables y propias frustraciones. Con ese ciclo que empieza y acaba en el café London, Cortázar parece estarle diciendo a sus connacionales, y quizás a otros latinoamericanos, que toda aventura argentina (o acaso rioplatense, o tal vez latinoamericana) está contaminada por charlas de café; que la charla de café es el mayor intento de comunicación que el individuo realiza con su prójimo, y, asimismo, la única y modesta variante de su compromiso. En todo esto (novela de Cortázar, interpretación del crítico) hay, naturalmente, una simplificación, pero todo simbolismo literario está simplificando algo, y, por otra parte, tiene el derecho de hacerlo, siempre y cuando funcione además como literatura.

La otra salida es la interpretación literal que, paradójicamente, en este caso es casi fantástica. Cuando los escasos rebeldes deciden descubrir por sí mismos las razones de tanto misterio, y emprenden su excursión libertadora, Medrano llega hasta la popa y adquiere —un segundo antes de ser asesinado por la espalda— la convicción de que la popa está vacía. «A lo mejor la felicidad existe y es otra cosa», alcanza a pensar, rozando de paso alguna controversia que el lector no consigue dirimir consigo mismo. Porque si en la popa no existe nada, y además no hay tifus, el hermetismo y las prohibiciones van a inscribirse automáticamente en una estructura de absurdo: *todo* ha pasado por *nada* (y conste que ese todo incluye nada menos que una muerte). Pero quizá Cortázar busque decirnos precisamente eso. A diferencia de Kafka, en cuyo mecanismo de eterna postergación, está la presencia inasible de Dios, en Cortázar detrás de la postergación está sólo la nada.

Ya sea en la zona de lo estrictamente fantástico (buena parte de sus cuentos) como en esta alegoría que se niega a sí misma, Cortázar demuestra que posee el don de narrar. (Desde este punto de vista sólo habría que reprocharle los híbridos, aburridísimos soliloquios de Persio.) Antes de valer por su categoría simbólica, los personajes de *Los premios* valen como entes literarios. Algunos de ellos, como el Pelusa o como Jorge (los dichos del niño son uno de los grandes atractivos del libro) están vistos y diseñados con cariño; otros, como Claudia y como Medrano, parecen no creer en el propio calado espiritual que evidentemente poseen; por último, López, Felipe, Paula y Raúl, frente a quienes el narrador despliega una cruel objetividad, oficia de contrastes y además no pueden escapar de su mundo cerrado y sin excusas. Los demás son viñetas (algunas de ellas memorables), diálogos costumbristas, simples detalles en este fresco —tan bienhumorado y a la vez tan patético— de la vida argentina contemporánea. «Detesto las alegorías», dice un personaje de Cortázar, «salvo las que se escriben en su tiempo, y no todas». De algún modo, *Los premios* es una alegoría pensada y escrita exactamente *en su tiempo*.

Ahora bien, así como en *Los premios* Cortázar niega rotundamente todo propósito alegórico y acaba sin embargo construyendo una alegoría de la frustración, así también en *Rayuela* —que desde la solapa anuncia su condición de *contranovela*— termina creando un mundo de una dimensión distinta, original y hasta polémica, pero que sigue siendo novelesco, aunque tal vez en un sentido más hondo y esencial. En un «Tablero de dirección» el autor advierte:

A su manera este libro es muchos libros, pero sobre todo es dos libros. El primero se deja leer en la forma corriente y termina en el capítulo 56, al pie del cual hay tres vistosas estrellitas que equivalen a la palabra Fin. Por consiguiente, el lector prescindirá sin remordimientos de lo que sigue. El segundo se deja leer empezando por el capítulo 73 y siguiendo luego en el orden que se indica al pie de cada capítulo.

El primer libro se divide a su vez en dos partes: «Del lado de allá» y «Del lado de acá». En la primera, Horacio Oliveira, porteño en París, vive del chequecito familiar, reparte su tiempo sexual entre dos mujeres (Paola, condenada a un cáncer de pecho; Lucía, también llamada la Maga, uruguaya con recuerdo y con hijo) y frecuenta un grupo más o menos internacional, denominado el Club de las Serpientes e integrado por extáticos auditores de jazz y sobre todo por disentidores vocacionales; esto, hasta que muere Rocamadour, el hijo de la Maga, y ésta desaparece. En la segunda, Oliveira regresa a los brazos y al lecho de Gekrepten, penélope bonaerense, encuentra a su amigo Traveler casado con Talita, y se incorpora a ese matrimonio en un curioso triángulo de vivencia y convivencia; trabaja con ambos, primero en un circo y luego en un manicomio, y su carrera de personaje literario culmina en un casi suicidio. Por último, «De otros lados» es el título que Cortázar da a la reunión, en deliberado caos, de noventa y nueve capítulos a los que califica de prescindibles.

Con esta complicada estructura, Cortázar se las arregla para crear la novela más original, y de más fascinante lectura, que haya producido jamás la literatura argentina. Por lo pronto, *Rayuela* puede ser disfrutada en varias zonas, a saber: la conformación técnica, el retrato de personajes, el estilo provocativo, la alerta sensibilidad para las peculiaridades del lenguaje rioplatense, la comicidad de palabras e imágenes, la sutil estrategia de las citas ajenas. Hay una novela para lo que Cortázar llama el *lector-hembra* (o sea «el tipo que no quiere problemas sino soluciones, o falsos problemas ajenos que le permiten sufrir cómodamente sentado en un sillón, sin comprometerse en el drama que también debería ser el suyo»), pero también hay en *Rayuela* otra novela para lo que él denomina *lector-cómplice*, quien «puede llegar a ser copartícipe y copadeciente de la experiencia por la que pasa el novelista, en el mismo momento y en la misma forma». Después de esas opiniones de su sosías Morelli, resulta un poco inexplicable el juicio negativo expresado por Cortázar[5] con respecto a la literatura comprometida. La palabra reciprocidad existe. ¿No es lógico entonces que el pueblo (suma de todos los lectores posibles) aspire a que el autor se comprometa, para usar palabras de Cortázar, en el drama que podría ser el suyo? ¿No es lógico también que esa suma de lectores aspire a hallar un *autor-cómplice*, que sea copartícipe y copadeciente de la experiencia por la que ellos están pasando?

En cierto modo, la palabra que da título al libro

La rayuela se juega con una piedrecita que hay que manejar con la punta del zapato. Ingredientes: una acera, una piedrecita, un zapato, y un bello dibujo con tiza, preferentemente de colores. En lo alto está el Cielo, abajo está la Tierra, es muy difícil llegar con la piedrecita al Cielo, casi siempre se calcula mal y la piedra sale del dibujo

compendia diversas interpretaciones y sentidos. Sirve sobre todo para designar la tendencia espiritual del protagonista, y acaso del autor, que saben, aunque algo confusamente, a qué cielo apuntan, pero calculan mal y se salen del dibujo; sirve también para caracterizar la naturaleza saltarina del *segundo libro* posible, según el cual el lector debe ir también empujando su piedrecita de casilla en casilla.

Casi todos los críticos que han comentado *Rayuela*, al hablar de la técnica del libro se han acordado de *Eyeless in Gaza* (Con los esclavos en la noria) de Aldous Huxley. No obstante, es probable que la semejanza sea sólo externa. Huxley presentaba los diversos capítulos en un desorden cronológico, pero se cuidaba muy bien de invitar al lector a que los leyera siguiendo el orden estricto de las fechas. Quien, pese a todo, haya cumplido esa tarea, habrá tenido acaso alguna decepción, ya que la novela no pierde casi nada en una lectura normalmente concertada, y, en consecuencia, la disposición aviesamente propuesta por Huxley, puede parecer un desorden más bien arbitrario. Cortázar, en cambio, no propone un *desor-*

---

[5] Véase nota 1.

den, sino un *nuevo orden*, según el cual las primeras 404 páginas deben ser releídas con la dirigida interpolación de otras 230. Más que la marca exterior de Huxley, me parece reconocer en *Rayuela* una afinidad interior con el Michel Butor de *L'emploi du temps*, un especialista en interferencias narrativas. Como en la novela de Butor, en *Rayuela* las interferencias no siempre aclaran un episodio, a veces lo oscurecen más, y ese oscurecimiento es, pese a todo, parte importante de su misión.

Para quien no sea un *lector-hembra* (esta denominación no es, por supuesto, sinónimo de *lectora*, sino más bien de *lector-pasivo*), los capítulos del Primer Libro tendrán, en el segundo recorrido, un significado y una intensidad distintos. Claro que un pasaje como el que relata la muerte de Rocamadour, el hijito de la Maga, carecerá en la relectura del *suspenso* que provocara en la primera aproximación del lector. En compensación, las sombras y las luces que el hecho origina en el ánimo de Oliveira, adquirirán un contraste mucho más violento, casi dramático, para el lector que ahora tiene (porque el autor se los ha facilitado) otros naipes en la mano. Pero no son exclusivamente los capítulos prescindibles los que enriquecen la relectura a que obligan. A la luz del enamoramiento que en página 338 Horacio dice sentir hacia la Maga; a la luz de las apariciones, sustitutivas de la Maga, que Horacio imagina en un barco, en el puente de la Avenida San Martín, en la persona de esa Talita nocturna que juega a la rayuela en el manicomio, la Maga verdadera de los primeros capítulos cobra otra vida, otra dimensión. No es por simple azar que la página 635, última del libro aunque pertenezca a un capítulo prescindible que deberá ser interpolado en la mitad del Segundo Libro, incluya este texto revelador: «En el fondo la Maga tiene una vida personal, aunque me haya llevado tiempo darme cuenta. En cambio yo estoy vacío, una libertad enorme para soñar y andar por ahí, todos los juguetes rotos, ningún problema». Es esa vida personal la que se descubre en una segunda lectura. También al lector le lleva tiempo darse cuenta.

Existe el riesgo de que la estructura de este libro pueda hacer creer que el recurso de los *capítulos prescindibles* sea apenas una apertura del taller literario de un creador, es decir la consciente exhibición de borradores y variantes desechados, materia prima absorbida, personajes aludidos, etc.; sin embargo, no hay que creer a pie juntillas cuando Cortázar habla de la prescindencia de tales capítulos, sobre todo si se conoce su teoría del lector-cómplice, del lector-personaje. En la página 497 dice el escritor Morelli, que en cierto modo es el portavoz literario de Cortázar: «Por lo que me toca, me pregunto si alguna vez conseguiré hacer sentir que el verdadero y único personaje que me interesa es el lector, en la medida en que algo de lo que escribo debería contribuir a mutarlo, a desplazarlo, a extrañarlo, a enajenarlo». Pese a toda advertencia en contrario, los *capítulos prescindibles* son un recurso novelístico eficaz. Con la excusa de completar la novela primera, Cortázar obliga al lector a efectuar una nueva lectura con la inclusión de los *capítulos prescindibles*. Pero ¿qué sucede entonces? Que el lector busca, en los nuevos capítulos, con explicable avidez, los pequeños detalles complementarios que le sirven para redondear el retrato de cada personaje, y una vez que los encuentra hace, conscientemente o no, los correspondientes ajustes en los capítulos primitivos.

Pero entre la primera y la segunda lectura existe además otra diferencia fundamental: mientras el Primer Libro que propone Cortázar es en cierto modo una novela objetiva, el Segundo Libro, en cambio, puede ser considerado una novela subjetiva. O sea que no hay tal prescindencia. Si los capítulos de la última parte eran realmente prescindibles ¿a qué incorporarlos? Evidentemente, no es por un simple capricho que Cortázar los incluye; la inclusión significa que en definitiva su presencia ha de contar. Se trata pues de un recurso narrativo tan legítimo como el *racconto* o el monólogo interior. De algún modo, el procedimiento me recuerda esos álbumes infantiles con figuras para colorear: en la primera lectura de *Rayuela*, el lector llena mentalmente las figuras con determinados colores, pero luego, al volver sobre ellos, se da cuenta de que, aunque cada figura sea siempre la misma, en realidad son otros los colores que le van bien.

En una nota extrañamente desacertada[6], Juan Carlos Ghiano sostiene que el protagonista de *Rayuela* es un porteño típico, y se basa en que Cortázar da esta imagen de Horacio Oliveira: «Era clase media, era porteño, era colegio nacional, y esas cosas no se arreglan así nomás». Sin embargo, el porteño típico precisa como el pan una frivolidad típica, y es allí donde Oliveira no encaja en la definición. El mismo Cortázar es porteño, claro, pero no es típico; no sólo por haber nacido en Bruselas, sino también porque su porteñismo es una esencia y no una superficie. Cortázar usa (y tal vez eso haya desconcertado a Ghiano) todos los ingredientes que le son brindados en bandeja por el folklore guarango, la jerga tanguera y el ritual del mate, pero hace que le sirvan para una búsqueda de autenticidad que es más bien atípica[7]. «Voyeur sin apetitos, amistoso, un poco triste», se define también Oliveira, y es seguro que el usual porteño de la liturgia chauvinista, la gomina y el *baby-beef*, no ha de sentirse representado en semejante tríptico. Sin embargo, debe también reconocerse que Cortázar empapa de porteñismo su afanosa, y a veces desalentada indagación. En primer término, la mayoría de sus personajes han sido varias veces sumergidos en cultura extranjera («Babs se había encrespado a lo Hokusai»; «eso no se hace ni en la cabaña del Tío Tom»; «prometiéndose espectáculos dignos de Samuel Beckett»; «un arenque a la Kierkegaard»)

---

[6] «Rayuela, una ambición antinovelística», en *La Nación*, 20 de octubre de 1963.

[7] A este respecto puede ser ilustrativo el siguiente fragmento de una carta de Cortázar, que fuera reproducido en el Núm. 132 de la revista *Señales*, de Buenos Aires: «Hace años que estoy convencido de que una de las razones que más se oponen a una gran literatura argentina de ficción, es el falso lenguaje literario (sea realista y aun neorrealista, sea alambicadamente estetizante). Quiero decir que si bien no se trata de escribir como se habla en la Argentina, es necesario encontrar un lenguaje literario que llegue por fin a tener la misma espontaneidad, el mismo derecho que nuestro hermoso, inteligente, rico y hasta deslumbrante estilo oral. Pocos, creo, se van acercando a ese lenguaje paralelo: pero ya son bastantes como para creer que, fatalmente, desembocaremos un día en esa admirable libertad que tienen los escritores franceses o ingleses de escribir como quien respira y sin caer por eso en una parodia del lenguaje de la calle o de la casa».

y nada puede ser más porteño, o mejor más rioplatense, que esa importada sumersión erudita. Pero también hay en Cortázar un porteñismo invasor. En la etapa parisién de la novela, cada miembro del heterogéneo Club de las Serpientes piensa, razona, lucubra, de acuerdo a su respectivo estilo nacional, pero (oh sorpresa) casi siempre habla porteñísimamente. Cuando esta novela sea traducida al francés o al inglés, perderá seguramente este rasgo peculiar, pero por ahora un lector uruguayo puede fácilmente detectar una deliciosa y deliberada incongruencia que importa toda una actitud. Este escritor, tan enterado y cuidadoso de los matices como para decir de la uruguaya Lucía, o sea la Maga, que «se largaba a estudiar canto a París *sin un vintén* en el bolsillo», pierde aparentemente esa escrupulosidad lingüística al hacerle decir al pintor Etienne: «sos capaz de encontrar metafísica en una lata de tomates», o «¿qué otra cosa busco yo en la pintura, decime». Descarto absolutamente que esto sea un descuido. Cortázar es demasiado minucioso como para caer en semejante renuncio de principiante. Creo más bien que con esa invasión coloquial, Cortázar intenta deslizar la semiconvicción de que su oído es argentino, y, por lo tanto, que el lenguaje del mundo se incorpora a su ser a través de ese oído. «En París todo le era Buenos Aires y viceversa», escribe Cortázar acerca de Oliveira, pero la viceversa apenas si se nota. Es algo así como un subjetivismo, no individual sino nacional; Cortázar recibe el mundo como el Julio Cortázar que es, pero también como argentino, como porteño no típico sino esencial.

Todo esto le sirve para usar, en su provecho narrativo, dos rasgos porteñísimos, sólo en apariencia contradictorios: la actitud burlona y la cursilería. Pero Cortázar, antes de usarlos, los desarbola, les cambia el signo, la dirección. La actitud burlona se transforma en comicidad pura (la madre de Ossip es un recuerdo que «se va con alka seltzer»; alguien «se ha suicidado por penas de amor de Kreisler»; «vos me escondés tus lecturas», le reprocha Talita a su marido cuando se entera de que éste ha estado leyendo el *Liber penitentialis*, edición Macrovius Basca) pero también en implacable autocrítica. Cada vez que un personaje se pone enfático, pedante o erudito, el autor lo trae (o se trae) violentamente a tierra: «Die Tätigkeit, viejo. Zas, éramos pocos y parió la abuela», «El sueño del pan me lo puede haber inspirado... Inspirado, mirá qué palabra»; «esas irrupciones [...] se vuelven repugnantes apenas se limitan a escindir un orden, a torpedear una estructura. Cómo hablo, hermano». (Agréguese a estos ejemplos todo el capítulo 23, el del inefable concierto de piano de Berthe Trépat, que desde el punto de vista narrativo es el pasaje más logrado del libro.)

En cuanto a la cursilería, el desarbolamiento de Cortázar sirve para transformarla en una versión muy particular de lo tierno. Hay, en este sentido, varios episodios dignos de destacarse, pero el más claro es la muerte de Rocamadour (páginas 167 a 205). La situación incluye todas las posibles contraseñas del melodrama: niño que muere silenciosamente mientras la madre, ignorante de todo, espera que llegue la hora de administrarle una poción. Oliveira se da cuenta de que Rocamadour ha muerto y va pasando la noticia a los otros, pero se crea el tácito acuerdo de postergar el estallido de la Maga hasta que llegue la hora del remedio. Entonces hablan de todo un poco: de Jung, Rip van Winkle, el Karma, Malraux, etc., pero hay un trasfondo de ternura en ese empecinamiento colectivo, destinado a escamotearle un ratito al destino, a preservar una media hora adicional en la condenada e inocente tranquilidad de la Maga.

Ahora bien, ¿qué quiere decir Cortázar, en definitiva, con una novela tan peliagudamente construida? Deben ser posibles varias decenas de interpretaciones. Algunas muy obvias, como por ejemplo la que se desprende del mero hecho de que el episodio bonaerense transcurra nada menos que en un circo y un manicomio, como si el autor quisiera dar a entender que «Buenos Aires, capital del miedo» (página 444) o acaso el mundo todo, vive entre la cabriola y la enajenación. A partir de esta contranovela o contra-alegoría, que es también novela y alegoría, pueden formularse varias teorías (¿cuándo no?) de la incomunicación, del lector participante, del humorismo imaginista, de la *otherness*, del amor bumerang, del desprecio por lo estético, etc., etc. Pero Cortázar, como Oliveira delante del espejo, se suelta «la risa en la cara» para luego tener fuerza de quedar indiscutidamente serio. «Mi pesimismo puede menos que mi esperanza y eso se irá viendo», dijo en un reportaje, pero hasta ahora la pulseada está muy reñida. Como tantos creadores de esta América, y acaso en mayor grado que algunos de ellos, Cortázar se debate entre sus dudas y contradicciones. «Nunca se sintió con más fuerza», ha dicho, «que un escritor debe elegir una de las imágenes del destino humano que le proponen las corrientes ideológicas, o que debe elegir el no elegir ninguna y crear otra nueva». En el fondo, *Rayuela* viene a ser una apasionada (Cortázar tiene vigor hasta para desanimarse) exhibición de aquellas dudas y contradicciones. El novelista está, como puede confirmarlo su sosías Morelli, «orientado hacia la nostalgia» y esa nostalgia apunta a su vez a un cielo (otra vez la Rayuela) inalcanzable, a un *kibutz* de adopción. Pero lo extraordinario (y esto es algo que no ha sido visto por quienes han escrito sobre *Rayuela*) es que ese *kibutz* o paraíso no significa en rigor una evasión. Cortázar, que ha confesado reiteradamente su deuda intelectual con Borges, pero que ha aclarado: «Si se trata de las invenciones y las intenciones de Borges, ando hace mucho lejos de él», se diferencia sobre todo del autor de *Ficciones* en un matiz que puede ser decisivo: ambos tienen un fondo de lirismo, pero en tanto que Borges «es radicalmente escéptico pero cree en la belleza de todas las teorías» (son palabras de Enrique Anderson Imbert), Cortázar es más bien esperanzado y reserva su escepticismo precisamente para las teorías. En su agnosticismo, Borges se evade hacia la belleza, mientras que Cortázar busca denodadamente su *kibutz* en los meandros de la realidad, en los recovecos del alma humana, en las fatigas de la conciencia. La rayuela de Cortázar tiene, de todos modos, un cielo, mientras que las fabulaciones de Borges sólo traman y recorren sus *ruinas circulares*. «La gran lección de Borges es su rigor, no su temática», ha dicho Cortázar; pero siendo uno y otro escritores excepcionales, cabe anotar que mientras Borges emplea su rigor para hacer cada vez más irrespirable la atmósfera de sus laberintos, Cortázar en cambio lo usa para calcular y recalcular dónde estará el pasaje o el intercesor o la salida que lleve de algún modo a ese *kibutz* prolijamente entresoñado. Cortázar, como Oliveira, sueña con el prójimo, ese prójimo ideal y complementario que en cierto modo es Traveler («en el fondo Traveler era lo que él hubiera debido ser con un poco menos de maldita imaginación, era el hombre del territorio, el incurable error de la especie descaminada, pero cuánta hermosura en el error y en los cinco mil años de territorio falso y precario»). Cortázar, al igual que su personaje y a la altura de esta segunda y notable novela, se ha topado con un secreto fundamental: «Ser actor significaba renunciar a la platea y él parecía nacido para ser espectador en fila uno. Lo malo, se decía Oliveira, "es que además pretendo ser un espectador activo y ahí empieza la cosa"». Si, efectivamente ahí empieza la cosa. Ahora falta saber cómo sigue.

(1965)

Roa Bastos entre el realismo y la alucinación

Augusto Roa Bastos es uno de los pocos nombres exportables de la actual literatura paraguaya. Aunque antes de 1953 ya había probado sus fuerzas en otros géneros, es en ese año cuando asciende a la notoriedad continental con un libro de cuentos: *El trueno entre las hojas*. A pesar del deleite casi morboso con que Roa Bastos encaraba el espectáculo violento y caótico de su realidad paraguaya (de la que no se aparta jamás, como si estuviera cumpliendo una consigna), su estilo era lo suficientemente conciso, ágil y —en el mejor de los sentidos— efectista, como para que a través de los diecisiete cuentos no decayese el interés.

Por lo general, la anécdota había sido extraída de la realidad y encuadrada en lo literario, con verdadero sentido de las proporciones. Eran ejemplares, en este aspecto, cuentos como «Audiencia privada» (que podría haber sido firmado por Maupassant), «Galopa en dos tiempos» y «El caraguá», seguramente los puntos más altos de aquel libro. La visible debilidad residía en la técnica despareja, en la repetición de efectos, en ciertos finales —como el de «Pirulí»— inútilmente confusos, pero ninguna de esas endebleces alcanzaba a sofocar la voz del narrador, cuya eficacia directa y fuerza temperamental sirvieron para inscribirlo desde entonces en la buena tradición.

Ahora, en *Hijo del hombre* (1960), Roa Bastos construye su relato con una hondura, una inventiva y un poder de comunicación, muy superiores a los que mostraba aquel irregular intento de siete años atrás. Enraizando la peripecia en el viejo Macario, «hijo mostrenco de Francia», y llevándola hasta la miserable quietud de la posguerra chaqueña, el novelista usa a su protagonista Miguel Vera como lúcida e inhibida conciencia del drama de su país, ese Paraguay que (según opinó el propio Roa Bastos en conferencia pronunciada en Montevideo) «ha vivido siempre en su año cero».

Más que un protagonista, Miguel Vera es un testigo; la novela viene a ser el testimonio de su frustración, que es la típica del intelectual que vive pendiente del escrúpulo y cuya exacerbada clarividencia le impide estimularse, con la pasión de los otros o con la propia. Pero Roa Bastos tuvo la rara habilidad de utilizar esa frustración como espejo, haciendo que en ella se reflejaran los rasgos más puros, las cualidades más incanjeables del hombre paraguayo:

Mi testimonio no sirve más que a medias [dice el testigo]; ahora mismo, mientras escribo estos recuerdos, siento que a la inocencia, a los asombros de mi infancia, se mezclan mis traiciones y olvidos de hombre, las repetidas muertes de mi vida. No estoy reviviendo estos recuerdos, tal vez los estoy expiando.

Semejante resignación consta en el comienzo del relato, pero las últimas palabras que escribe Miguel Vera son éstas:

Alguna salida debe haber en este monstruoso contrasentido del hombre crucificado por el hombre. Porque de lo contrario sería el caso de pensar que la raza humana está maldita para siempre, que esto es el infierno y que no podemos esperar salvación. Debe haber una salida, porque de lo contrario...

Entre una y otra angustia, entre una y otra conciencia de esa angustia, queda la difundida nostalgia que ese intelectual, ese «intoxicado por un exceso de sentimentalismo», experimenta hacia los hombres capacitados para la acción, hacia los que no tienen horror del sufrimiento, hacia los primitivos que no usan la desesperación ni sienten asco por la ferocidad del mundo.

La estructura de la novela tiene un signo experimental: Roa avanza y retrocede en el tiempo, deja y retoma el relato en primera persona, ve al protagonista desde dentro y desde fuera, da cuidadosa forma a determinados personajes y luego los abandona. Cada episodio es un caso curioso de independencia, y a la vez de conexión, con respecto al resto de la novela. Lo más fácil sería decir que esa suerte de archipiélago narrativo es sólo un refugio de cuentista para sortear el engorro dimensional de la novela. Sin embargo, es bastante más que eso. El lector tiene la impresión de asistir a un gran fresco de la vida y la historia paraguayas, un fresco de exaltación y patetismo que es mostrado por el novelista en base a un método muy personal de iluminaciones y enfoques parciales. La unidad esencial de la novela se halla resguardada en algo que el autor hace decir a Rosa Monzón, en el último párrafo de la obra, acerca de las páginas de Miguel Vera:

Creo que el principal valor de estas historias radica en el testimonio que encierran. Acaso su publicidad ayude, aunque sea en mínima parte, a comprender más que a un hombre, a este pueblo tan calumniado de América, que durante siglos ha oscilado sin descanso entre la rebeldía y la opresión, entre el aprobio de sus escarnecedores y la profecía de sus mártires.

Sí, realmente, es el pueblo paraguayo el que aparece siempre vivo y debatiéndose por su salvación en cada uno de los enfoques parciales; es el pueblo paraguayo que unas veces se llama Cristóbal Jara, otras Gaspar Mora y otras Salu'í. La historia no acaba con la muerte de Vera, aunque la novela se detenga en ella; la historia sigue, porque el futuro es enorme, todavía se está haciendo, y a nadie le extrañaría que Roa Bastos, dentro de unos años, retomara todos los cabos y personajes sueltos y nos brindara una nueva instancia de su extendida, conmovedora metáfora nacional, en la que el destino de Alejo o de Cuchuí (niños que ofician de viñetas insustituibles en el relato) se viera redondeado, o se encendiera en símbolo.

Junto a la crudeza expresionista de la obra, junto a su naturaleza desbordada, solidaria, hay en *Hijo de hombre* un impulso alucinado que hace que el novelista se aleje a veces del contorno innegable y verídico, aunque, desde luego, no lo pierda de vista. Apenas si en algún pasaje consta el despliegue fantasmal («Aun después de muerto Gaspar en el monte, más de una tarde oímos la guitarra») que, por un instante, queda haciendo equilibrio en la frontera misma de la duda; claro que, inmediatamente, lo sobrenatural se convierte en metáfora y, más adelante, se inscribe asimismo en lo verosímil: «En el silencio del anochecer en que ondeaban las chispitas azules de los muãs, empezábamos a oir bajito la guitarra que sonaba como enterrada, o como si la memoria del sonido aflorase en nosotros bajo el influjo del viejo». O sea que la guitarra de ultratumba pasa a condensarse en cálido recuerdo.

Pero además, Roa Bastos demuestra poseer una habilidad excepcional para convertir intencionadamente en alucinación todo tramo de realidad que él quiere relevar como pasión irreductiblemente paraguaya. La alucinación es, para este novelista, una suerte de fijador, una legítima garantía contra el olvido. Recuérdese aquel vagón de ferrocarril que avanza lenta, clandestina, pesadillescamente por la selva, o el diario que pormenoriza la tortura de la sed, o la tétrica caravana de los camiones aguateros, que va pagando inútiles cuotas de muerte nada más que para que otros no perezcan.

Algún crítico ha señalado que Roa Bastos pierde varias oportunidades de levantar una leyenda que unifique la novela, pero no hay que olvidar que el autor de *Hijo de hombre* está novelando (no ordenando) el caos. Cada una de aquellas alucinaciones es en sí misma, con sus antecedentes y sus secuelas, una leyenda activa, parte alícuota del caos y, en pequeña escala, una suerte de esencia nacional, *ultima ratio* de lo telúrico. De modo que no importa demasiado que la Gran Leyenda, espléndidamente programada o elegida a tono con los mitos más célebres, no se desprenda como una prevista lección del dolor paraguayo. No hay dolor auténtico, insustituible, veraz, que le caiga de medida a una Gran Leyenda; quede eso para los fervorosos de *Ollantay*. Ningún dolor auténtico es otra cosa que una esencia, y una esencia dicta siempre su propia ley, su propia dimensión, su propio riesgo.

¿Defectos? Claro que los hay. Creo haber leído algo sobre distracciones de estructura, repetición de recursos, inclinación a lo macabro. A tales minuciosos me remito. En lo que me es personal, *Hijo de hombre* me ha significado una lectura entusiasmante. Me alcanza con recordar la descripción de la muerte de Salu'í y de Cristóbal, idilio heroico y condenado, desprovisto de palabras de amor, para saber que allí Roa Bastos ha conseguido crear uno de los instantes más trémulos, más legítimamente poéticos y conmovedores de la narrativa latinoamericana. Claro, frente a esa proeza, los defectos se me caen del recuerdo. Y no quiero agacharme a recogerlos*.

(1961)

El pan dormido: *la hazaña de un provinciano*

Cuando José Soler Puig cumplió no hace mucho sus primeros sesenta años, su ciudad natal, Santiago de Cuba, le brindó un homenaje impresionante que excedió largamente los medios culturales para transformarse en un sincero tributo de admiración popular. ¿Quién es este novelista, que de tal ma-

---

* Como complemento de esta primera aproximación a la obra de Roa Bastos, véase en este mismo volumen, *El recurso del supremo patriarca*. Allí intento una valoración comparativa de tres novelas sobre dictadores: *El recurso del método* (Alejo Carpentier), *Yo el Supremo* (Roa Bastos) y *El otoño del patriarca* (García Márquez).

nera convoca el entusiasmo de los santiagueros y sin embargo es sólo medianamente conocido en el resto de su país, y virtualmente ignorado en América Latina? ¿Será que sus temas y desarrollos, tan estrictamente santiagueros, le quitan vigencia para lectores de otras procedencias? ¿O acaso que su obstinada permanencia en Santiago lo confina a un destino de escritor provinciano? Ninguna de estas explicaciones me satisface, y sinceramente pienso que muy pronto Soler será valorado como uno de los grandes nombres de la novela latinoamericana.

Cuando en 1960 obtuvo el Premio Casa de de las Américas con su primera novela *Bertillón 166*, Soler Puig tenía 43 años, una edad que a primera vista no parece la más adecuada para inaugurar una carrera artística. Antes había sido «obrero en fábricas de Oriente, vendedor ambulante, pintor de brocha gorda, tumbador de caña, lector voraz, autodidacta, periodista, escritor radial» (así al menos lo caracteriza Imeldo Alvarez García en su introducción a la más reciente edición de aquella novela primeriza). En 1963 publicó *En el año de enero* (sobre las primeras etapas de la Revolución cubana); en 1964, *El derrumbe* (sobre la decadencia y caída de la burguesía santiaguera). Más recientemente, su obra capital, *El pan dormido*, 1975, que transcurre en el Santiago del machadato, y hace pocos meses *El caserón*, una nouvelle que aborda un drama familiar en los años cuarenta. Por razones de espacio, en esta nota me referiré exclusivamente a *El pan dormido*, que es sin duda su obra más lograda.

Entre *El derrumbe* y *El pan dormido* no sólo transcurren once años; también media entre uno y otro título un riguroso proceso de maduración. No es por azar que al cabo de ese lapso (y cuántas cosas sucedieron en Cuba entre 1964 y 1975), Soler entregue una obra excepcional, que en la narrativa cubana posterior al triunfo de la Revolución está en el nivel del mejor Carpentier. Lo que ya es decir algo. De todas maneras, Soler pasa a ser, con *El pan dormido*, el mejor novelista surgido en la Cuba revolucionaria, y resulta sencillamente inexplicable que a casi dos años de su aparición, siga siendo olímpicamente ignorada por la crítica continental.

El pan dormido es un mundo, en un tiempo determinado: la Cuba del machadato. Pero ese grande y localizado tema es una presencia casi fantasmal, ya que la novela es, en su más evidente acepción, sencillamente la historia de una panadería de Santiago. Y no se crea que la panadería La Llave es ante todo una gran metáfora, al estilo de *El castillo*, de Kafka, o *El tambor de hojalata*, de Grass. No, este microcosmos de Soler es, antes que nada, una panadería. Y pocas veces la manufactura del pan habrá encontrado un cronista tan riguroso, tan enterado y tan creador, como este santiaguero estricto y delirante.

Es claro que la panadería no es sólo eso: es también el ámbito y la razón de ser de una familia pequeñoburguesa, narrados (aunque en tercera persona) desde el punto de vista de un niño que se va convirtiendo en adolescente. De ahí que, aunque la panadería sea un contexto vulgar, el ex-niño (ya que el «narrador» es sin duda un adulto) la cubre de magia. Sus sueños y ensueños, sus pesadillas y delirios, sus visiones y fantasmas, rescatan a la panadería de su anodina existencia y le otorgan una dimensión nueva. Como Dickens, como Svevo, como Salinger, y por supuesto, como Carpentier, Soler nos introduce de tal manera en su mundo, que cuando acabamos —de un tirón— la lectura, nos sentimos un poco vacíos, añorantes, inermes, y acaso constituya un ademán natural que reiniciemos la lectura como un modo verosímil de no abandonar a esos personajes e incluso de encontrar nuevas contraseñas que nos permitan el acceso a capas más profundas de sus conciencias, quizá como un añejo (y no siempre consciente) propósito de acceder a capas más profundas de la nuestra.

Los personajes de *El pan dormido* tienen una apariencia casi naturalista. El relato es tan convincentemente descriptivo de vestimentas, gestos, muebles, rostros, etc., que por un instante uno cree estar frente a un cuadro de Vicente Escobar. Sin embargo, todos los objetos y personas van adquiriendo dobles y triples sentidos, según sea la mirada que los toque, los evite, los oscurezca o los ilumine. «Angelito dice que la mesa se parece a Felipe, y que no es por lo de las patas abiertas de la mesa y la manera de caminar de Felipe». Cuando el

Haitiano y Felipe conversan sobre el feto que está en un botellón del museo del colegio a que asisten «los varones», Felipe concluye: «Los fetos son unos socarrones». O sea que el cuadro naturalista de Escobar se transforma rápidamente en el delirio imaginero de Carlos Enríquez.

El pan dormido es uno de los ejemplos más estimulantes de cómo las técnicas de vanguardia son compatibles con una comunicabilidad y una fluidez que permiten al lector introducirse y sentirse en el mundo novelesco, como si éste fuera su propia casa. Los grandes y ya clásicos descubrimientos de la narrativa de este siglo (con el agregado de algunos nuevos que propone Soler) no son aquí, como en cambio lo eran en algunas novelas de Vargas Llosa o Carlos Fuentes, una presencia prioritaria, imposible de soslayar; más bien se integran en una rica naturalidad, donde nada aparece como superpuesto o forzado, sino como maravillosamente inserto en el desarrollo de la peripecia. Porque la novela de Soler tiene (entre otras virtudes) *peripecia*: en las 433 páginas suceden cosas.

El inmovilismo de otras novelas latinoamericanas, que parecen tardías e informes herederas del *nouveau roman*, tiene poco que ver con esta hazaña. Aun en la primera mitad, cuando el narrador va arrimando morosamente rasgos, gestos, alrededores, costumbres, y en apariencia nada pasa, en rigor sí está pasando: sólo que lo que ocurre es la rutina, lo cotidiano estricto, el hábito que se vuelve ritmo de vida, y justamente esa serie de hechos que enhebra la costumbre van a cumplir luego una función de contraste, cuando la rutina estalle y lo inesperado irrumpa trágicamente en el estable (y a la vez frágil) mundo de los Perdomo y los Portuondo.

Soler está constantemente barajando las épocas, los tiempos. Aquí y allá advierte que esta jornada ya no es la que figuraba en el párrafo anterior, sino otra. Aquí y allá vuelve atrás en el relato, o se proyecta inesperadamente hacia adelante, para encontrar la raíz de un hecho o para aventurar un pronóstico. Tales saltos no tienen, sin embargo, efecto chocante, ni disuenan, ni provocan el menor desajuste en el lector, que no tiene por qué rehacer su atención o su ánimo para asumir la nueva parcela temporal.

Quizá el secreto resida en que Soler baraja los tiempos exactamente como lo hace un hablante más o menos imaginativo o memorioso, en cualquier conversación; nadie se sorprende si un interlocutor retrocede (con la memoria, el rencor o la nostalgia) o avanza (con el presentimiento, la vislumbre o el cálculo). Por otra parte, hay pasajes en que un largo *racconto* asume directamente un estilo oral, como por ejemplo en la compacta historia de los Portuondo que Tita le cuenta al doctor Tintoré mientras éste examina a todos los Perdomo, víctimas de una extraña plaga. La ocasión del relato es tan absurda, el cuento de Tita resulta tan inoportuno, que el desajuste genera una nueva tensión y ésta ayuda eficazmente a que la crónica de Tita, la fiel servidora, no se convierta en un plomo.

El matrimonio que integran Arturo Perdomo y Remedios Portuondo tiene tres hijos: Berta y los dos «varones». Berta transita a menudo por las fronteras de la cordura, frecuentemente amenazada por el extravío o la desazón. Los «varones» en cambio tienen los pies en la tierra, aunque a veces esa tierra se puble de imágenes soñadas. No vuelan, empero; no ascienden al cielo, ni siquiera al limbo. Oyen voces, pero éstas no son de ángeles, sino del muy terreno tío Felipe; ven sombras, y oyen ruidos, pero no son de almas en pena, sino de los curas vecinos que andan en sospechosos menesteres.

Hay astucias en Soler que son algo más que una brillante aplicación de técnicas adquiridas; son sencillamente invenciones, creación pura. Por ejemplo: de los dos «varones», sólo conocemos el nombre de uno de ellos: Angelito. El otro queda en el anonimato. Sin embargo, en el frecuente diálogo que mantienen los «varones», el lector siempre sabe cuál es cuál. En uno de los escasos trabajos publicados sobre esta novela, Ricardo Repilado[1] señala con acierto:

El pan dormido está narrado por uno de sus personajes principales: el mayor de los dos varones de Arturo y Remedios, el her-

---

[1] «Algunos caminos para llegar a *El pan dormido*», en *Santiago*, Santiago de Cuba, núm. 20, diciembre de 1975, págs. 275-298.

mano de Angelito. Normalmente esto hubiera exigido una narración en primera persona; pero Soler ha escogido un método mucho más original y difícil. Este narrador no tiene nombre y no usa ninguno de los pronombres de la primera persona; nunca dice «yo» ni se refiere a sí mismo por separado, sino de una manera colectiva que lo agrupa con su hermano Angelito en expresiones como «los varones» o «los muchachos». Y sin embargo, está allí presente, no sólo narrando sino *viviendo* la novela, interviniendo en todas sus escenas. El lector percibe inequívocamente que está oyendo el relato de un testigo presencial, o mejor aún, de un *participante*, porque esta peculiar conducta no le impide al narrador tomar parte en las conversaciones, en las que el lector lo detecta sin confundirlo con Angelito, a pesar de que Soler nunca lo identifica como interlocutor.

Hay otra observación de Repilado que podría ser discutible, siempre que se la generalice, pero que puede ser perfectamente válida al referirse a Soler. El crítico cubano se pregunta por qué al autor de *El pan dormido* no usa, como habría sido previsible, la primera persona para dar testimonio del innominado hermano de Angelito. Y se responde con esta explicación:

El uso de la primera persona por el narrador, el que éste hubiera dicho «yo», «mi padre», «mi madre», hubiera conllevado una afectividad incompatible con una visión objetiva de los Perdomo y su círculo. Por otra parte, si a pesar de eso Soler se hubiera arriesgado a ofrecer esta objetividad por medio de una narración en primera persona, los resultados le habrían enajenado sin remisión las simpatías del lector... Puede considerarse, pues, como un acierto indiscutible de Soler haber presentado *El pan dormido* con esta difícil y original técnica, que tiene todas las ventajas de una narración en primera persona sin ninguna de las limitaciones que en este caso específico la hubieran invalidado.

Digo que la interpretación puede ser discutible si alguien tiende a generalizarla: el hecho de que un novelista dictamine que uno de sus personajes ha de usar la primera persona para aludir a aspectos desagradables o vulgares de sus padres, no invalida necesariamente el procedimiento. No otra cosa han hecho, con buenos logros, notables narradores como Faulkner o Kafka. Repilado tiene razón en señalar esa peculiaridad en relación con el novelista santiaguero, ya que en Soler sí el relato en primera persona, a cargo del hermano de Angelito, podría haber significado un fracaso literario. El distanciamiento que implica el relato en tercera persona a cargo de uno de los «varones» es funcional y artísticamente necesario para que el mundo de la panadería mantenga su unidad esencial, el equilibrio de sus relaciones internas. En el caso especial de *El pan dormido*, el narrador (o tal vez el autor) necesita planear por encima de todo el conjunto, incluso por encima de sus propios recuerdos. Sólo así el relato puede mantener una objetividad que le es absolutamente indispensable, no sólo para sus rutinas y sus hábitos, sino hasta para sus delirios y pesadillas.

Esa objetividad fundamental se nota, por ejemplo, en lo que toca a las influencias que ejerce Felipe. Este hermano de Arturo es probablemente la presencia más fuerte de toda la novela, y su irradiación abarca hasta los rincones más lóbregos de la panadería. Y eso ocurre aun despues de que Arturo lo eche del negocio y lo sustituya por el poco recomendable Macías. Es cierto que Felipe no es un hombre íntegro, de una sola pieza; el relato es un inventario de sus carencias. Pero Felipe tiene carácter, sabe comunicarse con la gente. Felipe tiene un aura de prestigio para sus sobrinos, y de ella forman parte su vasto catálogo de malas palabras y también sus conquistas amorosas. Felipe no es demasiado confiable en materia de dinero (es un jugador empedernido y bien lo sabe Arturo) pero en cambio tiene un lado generoso que excede lo contante y sonante. Es un consejero realista, y a veces comprensivo. Su influencia en la familia es innegable. La «zona» (donde moran la Gallega y otras prostitutas) empieza a tener vigencia para los «varones» a partir de las preguntas más o menos inquisitivas de Felipe. Las malas palabras que catequizan a Berta a través de Angelito, tienen su punto de partida en Felipe, y constituye uno de los mejores hallazgos de Soler el llevar a Berta hasta la Chivera para que allí vocifere sus indecencias y luego no diga más palabrotas, como si allí hubiera agotado el repertorio. La misma Remedios, que no quiere a Felipe, en el fondo rige por él buena parte de su vida grisácea, ya que su preocupación es contradecirlo indirectamente y contrarrestar —vana empresa— su influencia en «los muchachos». Arturo, por su parte, mientras Felipe trabaja en la panadería, depende en cierta manera de ese hermano suelto, atractivo, improvisador; y luego, cuando decide echarlo, sigue dependiendo de la tácita comparación con Felipe, a que todo (empezando por sus hijos) lo someten. Felipe ha signado a tal punto la vida de la panadería que una mesa que ahora usan otros, sigue siendo la «mesa de Felipe», y en cualquier diálogo que se produce en la panadería, quedan siempre flotando en el aire las respuestas que Felipe habría dado.

Soler metaforiza no sólo con palabras sino con personajes. Cuando se incorpora a la panadería el «hombre de los caballitos», como «tiene un aire de cura que se ve a la legua», el autor lo contrapuntea con una confesión, imaginaria o real, o ambas cosas a la vez. A veces la metáfora va de cosa a persona, pero yuxtapuestas: «y el pan de La Llave es el pan más sabroso de Santiago y la mujer rubia es la mujer más mujer de todas las mujeres». O de cosa a cosa. Hasta cuando intenta definir el famoso «pan dormido», apela a un misterioso cotejo: «no cruje como barquilla cuando se aprieta acabado de salir del horno, por muy bueno que esté, sino que suena como las bisagras mohosas de una puerta vieja.» Sin duda esta definición no cabría en un diccionario, y es obvio que no nos alcanza para saber qué es el pan dormido. Pero no puede negarse que hay en la comparación una medida poética y sugestiva, que a lo mejor nos acerca, más que cualquier definición técnica o profesional, a la verdadera sustancia del pan dormido.

Una lección adicional se desprende de esta novela: su contexto político adquiere una significación vital, justamente porque es mantenido por el autor en discreto segundo plano. Están presentes la represión ejercida por el machadato y también las luchas sindicales, pero no sustituyen a los conflictos primordiales de los Perdomo y los Portuondo. La política es una noción que a veces se cuela desde la calle y atraviesa los diálogos y los temores de la panadería, pero nunca reemplaza el ámbito, unas veces sórdido y otras trivial, de aquella familia que se prolonga en panaderos, dependientes, clientela, repartidores, cajeras, etc. Precisamente, con tal prioridad en la aherrojada vida de aquel microcosmos, Soler está dando su severo diagnóstico sobre una clase social que no supo entender los tiempos que venían, y se confinó en su egoísmo y sus pequeñas ambiciones. Aun cuando la panadería es invadida por las turbas que se vengan en Macías hasta matarlo y amenazan al propio Arturo, aquella dramática irrupción es registrada por los personajes, no como el confuso acontecer político que efectivamente es, sino como una catástrofe familiar. Y cuando Pedro Chiquito, el insólito y derrengado Perdomo, se enfrenta a sus familiares en la panadería saqueada, recoge sus «matules», y les dice: «Los tres váyanse a la mierda» (sólo por esa frase nos enteramos de que el innombrado hermano de Angelito está presente, como si le hubiera dado vergüenza rememorar que asistió a la ignominia), él en cambio se va a la calle. En las últimas líneas del apasionante libro «sale de la panadería por la puerta de la cuartería», y es tal vez el único que, mal que bien, se rescata a sí mismo de aquella hecatombe, y también de aquel egoísmo, más chiquito que su propio apodo. Salir de la panadería y entrar al mundo. O quizá, salir del egoísmo personal y entrar en la vida comunitaria. ¿No será ésta la propuesta que, en última instancia, nos hace *El pan dormido*?

(1976)

Juan Rulfo y su purgatorio a ras de suelo[1]

Los narradores hispanoamericanos que optan por refugiarse en los temas nativos, sólo por excepción construyen sus relatos sobre una estructura compleja. La abundancia de anéc-

---

[1] Hoy Juan Rulfo es un clásico de la narrativa hispanoamericana; sus libros han sido traducidos al inglés, francés, italiano, alemán, sueco, checo, holandés, danés, noruego, yugoslavo y eslovaco; su obra ha sido objeto de nu-

dotas, la sugestión del paisaje, la aspereza del diálogo, seducen lógicamente al escritor. Pero, a la vez, toda esa formidable disponibilidad suele inspirarle cierto recelo frente a cualquier ordenamiento que no sea el estrictamente lineal. Se cree, y a veces con razón, que el alarde técnico podría llegar a sofocar el patetismo y la vitalidad de un mundo aún no extenuado por lo literario.

Claro que a veces el tema criollo se agota por su misma sencillez, por esa desgana tan frecuente en el narrador campesino, que todo lo deja al brío del asunto, al interés y a la tensión que el tema pueda levantar por sí mismo. Las complejidades suelen dejarse para el novelista urbano, como si existiera una obligada correspondencia entre el tema y su desarrollo, entre las formas de vida y las formas de estilo.

Entre los últimos escritores aparecidos en México, Juan Rulfo (nacido en 1918) ha buscado evidentemente otra salida para el criollismo. Su tratamiento del cuento en *El llano en llamas* (1953) y de la novela en *Pedro Páramo* (1955), lo colocan entre los más ambiciosos y equilibrados narradores de América Latina. Por debajo de sus modismos regionales, de la anécdota directa y penetrante, aparece el propósito, casi una obsesión, de asentar el relato en una base minuciosamente construida y en la que poco o nada se deje al azar. *Pedro Páramo* testimonia ejemplarmente esa actitud.

Pero también cada uno de los cuentos, aun de los más breves, demuestra la economía y la eficacia de un narrador, tan consciente del material que utiliza como de su probable rendimiento, y que, además, acierta en cuanto al ritmo, el tono

---

merosos y profundos estudios. Sin embargo, cuando el trabajo que aquí se incluye apareció, en 1955, en el semanario *Marcha*, Montevideo, acababa de publicarse *Pedro Páramo* y el nombre y la obra de Rulfo eran totalmente desconocidos en el Cono Sur. (Aun en 1958, no figura ningún cuento suyo en la buena *Antología del cuento hispanoamericano*, de Ricardo Latcham.) No señalo esto, por cierto, para inventarle méritos a mi trabajo de hace más de treinta años, sino más bien para pedir excusas al lector (y a la memoria de Rulfo) por una interpretación que, debido a la razón apuntada, no tiene en cuenta toda esa vasta bibliografía posterior.

y las dimensiones que deben regir en cada desarrollo. En *El llano en llamas* hay cuentos excelentes, verdaderamente antológicos, y otros menos felices; pero todos sin excepción tratan *temas de cuento*, con ritmo y dimensiones de cuento.

Con excepción de «Macario», un casi impenetrable medallón, los otros relatos enfocan situaciones o desarrollan anécdotas, siempre con el mínimo desgaste verbal, usando las pocas palabras necesarias y logrando a menudo, dentro de esa intransitada austeridad, los mejores efectos de concentración y energía.

Conviene no perder de vista, a fin de valorar debidamente su madurez, que los cuentos de Rulfo constituyen su primer libro. Sólo en el titulado «En la madrugada» se manifiestan la indecisión y el desequilibrio característicos del principiante. En algún otro (como «Nos han dado la tierra», «La noche que lo dejaron solo» y «Paso del norte») la anécdota es mínima, pero tampoco el tono o la intención del relato van más allá del simple apunte, de modo que la estabilidad no corre riesgos.

Es cierto que algunos cuentos ponen en la pista de antecedentes demasiado cercanos (Faulkner en «Macario», Quiroga en «El hombre», Rojas González en «Anacleto Morones») pero en general esos ecos se refieren más al modo de decir que al de ver o de sentir un tema. En la mayor parte de sus relatos, Rulfo es sencillamente personal; para demostrarlo, no ha precisado batir el parche de su propia originalidad. Se trata de un escritor que conoce claramente sus limitaciones y poderes. Tal vez una de las razones de su sotenida eficacia radique en cierta deliberada sujeción a sus aptitudes de narrador, en saber hasta dónde debe osar y hasta cuándo puede decir.

Por otra parte, Rulfo no es un descriptivo. Ni en sus cuentos ni en *Pedro Páramo* el paisaje existe como un factor determinante. La tierra es invadida, cubierta casi, por mujeres y hombres descarnados, a veces fantasmales, que obsesivamente tienen la palabra. Detrás de los personajes, de sus discursos primitivos e imbricados, el autor se esconde, desaparece. Es notable su habilidad para trasmitir al lector la anécdota orgánica, el sentido profundo de cada historia, casi exclusivamente a través del diálogo o los pensamientos de sus criaturas. A veces se trata de una versión restringida, de corto alcance, pero que al ser expuesta en sus palabras claves, en su propio clima, adquiere las más de las veces un extraño poder de convicción.

«Es que somos muy pobres», por ejemplo, cuenta la historia sin pretensiones de Tacha, una adolescente a quien su padre regala una vaca «que tenía una oreja blanca y otra colorada y muy bonitos ojos»; se la regala para que no salga como sus hermanas, que andan con hombres de lo peor. «Con la vaca era distinto, pues no hubiera faltado quien se hiciera el ánimo de casarse con ella, sólo por llevarse también aquella vaca tan bonita.» Pero es el río crecido el que se la lleva, y Tacha queda sin dote y sin consuelo. «El sabor a podrido que viene de allá salpica la cara mojada de Tacha y los dos pechitos de ella se mueven de arriba abajo, sin parar, como si de repente comenzaran a hincharse para empezar a trabajar por su perdición.» El asunto es poco, pero está metido en su exacta dimensión; es bastante conmovedor que toda la honra penda de una pobre vaca manchada, de muy bonitos ojos. Evidentemente, hay grados sociales en la honra, y ésta es la honra de los muy pobres.

En el cuento que da nombre al volumen, «El llano en llamas», se describe un proceso de bandidaje, la reunión y dispersión de hombres que obedecen a Pedro Zamora; sus saqueos, sus crímenes y sus inicuas diversiones. Son seres de un coraje sin énfasis, aguijoneados por una crueldad gratuita, pero siempre coherentes con su propio nivel de pasión. En «La cuesta de las comadres» hay una inocencia cachacienta que sirve para amortiguar el acto horrible que se está relatando. Hasta parece explicable que el narrador lleve a cabo un minucioso crimen («por eso aproveché para sacarle la aguja de arriba del ombligo y metérsela más arribita, allí donde pensé que tendría el corazón») para defenderse de otro que no cometió. Por similares razones, el bienhumorado desarrollo de «Anacleto Morones» acaba pareciendo macabro. La ligereza de la situación, las burlas certeras, aun el final casi vodevilesco, adquieren un espantoso sentido no bien el lector se entera que debajo de estas bromas y de aquellas piedras se halla el cadáver del Niño Anacleto.

Este recuerdo guarda cierto paralelismo con el empleado por Richard Hughes en *A High Wind in Jamaica*: el lector es más consciente que el narrador del hecho tremendo que se relata. Sólo que Hughes usa el expediente de la infancia, y Rulfo, en cambio, el del primitivismo de los hombres; tal vez porque confía en que ese fondo de inocencia y de miedo pueda salvar al alma campesina.

Relatos como «Talpa» y «No oyes ladrar los perros» merecen consideración especial. El primero, que sirvió para lanzar al mercado literario el nombre de Rulfo, cuenta la historia de Tanilo, un enfermo que insiste hasta conseguir que su mujer y su hermano lo lleven ante la Virgen de Talpa «para que ella con su mirada le curara sus llagas». A mitad de camino Tanilo ya no puede más y quiere volver a Zenzontla, pero entonces su mujer y su hermano, que se acuestan juntos, lo convencen de que siga, porque sólo la Virgen puede hacer que él se alivie para siempre. En realidad, quieren que se muera, y Tanilo llega a Talpa, y allí, frente a su Virgen, muere.

Este proceso, que comienza en un simple adulterio y culmina en una tortura de conciencia, se vuelve fascinante gracias al ritmo que Rulfo consigue imprimir a su relato. Obsérvese que la culpa sólo arrincona a los actores cuando sobreviene la muerte de Tanilo. El adulterio en sí no llega a atormentarlos. Unicamente cuando se agrega la muerte, ese primer delito adquiere una intención culposa y retroactiva. Es que, probablemente, hay grados de conciencia (como de honra) y ésta del hermano y la mujer de Tanilo, es también la conciencia de los muy pobres. Con todo, es curioso anotar que en este cuento, el adulterio es un *acto* y no remuerde; en cambio, en la última etapa del proceso, la infamia, que se limita a la *intención*, se vuelve a pesar de ello insoportable. Ningún hecho nocivo para reprocharse; sólo intenciones, palabras, pensamientos. Sin embargo, estos seres elementales, que no son conmovidos por su *acto abyecto*, se vuelven suficientemente sensibles como para sentirse agobiados por un destino que ellos solos provocaron, pero que no ejecutaron con sus manos.

Afuera se oía el ruido de las danzas; los tambores y la chirimía; el repique de las campanas. Y entonces fue cuando me dio a mí tristeza. Ver tantas cosas vivas; ver a la Virgen allí, mero enfrente de nosotros dándonos su sonrisa, y ver por el otro lado a Tanilo, como si fuera un estorbo. Me dio tristeza. Pero nosotros lo llevamos allí para que se muriera, eso es lo que no se me olvida.

«No oyes ladrar los perros» es, sencillamente, una obra maestra de sobriedad, de efecto, de intelección de lo humano. Uno de esos cuentos que no es preciso anotar en la ficha para recordarlos de por vida. En verdad, Rulfo desenvuelve su materia (trágica, oprimente) en tan reducido espacio y en estilo tan desprovisto de estridencias, que en una primera lectura es difícil acostumbrarse a la idea de su perfección. No obstante, es posible advertir con qué economía plantea el autor desde el comienzo una situación casi shakspiriana. Obsérvese, además, la difícil circunspección con que deja transcurrir el diálogo, la carga de pasión que soporta toda esa pobre rabia, y sobre todo, el final magistral, que estremece en seguida todo el relato que llevaba hasta ese instante el lector en su mente, y lo reintegra a su verdadera profundidad. ¿Qué más puede pedirse a un cuento de seis páginas? Casi podría tomársele por una definición del género.

En una de sus narraciones, «Luvina», no precisamente de las mejores que reúne *El llano en llamas*, Rulfo ya adelantaba algunos ingredientes (la mayoría, exteriores) que iba luego a emplear en su novela: *Pedro Páramo*. Pero en tanto que el cuento sólo planteaba una situación de aislamiento y resignación (con algunos buenos impactos verbales: «¿Dices que el Gobierno nos ayudará, profesor? ¿Tú conoces al Gobierno?... Nosotros también lo conocemos. Da esa casualidad. De lo que no sabemos nada es de la madre del Gobierno»), sin que pareciera suficientemente motivada y creíble, la novela desarrolla, partiendo de un clima semejante, pero tirando intermitentemente de diversos hilos de evocación, una historia fronteriza entre la vida y la muerte, en la que los fantasmas se codean desaprensivamente con el lector hasta convencerlo de su provisional actualidad.

Si no fuera por su sesgo fantástico, la novela de Rulfo traería, con mayor insistencia aún que alguno de sus cuentos, el recuerdo de Faulkner. Y aun con esa variante, el Sutpen de *¡Absalom, Absalom!* no puede ser descartado en cualquier investigación de fuentes que se propusiera integrar una genealogía de este Pedro Páramo, encarnado a través de varias despiadadas memorias y a través de sí mismo. No obstante, conviene anotar que en *¡Absalom, Absalom!*, Faulkner asienta su mito sólo como excusa en una zona geográfica determinada. En cambio, Rulfo, pese a su andamiaje intelectual, sigue siendo, y esto es importante, un novelista valederamente regional.

Comala, algo así como un Yoknapatawpha mexicano, es una aldea, más bien un esqueleto de aldea, cuya sola vida la constituyen rumores, imágenes estancadas del pasado, frases que gozaron de una precaria memorabilidad, y, sobre todo, nombres, paralizados nombres y sus ecos. De todos ellos, y, además, de muchas épocas barajadas, ordenadas y vueltas a barajar, el autor ha construido la historia de un hombre, una suerte de cacique cruel, dominador, y en raras ocasiones impresionable y tierno. Páramo es una figura menos que heroica, más que despiadada, cuya verdadera estatura se desprende de todas las imágenes que de él conserva la región, de todas las supervivencias que acerca de él acumulan las voces fantasmales de quienes lo vieron y sintieron vivir. Esa creación laberíntica y fragmentaria, esa recurrencia a un destino conductor, ese rostro promedio que va descubriendo el lector a través de incontables versiones y caracteres, tiene cierta filiación cinematográfica, cercana por muchos conceptos a *Citizen Kane*. En la novela de Rulfo la encuesta necesaria para reconstruir la imagen del Hombre, es cumplida por Juan Preciado, un hijo de Páramo, mediante sucesivas indagaciones ante esas pobres, dilaceradas sombras que habitan Comala.

Pero no todo es evocación, no todo es censura de ultratumba. También el narrador (que nunca levanta la voz; que se oculta, como un ánima más, detrás de su propio mito) toma a veces la palabra y dice su versión, *cuenta* simplemente, y su acento no desentona en el corrillo. Hay en todo el libro una armonía de tono y de lenguaje que en cierto modo compensa la bien pensada incoherencia de su trama. Por lo general no se da ningún dato temporal que sirva de asidero común para tanta imagen suelta. Sorprende, por ejemplo, hallar en la página 113, un párrafo que empieza: «Muchos años antes, cuando ella era una niña...», ya que éste o cualquier otro procedimiento de fijación expresa de una época, resulta inopinado en la modalidad corriente de esta narración. En tal sentido, el lector debe arreglarse como pueda, y por cierto que puede arreglarse bien, ya que *Pedro Páramo* no es una novela de lectura llana, pero tampoco un inasible caos. Por debajo de la aparente anarquía, del desconcierto de algunos pasajes, existe, a poco que se preocupe el lector por descubrirlo, un riguroso ordenamiento, un fichaje de caracteres y de sus mutuas correspondencias, que mantiene la cohesión, el sentido esencial de la obra.

Es cierto que la imaginación de Rulfo especula con la muerte, se establece en su momentáneo linde, pero autor y personajes parecen dejar sentada una premisa menos cursi que verdadera: que la única muerte es el olvido. Estos muertos se agitan, se confiesan, pero, en definitiva ¿son ellos o sus recuerdos?, ¿meros fantasmas asustabobos o probadas supervivencias?

Frente a tanta huella de su unicidad, de sus varios enconos, de su ternura sin réplica, se levanta Pedro Páramo para afrontar el juicio y volver a caer, desmoronándose «como si fuera un montón de piedras». «¿Quién es? —volví a preguntar. Un rencor vivo —me contestó él». La respuesta de Abundio a Juan Preciado define en cierto modo la novela. Es, sencillamente, la historia de un rencor. «El olvido en que nos tuvo, mi hijo, cóbraselo caro», dice, agonizante, Dolores Preciado a su hijo en la primera página. Y Juan Preciado, siguiendo desde allí el itinerario de ese rencor, llega a Comala junto a la sombra de Abundio, que también era hijo de Pedro Páramo y también sostiene su rencor propio. Desde su llegada a casa de Eduviges Dyada hasta su propia muerte («acalambrado como mueren los que mueren muertos de miedo»), Juan Preciado arrostra sombras, escucha voces. «Me mataron los murmullos», dice a Dorotea, y eran murmullos que partían de diversos rencores. También Miguel Páramo los siembra y el padre Rentería los recoge y Pedro Páramo hace de todos ellos su gran rencor, su inquina hacia ese destino que le ha hecho esperar toda una vida antes de hacerle hallar a la Susana de su infancia y entregársela deshecha, trastornada y ajena. «Pensó en Susana San Juan. Pensó en la muchachita con la que acababa de dormir apenas un rato. Aquel pequeño cuerpo azorado y tembloroso que parecía iba a echar fuera su corazón por la boca. «Puñadito de carne», le dijo. Y se había abrazado a ella tratando de convertirla en la carne de Susana San Juan.»

Todo el episodio que se refiere a Susana es de gran eficacia narrativa, sin duda el pasaje más tenso de la novela. Ella, cerrando los ojos para recuperar a Florencio, en inagotable sucesión de sueños; él, desvelándose, contando «los segundos de aquel nuevo sueño que ya duraba mucho», concentran en sí mismos la gran desolación que propaga el relato, el notorio símbolo que difunde el título. «¿Pero cuál era el mundo de Susana San Juan? Esa fue una de las cosas que Pedro Páramo nunca llegó a saber.»

La complejidad en que se apoya la trama, no se refleja empero en el estilo, el cual, como en los cuentos de *El llano en llamas*, es sencillo y sin complicaciones. Los amodorrados fantasmas de la novela emplean en su lenguaje el mismo irónico dejo que los campesinos de «Es que somos pobres» o «¡Diles que no me maten!» Las cosas más absurdas o las más espantosas son dichas en su genuina cadencia regional. En ciertos pasajes decididamente macabros (como algunos de los diálogos entre Juan Preciado y Dorotea) la excesiva vulgaridad resulta inapropiada y hasta chocante. Del mismo modo, algún rasgo humorístico vinculado a las inquietudes de los muertos en el camposanto, producen un desacomodo en el lector: «Se ha de haber roto el cajón donde la enterraron, porque se oye como un crujir de tablas»; «haz por pensar en cosas agradables porque vamos a estar mucho tiempo enterrados». Por lo común, una visible alteración de los padrones de verosimilitud provoca una sacudida mental a la que, por otra parte, es fácil sobreponerse. También es fácil sobreponerse al trato descarado de la literatura con los muertos. Pero en el riesgoso juego de Rulfo con sus fantasmas, en ese purgatorio a ras de suelo, hay que reconocer que pide demasiado a su lector: esa promiscuidad de muerte y vida, esa habla chistosa de tumba a tumba, suscita a veces la previsible arcada. Por lo demás, el humorismo no es una variante preferida de Rulfo. Pero así como en algunos de sus cuentos, especialmente en «Anacleto Morones», había recurrido a él para extraer del asunto el máximo provecho, también en *Pedro Páramo* suele emplearlo en función de algún efecto, de alguna ironía.

Es de confiar que la aparición de Rulfo abra nuevos rumbos a la narrativa hispanoamericana. Por lo menos, estos dos primeros libros alcanzan para demostrar que el relato en línea recta, que la porfiada simplicidad, no son las únicas salidas posibles para el enfoque del tema campesino. No es, naturalmente, el primero en llevar a cabo esa módica proeza, pero su actitud literaria implica una saludable incitación a sobrepasar este presente, algo endurecido en cierta abulia del estilo. De todos modos, convengamos en que ya venía resultando peligrosa para el mejor desarrollo de una narrativa de asunto nativo, esa endósmosis de lo llano con lo chato, ese abandonarlo todo al ímpetu del tema, al buen aire que respiran los pulmones del novelista. Rulfo, que también lo respira, ha construido, además, quince cuentos, la mayoría de ellos de una excelente factura técnica; ha levantado, sin apearse de lo literario y pagando las normales cuotas de realismo y fantasía, una novela fuerte, bien planteada, y ha preferido apoyarla en una sólida armazón. Es satisfactorio comprobar que, después de este alarde, el tema criollo no queda agostado sino enriquecido, y su esencia, sus mitos y sus criaturas, se convierten en una provocativa disponibilidad para nuevas empresas, con destino a más ávidos lectores.

(1955)

Eliseo Diego encuentra su Olimpo

Cuando Eliseo Diego publicó su «Responso por Rubén Darío»[1] y colocó como epígrafe los célebres versos «Buey que vi en mi niñez / echando vaho un día», se me aclaró de pronto la hasta ese momento para mí misteriosa relación entre el poeta nicaragüense y caudal, con todos los Olimpos a sus órdenes, y este cubano, silencioso y observante, rumiador de metáforas, reinventor del pretérito, que trata a las palabras con un respeto, y a las cosas con una devoción, ya verdaderamente inencontrables en la actual e irreverente poesía latinoamericana. Sólo entonces me atreví a conjeturar que, pese a su documentada admiración, Eliseo no descendía del Darío total, sino más bien de aquellos dos versos decisivos que desde hace sesenta años parecen estar esperando su adecuada viñeta de Boloña.

Lo cierto es que la mejor poesía de este ser singular, que se enfrenta a la naturaleza y al prójimo en el sobreentendido de que una y otro son componentes del dios que él admite, instaura y descifra, tiene siempre alguna relación con las imágenes de infancia, con las nostalgias de una inocencia que, como el buey de Darío, todavía echa su vaho desvaneciente y evocador sobre el presente demasiado nítido, demasiado rotundo. Y esto sin perjuicio de que otros vahos también afluyan. «A medida que me vuelvo más real el soplo del pánico me purifica», escribió Eliseo hace dos décadas.

Una lectura pausada e indagadora de toda la obra poética publicada por este autor, permite confirmar que en los últimos veinte años su presencia en las letras cubanas ha sido algo así como un hilo conductor que serenamente la atraviesa, regulándola, trayéndola a cauce. Resulta demasiado fácil atribuir sólo a la balcanización cultural de nuestros países un hecho tan absurdo como la escasa difusión que Eliseo ha tenido hasta ahora fuera de Cuba. Por ejemplo, ninguno de los últimos antologistas de la actual poesía latinoamericana lo inclu-

---

[1] En revista *Casa de las Américas*, Núm. 42, mayo-junio de 1967.

ye en sus selecciones: ni Aldo Pellegrini en su discutible *Antología de la poesía viva latinoamericana*, ni J. M. Cohen en *Latin American Writing Today*, y, lo que es más inconcebible, tampoco en la necesariamente menos estricta selección de *Writers in the New Cuba*. La simple omisión pasa a convertirse en profunda injusticia si se conoce un libro como *En la calzada de Jesús del Monte* (1949), que por cierto no propone una inversión estallante de la realidad, ni adhiere a ninguno de los diversos entusiasmos que con frecuencia embargan a los cronistas literarios de esa misma realidad. *En la calzada de Jesús del Monte* es un libro fundamental, ejemplar en más de un sentido, y considero que, en la irradiación a las más jóvenes promociones cubanas, su lección de autenticidad es verdaderamente inapreciable.

Nostalgia es la primera palabra que acude al crítico cuando se enfrenta a la poesía de Eliseo; tan evidente es la voluntad de rescate que allí se concentra. Sin embargo, conviene señalar que la nostalgia de este creador sobreviene sin el cortejo de enfermizas efusiones que suele acompañar esa actitud. Es curioso comprobar que, a diferencia de lo que ocurre con otros rememoradores, las evocaciones de este poeta se conjugan por lo general en tiempo presente. El evocador no desarraiga a los seres, y las cosas de un pasado que inconscientemente se vuelve trampa y se vuelve retórica; más bien prefiere trasladarse, casi diría *en persona*, a contemplarlos, a sentirlos, a tributarlos. Quizá por eso no revele el menor complejo de inferioridad frente al material evocado; su añoranza es un trato igualitario, mano a mano, con los objetos que el pasado eligió para amueblar —no siempre confortablemente— su memoria, y que a su vez esa misma memoria elige ahora para desempolvar. Como ya señalara Ida Vitale, «la palabra será en sus manos el instrumento que jamás rechina, que no se vulgariza ni traiciona, mientras, a la vez, parece venir por la línea del menor esfuerzo, como un fruto del tiempo»[2].

Quizá el poema en que más clara aparece esta actitud, sea

---

[2] En *Marcha*, Núm. 1350, Montevideo, abril 28 de 1967.

«El sitio en que tan bien se está», despabilado reposo en que el autor se instala a disputar serenamente al tiempo su destino. Antes que re-crear las imágenes del pasado, prefiere reconstruir su mirada de entonces, y más aún: los sueños que la respaldaron. «Aquí no pasa nada, no es más que la vida / pasando de la noche a los espejos.» El poeta se obliga a ser testigo y detector («Escribo todo esto con la melancolía de quien redacta un documento»), pero en ciertas ocasiones crea a tal punto para ese pasado una presencia actual, que hasta se anima a trasladar allí al lector, y no sólo al lector, también a sus cinco sentidos: «Oigamos las figuras, el son tranquilo de las formas, / las casas transparentes donde las tardes breves suenan.» Por supuesto, Eliseo no consigue derrotar al tiempo, pero sí vender cara su derrota; con sus sucesivas treguas, con sus inventados respiros, con sus buenos pretextos, va demorando al tiempo, le va implícitamente proponiendo que no transcurra; en fin, lo va combatiendo con sus mismas armas, con su propio estilo de erosión. Eliseo tiene una singular capacidad para inmovilizar un instante (ello tal vez explique su preferencia por los domingos, o sea la jornada en que la realidad parece más inerme, cuando los seres y las cosas enfundan esa defensa natural que es el trabajo) ¿y acaso no representa semejante inmovilidad una parcela de tiempo ganada al tiempo? Cuando Eliseo sólo había publicado *En la calzada de Jesús del Monte*, Fernández Retamar ya advirtió que siendo «por esencia lento resurgir, mediante una nostalgia que organiza sus objetos, de un instante definido por la majestad de su movimiento —y que va progresivamente animándose de gravedad y alusión a algo más hondo—, su poesía ofrece una lentitud y un reposo fundamentales»[3].

En la «Dedicatoria» de su segundo libro de poesía, *Por los extraños pueblos* (1958) —que no consigue el nivel excepcional del primero, pero que incluye poemas tan logrados como «El olvido» y «Bajo los astros»—, Eliseo deja esta constancia:

---

[3] Véase *La poesía contemporánea en Cuba* (1927-1953). La Habana, 1954, p. 114.

Conmigo se han de acabar estas formas de ver, de escuchar, de sonreír, porque son únicas en cada hombre; y como ninguna de nuestras obras es eterna, o siquiera perfecta, sé que les dejo a lo más un aviso, una invitación a sentirse atentos,

y unas líneas antes había definido la poesía como «el acto de atender en toda su pureza». Y eso es en definitiva lo que ha hecho (minuciosa, honda, sensiblemente) Eliseo: atender, y para hacerlo, para sentirse atento entre las palabras y bajo los astros, en la sala o entre la lluvia, en el patio o en la cabaña, ha podido y sabido volverse inocente, mejor dicho recuperar su inocencia, que aquí no es ingenuidad ni bobería sino una limpia astucia para entender el mundo. Y a tal punto lo entiende, que la noble madera que sostiene la religiosa cosmovisión del poeta, a duras penas le alcanza para aliviar la tensión y la presencia de la muerte, «puesto que lo que abruma en ella es lo que pesa».

En el siguiente libro, *El oscuro esplendor* (1966), obra en la que el poeta recupera su mejor capacidad de hallazgo, su más afinada intuición para el bautizo del contorno, y en la que incluye algunas de las muestras más certeras y depuradas de su poesía, hay una significativamente titulada «Avisos», que testimonia el nuevo grado de esa inocencia sabia, de esa resignación a contrapelo, de ese coraje inmerso en tanta alarma: «En este jueves décimo y tranquilo / del clarísimo mes, descubres / nuevas señales y prodigios nuevos / de la humedad en la pared. / Que ya no son fiestas ni son misterios / sino materia de estupor; / el joven ama el ruido de la muerte / pero el viejo teme su olor.» Incluso para formular de una buena vez su arte poética, y sin contradecir con ello esencialmente su ya citada definición (la poesía es «el acto de atender en toda su pureza»), Eliseo llega ahora a la conclusión, bastante más atribulada, de que «un poema / no es más que unas palabras / que uno ha querido, y cambian / de sitio con el tiempo, y ya / no son más que una mancha, una / esperanza indecible; / un poema no es más / que la felicidad, que una conversación / en la penumbra, que todo / cuanto se ha ido, y ya / es silencio».

Llegado a esta actitud, sin prisa pero con causa, Eliseo rehace su calma (la relativa debilidad de *Los extraños pueblos* venía tal vez de que era un libro atravesado por el desasosiego, que, en el caso particular de Eliseo, no parece el estado más adecuado para ajustar sus controversias con el mundo, ya que este poeta precisa como el pan la serenidad, así tome ésta a veces el color de una triste y seca entereza), la aprovecha para hacer inventario de sus «Tesoros» («Un laúd, un bastón, unas monedas, / un ánfora, un abrigo, / una espada, un baúl, / unas hebillas, / un caracol, / un lienzo, / una pelota»), contabiliza los «rápidos abismos de la noche», mira sin estupor su propia soledad y la ajena, así como la regular pero siempre mensurable distancia que las separa. Inesperadamente, vuelve a ser cierto lo que Cintio Vitier registró hace diez años en el mejor estudio escrito sobre Eliseo: «La memoria no se disuelve en añoranza, sino que le da a las cosas una nueva, oscura y sobrepujada resistencia»[4]. No hay blanda autoconmiseración en las relaciones del poeta con su paraíso perdido («silenciosa catástrofe» llama Vitier a esa quiebra). Este sincero cristiano no tiene inconveniente en expulsar de su alma, de su vida, de su templo, al falso candor y otros mercaderes. Su nostalgia se ha transformado en lección; en dura lección aprendida.

Paradójicamente, esa grave asunción puede convertirse en antesala del humor. Cuando hemos admitido para siempre la muerte, ya podemos bromear sobre ella; cuando hemos entendido la asfixia del prójimo, ya podemos ofrecerle la risa como una aceptable ocasión de que ventile sus pulmones. Con su balance ya efectuado y sus grises conclusiones extraídas, Eliseo está pronto para una saludable distensión. Repentinamente (me refiero a su más reciente libro, *Muestrario del mundo o libro de las maravillas de Boloña*, La Habana, 1968) ha encontrado su Olimpo, pero qué poco se parece al de Darío. Aquí los dioses, los mitos, las leyendas, son meras ilustracio-

---

[4] Véase *Lo cubano en la poesía*, Universidad Central de Las Villas, 1958, p. 423.

nes, «un simple muestrario de letras y viñetas» extraído del catálogo de José Severino Boloña, peculiar impresor (nunca se sabrá bien si muy cándido o muy sabio) que proponía a su clientela deliciosas láminas, capaces de aludir a todos los temas y subtemas del universo y sus alrededores. El muestrario completo debe haber sido una posibilidad (y a la vez una tentación) absurda y sin embargo de secreta e interior armonía. Quizá, cuando el tema lo sedujo, recordara Eliseo el muestrario de sus propias imágenes, diseminadas en sus tres libros anteriores; quizá, aunque aún no se haya decidido a confesárnoslo, comprendiera que el valor más durable, esencial y tenaz de esas tres pistas residía, al igual que en las ilustraciones de Boloña, «en el diseño que dibujaban juntas hasta cerrar un solo enigma».

Las figuras de don José Severino, aparentemente tan precisas, formales e indudables, son además, y sobre todo, un catálogo de misterios, ventanillas abiertas al azar, irrupciones en un paisaje muy concreto y a la vez muy irreal, sobre el que no hay más datos. Todo allí comparece: desde un ejemplar tan inesperado como la curvilínea imagen del Tiempo (página 97), en alada y majestuosa reclinación, que Steinberg podría firmar sin el menor bochorno, hasta la ingrávida efigie del equilibrista que da origen a uno de los mejores poemas del libro, pasando además por innumerables galeras, herramientas, gatos, tambores, paraguas, casas, ruecas, peces, signos zodiacales, estriados firmamentos. Son aproximadamente doscientas ilustraciones, de todo tipo y tamaño.

Tal como lo advierte en la «Introducción», el creador se acerca, en talante de «inocente disponibilidad», a esta provocativa familia de signos, que nada explican y todo dicen, que nada rechazan y todo proponen. A partir de esos impagables grabados, frecuentemente a medio camino entre la heráldica y la instantánea; a partir de esa iconografía que acaso alguna vez fue cotidiana y hoy resulta quimérica, Eliseo imagina, convive, trasueña, vislumbra. La figura es tan sólo el impulso, la provocación, el inicio de un tranquilo delirio en el que el poeta se sumerge sonriendo, como si se tratase de un pretexto alucinógeno. Como nunca antes en su poesía, Eliseo opta por el humor; su respetuoso tuteo con los sigilos del antiguo impresor habanero los ha envuelto en un ingenio fresco, no más irónico de lo que conviene, ni menos dúctil de lo que pide el sesgo imprevisible de semejante aventura intelectual.

Cuando la ilustración, como es el caso de los signos del Zodíaco, viene acompañada de una serie de significados implícitos, Eliseo parece moverse con menos soltura, como si le costara demasiado artificio el trasponer la periferia de esas tradiciones. Para mi gusto, los más notables aciertos en este libro fuera de serie, ocurren cuando el poder de invención no se pone fronteras demasiado rígidas; cuando, por ejemplo, crea una explicación de portento para el equilibrista: «No es como nosotros, el equilibrista, / sino que más bien su naturalidad comienza / donde termina la naturalidad del aire: / allí es donde su imaginación inaugura los festejos / del otro espacio en que se vive de milagro / y cada movimiento está lleno de sentido y belleza.» O cuando, a partir de las herramientas conmemoradas en el montón de viñetas, concibe y califica la condición humana como una fragilidad fatal, inapelable: «Y éstas las tijeras para cortar los paños, / para cortar los hipogrifos y las flores / y cortar las máscaras y todas las tramas y, en fin, / para cortar la vida misma del hombre, que es un hilo», o más adelante: «Este es un compás que mide la belleza justa / para que no rebose y quiebre y le deshaga / el humilde corazón al hombre».

El libro es un juego, claro, pero no es *sólo* eso. Al asomarse por un instante a esos paisajes candorosos, a esos seres inmóviles, a esos objetos sueltos, recoletos, a esas calmas en pena, el poeta lleva consigo todas sus inquietudes y fruiciones; se asoma con su pasado, es cierto, pero también con todo lo que ahora es, con lo que ya no ignora. De ahí que lo más maravilloso de estas «maravillas de Boloña» sea justamente lo que no está en el cuadro, lo que el reconstructor ve más allá de la imagen propuesta, en una osada continuación de gestos y de rumbos. Y entonces el muestrario del mundo se convierte en lo que en definitiva es todo buen libro de poemas: un memorial de individuo, al que a su vez puede asomarse el prójimo lector con todas sus inquietudes y fruiciones, también él decidido a incorporar nuevos gestos, nuevos rumbos.

(1968)

Ernesto Cardenal, poeta de dos mundos

Es posible que Rubén Darío haya marcado para siempre a Nicaragua con una certidumbre poética; lo cierto es que, en el presente, la poesía nicaragüense es una de las más vivas y originales de América Latina. Desde la aparición, en 1949, de *Nueva poesía nicaragüense* (antología de Orlando Cuadra Downing, con una introducción de Ernesto Cardenal), los poetas nicaragüenses que integraron el núcleo de *Vanguardia*[1], fundado en 1928 gracias al impulso de José Coronel Urtecho y Luis Alberto Cabrales, o aquellos otros que, sin haberlo integrado, participaron de algún modo en su corriente vivificadora, siguen activos y continúan renovándose, y es obvio que su producción ha influido grandemente en la zona del Caribe. Murieron Joaquín Pasos y Manolo Cuadra, pero siguen creando Pablo Antonio Cuadra (que además dirige la excelente revista *El pez y la serpiente*), José Coronel Urtecho, Carlos Martínez Rivas, Ernesto Mejía Sánchez, Ernesto Cardenal, Fernando Silva y Ernesto Gutiérrez.

De este grupo quiero destacar el nombre de Ernesto Cardenal, autor de *Hora 0* y *Gethsemani, Ky*. Cardenal, considerado como el más joven representante de la generación del 40, nació en 1925, en Granada (al igual que José Coronel Ur-

---

[1] Sobre el grupo Vanguardia, cuenta Cardenal que «el lugar de reunión era la torre de la iglesia de la Merced, que Coronel había cantado en una oda, y donde subían a leer los poemas, a redactar manifiestos, a celebrar la noticia de que los Estados Unidos ya no construirían el canal de Nicaragua».

techo y Joaquín Pasos), la más antigua ciudad de Nicaragua. Estudió en su país, en México y en Estados Unidos. Aunque algunos poemas suyos, como «La ciudad deshabitada» (1946) y «El conquistador» (1947), aparecieron en *plaquet*, la mayor parte de su obra ha sido publicada en revistas y se encuentra dispersa. Cardenal tomó parte en la rebelión de abril del 54; en 1957 ingresó en el monasterio trapense de Our Lady of Gethsemani (Kentucky, Estados Unidos) donde fue novicio de Thomas Merton, el conocido escritor trapense norteamericano. No pudo, sin embargo, concluir el noviciado; por razones de salud debió desistir de profesar en la orden. No obstante, su vida actual sigue siendo una vida de retiro. Después de abandonar la Trapa, pasó al monasterio benedictino de Santa María de la Resurrección, en Cuernavaca, México[2].

En 1949, en el excelente estudio que sirvió de introducción a la antología de Orlando Cuadra Downing, escribió Cardenal:

Nunca se ha escrito hasta ahora nada sobre la poesía nicaragüense, y el huir de la publicidad literaria ya se ha hecho casi una tradición en Nicaragua; acaba de morir un gran poeta nuestro sin dejar publicado un solo libro, y casi todos los mejores poemas nicaragüenses, dichos al oído de la patria, no han salido de nuestra intimidad todavía. Es éste un silencio necesario a las obras verdaderas; pero creo que ya ha dado sus frutos ese silencio, que es ya mayor de edad la poesía nicaragüense y que ha llegado ya la hora de las publicaciones.

---

[2] Con posterioridad a la redacción y publicación (1961) de esta nota, Cardenal siguió estudios de Teología en el Seminario de Cristo Sacerdote, en la Ceja, Antioquia, Colombia, habiendo recibido las órdenes sagradas el 15 de agosto de 1965, en Nicaragua. En ese mismo año, funda en el archipiélago de Solentiname la comunidad de Nuestra Señora de Solentiname. En 1976 participa en el Tribunal Russell II donde denuncia la dictadura somocista. En 1977 la Guardia Nacional destruye la comunidad de Solentiname y el poeta debe exiliarse en Costa Rica, donde anuncia su militancia en el Frente Sandinista de Liberación Nacional. Luego del triunfo de la Revolución, es designado Ministro de Cultura.

Estas palabras de 1949 podrían quizá reflejar, mejor que cualesquiera otras, la actitud actual de Ernesto Cardenal con respecto a su propia obra: evidentemente, el silencio «ya ha dado sus frutos» y «ha llegado la hora de las publicaciones». De ahí que sus dos únicos libros aparezcan en forma simultánea[3].

Lo poco que conozco de lo producido por Cardenal con anterioridad a estos delgados volúmenes, da testimonio de un lirismo espontáneo y cotidiano, pero también de un formidable dominio del verso, de una particular aptitud para hacerlo sonar de un modo natural, comunicativo. «A propósito de las tardes con niebla y de las lluvias», así empieza «Este poema lleva su nombre», y en ese tono de confidencia, de plática-cordial, sigue hasta su término un comentario del amor, una suerte de ancho río verbal que constantemente recibe afluentes del buen humor, la lucidez y la ternura. Ya por ese entonces, Cardenal era un diestro en la adjetivación, que tanto le servía para tonificar una idea («el balcón lacrimoso sin petunias»; «plaza de ojerosos relojes») como para sensibilizar una metáfora («tu piel alimenticia, tu tibieza suficiente en el invierno»).

En sus dos libros, Cardenal se apoya en temas muy dispares. *Hora 0* incluye cuatro poemas, escritos en Nicaragua, en un período que va desde la rebelión de abril de 1954 hasta el fin de Anastasio Somoza, en septiembre de 1956, y se refieren sin eufemismos a temas revolucionarios. *Gethsemani, Ky*, por el contrario, incluye veintinueve poemas, referidos a sus años de noviciado en la Trapa. Mientras estuvo en Gethsemani, no le fue permitido a Cardenal escribir poesía. Sólo podía tomar apuntes. Mediante una elaboración posterior, aquellos apuntes se han convertido en estos poemas.

Los poemas de *Hora 0*, particularmente el dedicado a San-

---

[3] Con posterioridad a 1961, Cardenal publicó, entre otros, los siguientes libros: *Salmos* (1964) y *Oración por Marilyn Monroe y otros poemas* (1965), *El estrecho dudoso* (1966), *Homenaje a los indios americanos* (1969), *En Cuba* (1972), *Canto nacional* (1972), *Oráculo sobre Managua* (1973), *El Evangelio en Solentiname* (1974), *Vuelos de victoria* (1984).

dino, deben ser de los más vigorosos y eficaces que ha dado la poesía política en América Latina. Si no fueran altamente compartibles por otras razones extrapoéticas, serían igualmente conmovedores por la indignación y la sinceridad que trasmiten. Cardenal utiliza todos los recursos de su sabiduría literaria, de su dominio de la metáfora, de su impulso verbal, para cubrir de oprobio el nombre del déspota («I was in a Concierto, dijo Somoza»). Pero, curiosamente, *Hora 0* no es tanto un poema del odio, como una radiografía de la vergüenza.

En un reciente artículo, publicado en *La Gaceta* del Fondo de Cultura Económica, Cardenal ha manifestado: «He tratado principalmente de escribir una poesía que se entienda». Nunca como en los poemas de *Hora 0*, esa intención pareció tan clara, y a la vez tan intelectualmente gobernada, pero la poesía que de ellos se entiende, más que un panfletario odio hacia Somoza, trasmite una honda, admirativa adhesión hacia la figura de Augusto César Sandino. Conviene aclarar que esta actitud no es para Cardenal cosa del pasado, ya que la primera publicación de los poemas en la *Revista Mexicana de Literatura*, fue autorizada por él desde el monasterio trapense en los años 1957 y 1959. Más aún: en la presente edición consta expresamente que su publicación ha sido autorizada por el autor como homenaje a Sandino en el 26.º aniversario de su muerte. Y, realmente, qué mejor homenaje que la condensada semblanza inserta en los versos de *Hora 0*, destinados sin duda a preservar para las nuevas generaciones el retrato verdadero, la imagen esencial del héroe:

«He is a bandido», decía Somoza, «a bandolero».
Y Sandino nunca tuvo propiedades.
Que traducido al español quiere decir:
Somoza le llamaba a Sandino bandolero.
Y Sandino nunca tuvo propiedades.
Y Moncada le llamaba bandido en los banquetes
y Sandino en las montañas no tenía sal
y sus hombres tiritando de frío en las montañas,
y la casa de su suegro la tenía hipotecada

para libertar a Nicaragua, mientras en la Casa Presidencial
Moncada tenía hipotecada a Nicaragua.
«Claro que no es» —dice el Ministro Americano
riendo— «pero le llamamos bandolero en sentido técnico».

¿Qué es aquella luz allá lejos? ¿Es una estrella?
Es la luz de Sandino en la montaña negra.
Allá están él y sus hombres junto a la fogata roja
con sus rifles al hombro y envueltos en sus colchas,
fumando o cantando canciones tristes del Norte,
los hombres sin moverse y moviéndose sus sombras.
Su cara era vaga como la de un espíritu,
lejana por las meditaciones y los pensamientos
y seria por las campañas y la intemperie.
Y Sandino no tenía cara de soldado,
sino de poeta convertido en soldado por necesidad,
y de un hombre nervioso dominado por la serenidad.
Había dos rostros superpuestos en su rostro:
una fisonomía sombría y a la vez iluminada:
triste como un atardecer en la montaña
y alegre como la mañana en la montaña.
En la luz su rostro se le rejuvenecía
y en la sombra se le llenaba de cansancio.
Y Sandino no era inteligente ni era culto
pero salió inteligente de la montaña.

Cardenal se ha referido a los poemas de *Gethsemani, Ky,*
con estas palabras: «Estos poemas, que más bien son apuntes
de poemas, no tienen otro valor que el de ser un testimonio
de la poesía indecible de esos días, que fueron los más felices
y bellos de mi vida». Es, sin duda, la voz de un poeta desde
su retiro, de un religioso desde su voluntaria soledad («Yo
apagué la luz para poder ver la nieve. / Y vi la nieve tras el
vidrio y la luna nueva. / Pero vi que la nieve y la luna eran
también un vidrio / y detrás de ese vidrio / Tú me estabas
viendo»), pero también es la voz de alguien que nunca deja
de escuchar el mundo («Me despierta en la celda el largo tren
de carga»; «Hay un rumor de tractores en los prados»), ni si-

quiera cuando trata de escuchar a Dios («Yo te oigo en el grito del grajo, / los gruñidos de los cerdos comiendo, / y el claxon de un auto en la carretera»). El poeta, el trapense de entonces, halla temas en el semáforo que está frente al monasterio, en los millones de cigarras que cantan, en los automóviles que pasan por la carretera «con risas de muchachas», en los novicios que se fueron y ahora estarán en Detroit o en Nueva York.

Aun cuando se refire a los trapenses que «se levantan al coro y encienden sus lámparas fluorescentes», recuerda que «abren sus grandes Salterios y sus Antifonarios, / entre millones de radios y de televisores. / Son las lámparas de las vírgenes prudentes esperando / al esposo en la noche de los Estados Unidos». Nicaragua está siempre presente («Todas las tardes el "Louisville & Nashville" / por estos campos de Kentucky pasa cantando / y me parece que oigo el trencito de Nicaragua / cuando va bordeando el Lago de Managua / frente al Momotombo») y hay inocultables referencias a Somoza («el dictador/gordo, con su traje sport y su sombrero tejano»; y luego, para que no haya dudas: «Somoza asesinado sale de su mausoleo», «La casa de Caifás está llena de gente. / Las luces del palacio de Somoza están prendidas»).

Sin embargo, el poema más profundo y más logrado se refiere a la hora del Oficio Nocturno, cuando «la Iglesia en penumbra parece que está llena de demonios»; el pasado regresa, es «la hora de mis parrandas», y vuelven escenas viejas, rostros olvidados, «cosas siniestras». Curiosamente, con el repaso de sus debilidades humanas, el escritor ha construido la mejor de sus fortalezas poéticas.

Alguna vez, comparando al inglés Gerard Manley Hopkins con el español Angel Martínez, ambos jesuitas, Cardenal escribió: «Pero es curioso que haya una circunstancia especial en el padre Angel que lo diferencia esencialmente de Hopkins: el haber estado en Nicaragua. Digo esto porque basta la lectura de cualquier poema suyo para darse cuenta de que la presencia del paisaje nicaragüense es siempre en él una sensación de alivio». Tambien el «haber estado en Nicaragua» distingue este libro de Cardenal de toda otra poesía religiosa.

Aquí y allá, Nicaragua siempre acude al poeta y aun cuando tal presencia tiene a veces su lado siniestro es evidente que, para el poeta trapense, esa suerte de cilicio (intelectual, nostálgico) también incluye una sensación de alivio.

(1961)

Haroldo Conti: *un militante de la vida*

En la narrativa de todos los tiempos, latitudes y lenguas, siempre ha habido una importante franja reservada a la aventura. La aventura incorpora riesgos, rumbos y paisajes que para cualquier lector no anquilosado significan una refrescante e higiénica gimnasia de la atención y de la expectativa. De ahí que niños y adolescentes, con sus esperanzas aún no defraudadas, con su confianza invicta, sean los lectores ideales, los más aptos receptores de la narrativa aventurera; pero aun lectores adultos y (en todo sentido) maduros suelen aproximarse a esos relatos, que con su vitalidad y su imaginería sirven inmejorablemente para sacudir rutinas y paliar frustraciones de la vida cotidiana.

Esto viene a propósito de *Mascaró, el cazador americano*, la reciente novela del argentino Haroldo Conti, que obtuvo en ese género (con otra valiosa obra, *La canción de nosotros*, del uruguayo Eduardo Galeano) el Premio Casa de las Américas 1975. No descarto que algún entusiasta lector de Conti considere que encasillar a *Mascaró* en el rubro «novela de aventuras» signifique de alguna manera subestimar su nivel. Pero ¿acaso no son en esencia novelas de aventuras, obras tan magnas como *Don Quijote, Ulises, El tambor de hojalata y Cien años de soledad*? No obstante conviene aclarar que *Mascaró* no es *sólo* eso; hasta me atrevería a decir que la *aventura* es allí casi un pretexto alegórico para expresar y sugerir otras preocupaciones, convicciones y esperanzas. Es claro que si éstas crecen y se afirman simultáneamente en autor y lector, ello se debe en gran parte a que el «pretexto» ha sido construido con un ejemplar rigor narrativo y una vocación de entretenimiento que pocas veces se encuentra en la novela latinoamericana. Para hallar una obra artística en cierto modo afín a la de Conti, quizá habría que retroceder hasta un filme: *La Strada*, de Fellini. Y no sólo por la obvia presencia del circo ambulante, sino sobre todo por la dignificación de los sentimientos populares (aun aquellos que lindan con la cursilería), presente en ambas obras.

Pero si Fellini, en su marco italiano, recurría a una galería de personajes y situaciones que constituían algo así como un *delirio de pobrezas*, Conti construye un delirio semejante en la vasta planicie del subdesarrollo latinoamericano. Cualquier lector medianamente familiarizado con la geografía o la historia continentales, hallará en alguno, o en varios, de los pasajes de la novela, nombres de lugares o personas que la memoria y las vivencias de Conti han extraído de algún país en particular para asimilarlas al gran fresco de la realidad latinoamericana.

Los personajes de *Mascaró* pueden a veces parecer fantásticos, pero ello no significa que sean inverosímiles; tal vez sólo sean modestamente libres, y padezcan por ello menos inhibiciones que los personajes de la realidad. Uno tiene la impresión de que el Príncipe Patagón, Oreste, el enano Perinola, el enigmático Mascaró, el Nuño, Carpóforo, la monumental señora Sonia y hasta el desvencijado león Budinetto, de alguna manera han encontrado la clave para vivir plenamente su mejor realidad posible, desprendiéndola de los muchos simulacros y variadas tentaciones que la acechan e intentan desvirtuarla.

Acaso no sea *Mascaró* una novela con mensaje explícito; incluye en cambio una nutrida serie de mensajes secretos, casi clandestinos, que no tienen por qué ser los mismos para cada lector. Uno de esos mensajes cifrados que por lo menos a mí como lector me ha transmitido, expresa que para cada ser humano hay siempre una *libertad posible*, una libertad que por supuesto no siempre coincide con la imponente libertad abstracta que suele figurar en la oratoria de los serviles, los hipócritas, los opresores y los verdugos. Los personajes de Con-

145

ti conocen los límites de su libertad particular, pero también saben aprovecharlos al máximo. Y saben además de qué modo integrarse en un concepto de libertad mayor, a fin de que cada libertad particular no entre en colisión (o en malentendido) con las de sus vecinos.

Quizá sirva para explicar esa actitud el insólito curriculum del autor, que en sus cincuenta años ha sido (además de escritor): seminarista y bancario, pescador y maestro, tripulante y constructor de veleros, estudiante de filosofía y camionero, piloto civil y cineasta. Cada oficio enseña un modo de ver el horizonte, y también una variante de ser libre. Quizá por eso el Gran Circo del Arca, que, al ir de pueblo en pueblo, sólo propone a sus habitantes una aparente magia que acaso sea una realidad apenas prolongada, va despertando de a poco el celo represivo de los «rurales», y cuando las paredes empiezan a cubrirse de *bandos* que señalan y acusan a Mascaró, todos y cada uno de los integrantes del circo pasan a ser los «alias» del *buscado*. «Quiere decir que en cierta forma hemos estado conspirando todo este tiempo —dice Oreste, más bien divertido». Y el Príncipe contesta: «En cierta forma no. En todo. El Arte es una entera conspiración. ¿Acaso no lo sabes? Es su más fuerte atractivo, su más alta misión. Rumbea adelante, madrugón del sujeto humano.» Y es aproximadamente cierto. Con su humor rampante, con su alcanzable desmesura, con su alegría de vivir, con su propuesta de riesgo, el Gran Circo del Arca (y, por extensión, el libro entero) siembra, acaso sin proponérselo, una voluntad de cambio, profunda y sacudidora. Al final el circo se deshace, o mejor dicho se descompone y recompone en sus múltiples rostros cotidianos, pero la voluntad de cambio permanece y germina, y en la última página, cuando Oreste da simbólicamente por terminada la función, es probable que otra función empiece en el libre territorio del lector.

En su más honda verdad, *Mascaró* es una metáfora de la liberación, pero expresada sin retórica, narrada con fruición, atravesada de humor. Conti parece decirnos que, en América Latina al menos, las faenas liberadoras no tienen por qué enquistarse en la grandilocuencia de los viejos himnos, en el maniqueísmo de los discursos, en los esquemones seudoprogramáticos. En la parábola de *Mascaró* campea un gusto por la vida, una espléndida gana de reír, como si quisiera indicarnos que las instancias liberadoras no son palabras ni posturas resecas, sino actitudes naturales, flexibles, creadoras; y son ese dinamismo y esa alegre voluntad de participación, los que casi inadvertidamente posibilitan la integración de Mascaró, el jinete de misterioso y obvio compromiso, que se incorpora a la última etapa del circo, parapetando su condición real detrás de la ficción popular. Mascaró se enmascara; el arte lo protege sin reproche, lo acompaña sin pedirle cuentas, lo admira sin decirlo. El Príncipe Patagón, para quien el circo constituía un moderado paraíso, no vacila en desbaratarlo en beneficio y protección del insurrecto, en tanto que Oreste, aprehendido y torturado al fin por los «rurales», responde siempre *sí* a todas y cada una de las preguntas conminatorias, y es detrás de esa gran afirmación que protege a los suyos. Oreste es aquí un hombre de transición. Y si el autor nombra a su personaje como Mascaró «alias la vida», este Oreste, alias Conti, termina siendo un militante de la vida.

(1976)

García Márquez o la vigilia dentro del sueño

«Muchos años después, frente al pelotón de fusilamiento, el coronel Aureliano Buendía había de recordar aquella tarde remota en que su padre lo llevó a conocer el hielo.» Así empieza *Cien años de soledad*, la novela de Gabriel García Márquez que integra, desde ahora (con *Rayuela*, de Cortázar, y *La casa verde*, de Vargas Llosa), el tríptico más creador de la última narrativa hispanoamericana. Al igual que el coronel Aureliano Buendía, también García Márquez fue a conocer el hielo, por supuesto no el témpano textual, sino el de las leyendas de la infancia, ése que hizo que confesara a Luis Harss:

«Se me están enfriando los mitos»[1]. Afortunadamente, más o menos por la misma época de esa confesión, decidió reanimarlos, volverlos a la vida, mediante el simple recurso de acercarles un poco de delirio.

Gabriel García Márquez nació en Aracataca, el 6 de marzo de 1928. En 1955, cuando publicó su primera novela *La hojarasca*, ya era conocido por su cuento «Un día después del sábado», que obtuviera el primer premio en el concurso de cuentos convocado por la Asociación de Escritores y Artistas de su país. La novela, que desde el primer momento tuvo buena acogida de la crítica, sólo en 1960, al ser publicada por la Organización Internacional de los Festivales del Libro, se convirtió en un *best-seller* (en Colombia se vendieron treinta mil ejemplares). En 1961, publicó una segunda novela, *El coronel no tiene quien le escriba*; en 1962, un volumen de notables cuentos, *Los funerales de la Mamá Grande*, y en 1963 una nueva novela, *La mala hora*, publicada en España por una editorial que, probablemente con el afán de anticiparse a la censura, «se permitió libertades que sacaron de quicio al novelista y motivaron las enérgicas protestas de quien ya no se reconocía en la criatura»[2].

Casi todos los relatos de García Márquez transcurren en Macondo, un pueblo prototípico, tan inexistente como el faulkneriano condado de Yoknapatawpha o la Santa María de nuestro Onetti, y sin embargo tan profundamente genuino como uno y otra. No obstante, de esos tres puntos claves de la geografía literaria americana, tal vez sea Macondo el que mejor se integra en un paisaje verosímil, en un alrededor de cosas poco menos que tangibles, en un aire que huele inevitablemente a realidad; no, por supuesto, a la literal, fotográfica, sino a la realidad más honda, casi abismal, que sirve para otorgar definitivo sentido a la primera y embustera versión que suelen proponer las apariencias. En Yoknapatawpha y en Santa María las cosas son meras referencias, a lo sumo cándidos semáforos que regulan el tránsito de los complejos per-

---

[1] Luis Harss, *Los nuestros*, Buenos Aires, 1966.
[2] Así informó la revista *Eco*, Bogotá. Núm. 40, agosto de 1963.

sonajes; en Macondo, por el contrario, son prolongaciones, excrecencias, involuntarios anexos de cada ser en particular. El paraguas o el reloj del coronel (en *El coronel no tiene quien le escriba*), las bolas de billar robadas por Dámaso (en «En este pueblo no hay ladrones»), la jaula de turpiales construida por Baltazar (en «La prodigiosa tarde de Baltazar»), los pájaros muertos que asustan a la viuda Rebeca (en «Un día después del sábado»), el clarinete de Pastor (en *La mala hora*), la bailarina a cuerda (en *La hojarasca*), pueden ser obviamente tomados como símbolos, pero son mucho más que eso: son instancias de vida, datos de la conciencia, reproches o socorros dinámicos, casi siempre testigos implacables.

Por otra parte, el novelista crea elementos de nivelación (el calor, la lluvia) para emparejar o medir seres y cosas. (Por lo menos el primero de esos rasgos ha sido bien estudiado por Ernesto Volkening)[3]. En *La hojarasca*, en *El coronel*, en alguno de los cuentos, el calor aparece como un caldo de cultivo para la violencia; la lluvia, como un obligado aplazamiento del destino. Pero calor y lluvia sirven para inmovilizar una miseria viscosa, fantasmal, reverberante. El calor, especialmente, hace que los personajes se muevan con lentitud, con pesadez. Por objetiva que resulte la actitud del narrador, hay situaciones que, reclutadas fuera de Macondo o quizá del trópico, se volverían inmediatamente explosivas; en el pueblo inventado por García Márquez son reprimidas por la canícula. Claro que, entonces, la parsimonia de estas criaturas pasa a tener un valor alucinante, un aura de delirio, algo así como una escena de arrebato proyectada en cámara lenta.

Es así que pocos relatos de García Márquez incluyen escenas de violencia desatada. Colombia es el país latinoamericano donde, en obediencia a la vieja ley de la oferta y la demanda, se han escrito más tratados sobre la violencia; en un medio así, la economía de ímpetus que aparecen en estos cuentos y novelas, puede parecer inexplicable. La verdad es, sin embargo, que la violencia queda registrada, aunque de una

---

[3] Ernesto Volkening, «Gabriel García Márquez o el trópico desembrujado», en revista *Eco*, Bogotá, Núm. 40, agosto de 1963.

manera muy peculiar. Ya sea como cicatriz del pasado o como amenaza del futuro, la violencia está siempre agazapada bajo la paz armada de Macondo. En estos relatos, el presente (que sirve de soporte a una impecable técnica del punto de vista) es un mero interludio entre dos violencias.

En *La hojarasca*, por ejemplo, lo actual es la lenta asunción de un cadáver, los morosos prolegómenos de su entierro; sin embargo, el pasado del médico suicida está sembrado de conminaciones, de condenas públicas, de infiernos privados, y la trayectoria del ataúd, que «queda flotando en la claridad, como si llevaran a sepultar un navío muerto», no es por cierto más segura. En *El coronel*, ese viejo matrimonio que se va hundiendo en la miseria y que diariamente hace el patético escrutinio de sus negociables pertenencias, registra una devastación de su pasado (el hijo fue acribillado en la gallera, por distribuir información clandestina) y la última línea de la novela está ocupada por una rutilante palabrota que abre la puerta a nuevos estragos. Pero entre uno y otro extremo sólo existe, bordeada por el calor y la lluvia, una calma eléctrica, amenazada, tensa, húmeda. Aun el gallo, que es de riña (es decir, de violencia), heredado del hijo muerto, es no sólo un símbolo, sino un ejecutante de ese destino, pero habrá de ejercerlo una vez que termine la novela, cuando llegue la estación de las riñas; mientras tanto, es apenas un testigo.

No es, sin embargo, casual que, en el país de la violencia, los relatos de García Márquez transcurran por lo general en las escasas treguas. Tal vez ello muestre, por parte del novelista, la voluntad de obligarse a ser lúcido en una región donde el hervor y el arrebato han instaurado un nuevo nivel de expiaciones y una nueva ley que no es necesariamente ciega. García Márquez no es un escritor de obvio mensaje político; su compromiso es más sutil. Acaso por eso elija las treguas: porque esos lapsos son probablemente los únicos en que la mirada del colombiano tiene ocasión de detenerse sobre los hechos escuetos, sobre la sangre ya seca, sobre la angustia siempre abierta. Sólo durante las treguas es posible llevar a cabo el balance de los estallidos. García Márquez no intenta extraer consecuencias históricas, políticas o sociológicas; se limita a mostrar cómo son los colombianos (al menos, los hipotéticos colombianos de Macondo) entre uno y otro fragor, entre una y otra redada letal. El balance se hace espontáneamente, mediante las duras compensaciones de la vida que vuelve a trascurrir. Durante esas paces precarias, el coronel (que «no tiene quien le escriba» acerca de la pensión que reclama como excombatiente de la guerra de los mil días) reinicia su espera infructuosa, vuelve a sumergirse en su incurable optimismo, reactualiza el parco amor que lo une a su mujer. No obstante, en la última línea reasume su belicoso desencanto, pronuncia la agresiva palabrota como una forma de sentirse vivo.

Algunos de los cuentos que integran el volumen *Los funerales de la Mamá Grande* pueden contarse entre las muestras más perfectas que ha dado el género en América Latina. «La siesta del martes», «La prodigiosa tarde de Baltazar», «Un día después del sábado», y el que da título al libro (formidable empresa en la que García Márquez usa el estilo y los lugares comunes de la glorificación, precisamente para destruir un mito), son relatos de una concisión admirable y sobre todo de un excepcional equilibrio artístico. Volkening ha reconocido con acierto el carácter *fragmentario* de estos cuentos, pero tengo la impresión de que se equivoca al atribuir ese carácter a la «visión de un mundo inconcluso»[4]. La verdad es que, pese a tal fragmentarismo, García Márquez no pierde nunca de vista las claves y el sentido que el conjunto le otorga. Habría que decir que, en su caso particular, los árboles no le impiden ver el bosque. Por cierto, me parece más atinada la observación de Angel Rama:

El sistema fragmentario le ha servido justamente para componer los diversos paneles de tal modo que en el esfuerzo del lector por rearmar el cuadro, estableciendo las vinculaciones no dichas, sólo sugeridas, cobre existencia autónoma la obra revelándose el sentido último de la creación. A pesar de que estamos ante un determinismo

---

[4] Art. cit.

social muy acusado, esta obra convoca la libertad del lector, la hace posible por su participación creadora[5].

Precisamente es en *La hojarasca* donde esa tesis empieza a comprobarse, no ya mediante el cotejo con otros relatos, sino dentro del sistema contrapuntístico usado en la propia novela. Frente al cadáver del médico francés que se ha ahorcado, tres personajes (que son además tres generaciones: el abuelo, la hija, el nieto) piensan por turno acerca del suicida o de sí mismos, barajan imágenes y recuerdos, enfocan doble o triplemente algún hecho único, singular. El tiempo externo de la novela es aproximadamente una hora; pero en cambio es enorme el lapso abarcado por el tríptico mnemónico. También aquí la construcción se hace en base a fragmentos, pero (a diferencia de lo que acontecerá con los cuentos) el todo está a la vista, rompe los ojos. En *La hojarasca*, García Márquez todavía no tiene la mano segura que escribirá los mejores cuentos y *El coronel*. Todavía se nota demasiado el implacable trazado de zonas, la excesiva preocupación por los cruces peripécicos, cierta intención de distanciamiento que, en algunos capítulos, desvitaliza a los personajes. Aun con tales descuentos, no deben ser muchos los escritores latinoamericanos que hayan inaugurado su carrera literaria con un libro tan bien estructurado, tan austeramente escrito y tan artísticamente válido.

Luego vendrá *El coronel no tiene quien le escriba*, un relato en tercera persona que transcurre casi en línea recta. La sobriedad expositiva es llevada al máximo; el narrador, que se prohíbe hasta los menores lujos verbales, contrae (y cumple) la obligación de no tomar partido por los personajes, y de exponer diversas (aunque no todas) etapas del expediente a fin de que el lector use su propia imaginación para crear los complementos y extraer luego sus conclusiones. La novela tiene un ritmo tan peculiar que, sin él, la historia perdería gran par-

[5] Angel Rama: «García Márquez: la violencia americana», en semanario *Marcha*, Montevideo, Núm. 1201, 17 de abril de 1964.

te de la fascinación que ejerce sobre el lector. Para contar esas incesantes idas y venidas del coronel (del usurero al sastre, del correo al abogado, del médico al sacerdote, y siempre regresando donde su mujer y su gallo), para relatar ese tránsito cansino pero sostenido, es imposible imaginar otra prosa que no sea ésta, sustancial, despojada, precisa, sin un adjetivo de más ni una verdad de menos.

En *La mala hora*, la violencia es una presencia agazapada. Todas las mañanas, las paredes del pueblo aparecen con pasquines que revelan detalles ignominiosos de la vida del pueblo. Pero también es una presencia literal. «Usted no sabe», le dice el peluquero, a Arcadio, el juez, «lo que es levantarse todas las mañanas con la seguridad de que lo matarán a uno, y que pasen diez años sin que lo maten». «No lo sé», contesta Arcadio, «ni quiero saberlo». Pero en *La mala hora* el crimen es algo más que un recuerdo. Ya en sus comienzos, César Montero oye el clarinete de Pastor, que trae a su mujer el recuerdo de la letra: «Me quedaré en tu sueño hasta la muerte». Y en realidad se queda, porque Montero sale y lo mata de un tiro de escopeta.

Los personajes de *La mala hora* constituyen una suerte de coro, una mala conciencia plural que convierte al pueblo en una gran olla de rencor. Los adulterios, las estafas, los resentimientos, ceban la muerte, pero también encarnizan la acusación anónima. «Quiero que pongas el naipe», dice el alcalde a Casandra, la templada adivina del circo, «a ver si puede saberse quién es el de estas vainas». Ella calcula bien las consecuencias, antes de echar las cartas e interpretarlas con precisa lucidez: «Es todo el pueblo y no es nadie». La novela no llega al nivel de *El coronel*, quizá porque García Márquez se pasa aquí de austero. Los personajes son lacónicos, la trama es ambigua, el hilo anecdótico es mínimo, los personajes son vistos casi siempre desde fuera. El autor sortea casi todos esos riesgos, pero de a ratos la novela parece inmovilizarse, no dar más de sí. Al contrario de lo que sucede con «Un día después del sábado», que parece un cuento con tema de novela, *La mala hora* podría ser una novela con tema de cuento.

Llegados a este punto, sin embargo, habrán de caerse todos los peros. La más reciente novela de García Márquez, *Cien años de soledad*, es una empresa que en su mero planteo parece algo imposible y que sin embargo en su realización es sencillamente una obra maestra. «Las cosas tienen vida propia», pregona el gitano Melquíades en su primera irrupción, «todo es cuestión de despertarles el ánima». No otra cosa hace García Márquez, que en un largo arranque que tiene mucho de vertiginosa, incontenible inspiración[6], pero también mucho de tenaz elaboración previa, despierta no sólo a las cosas y a los seres, sino también a los fantasmas de unas y otros.

Todos los libros anteriores, aun los más notables (como *Los funerales de la Mamá Grande* y *El coronel no tiene quien le escriba*), se convierten ahora en un intermitente borrador de esta novela excepcional, en la trama de datos más o menos verosímiles que servirán de trampolín para el gran salto imaginativo. Aparentemente cada uno de los libros anteriores fue un fragmento de la historia de Macondo (aun los relatos que no transcurren en ese pueblo, se refieren a él e integran su mundo) y éste de ahora es la historia total. Pero esta historia total abre puertas y ventanas, elimina diques y fronteras. Siempre se trata de Macondo, claro, y ese pueblo mítico, aun en los libros anteriores, fue quizás una imagen de Colombia toda; pero ahora Macondo es aproximadamente América Latina; es tentativamente el mundo. Asimismo, la novela es la historia de los Buendía, pero también del Hombre, que lleva no cien sino miles de años de soledad. A través de un siglo, los personajes van entregando y recogiendo nombres como postas, y los Aurelianos y los Arcadios, las Ursulas y las Amarantas, se suceden como ciclos lunares.

Claro que, en definitiva, lo que menos importa es la alegoría. *Cien años de soledad* es sobre todo (anunciémoslo sin

---

[6] Según cuenta Luis Harss (véase nota 1), García Márquez le escribió en noviembre de 1965: «Estoy loco de felicidad. Después de cinco años de esterilidad absoluta, este libro está saliendo como un chorro, sin problemas de palabras».

vergüenza y con orgullo) una novela de lectura plenamente disfrutable. Y eso en todos sus niveles: en el de la anécdota, que es sorpresiva, novedosa, incalculable; en el del lenguaje, que es terso, claro, sin anfractuosidades; en el de la estructura, que es imponente y sin embargo no hace pesar su descomunalidad; en el de su buen humor, verdadero armisticio de estas criaturas longevas, alarmantes y contradictorias; en el de su simbología, ya que aquí hay señas y contraseñas para todas las lupas; y por último, en el de su espléndida libertad creadora, ya que en esta novela de realidades y de ensoñaciones, el legado surrealista vuelve por sus fueros e impregna de gloriosa juventud, de imaginativa dispensa, de aptitud sortílega, de cautivante diversión, un contexto como el colombiano, cuya acrimonia, ira y desecación (al menos en su literatura) son proverbiales.

Si tuviera que elegir una sola palabra para dar el tono de esta novela, creo que esa palabra sería: aventura. La aventura invade la peripecia y el estilo, el paisaje y el tiempo, la mente y el corazón de personajes y lectores. El autor aparece como un mero instigador de tanta disponibilidad aventurera como posee la historia, como propone la geografía, como tolera la parábola. Incluso el elemento fantástico está prodigiosamente imbricado en esa trabazón aventurera. Asistimos con el mismo desvelo a la (muy verosímil) doble vida sentimental de Aureliano Segundo, que a la subida al cielo en cuerpo y alma de la bella Remedios Buendía. Todo, lo creíble y lo increíble, está nivelado en la obra gracias a su condición aventurera. El azar cae del cielo tan naturalmente como la lluvia, pero no hay que olvidar que una sola lluvia macondiana dura cuatro años, once meses y dos días.

Allá por su cuento (tan difundido en antologías) «Monólogo de Isabel viendo llover en Macondo», Gabriel García Márquez hablaba del «dinamismo interior de la tormenta». Pues bien, en *Cien años de soledad* ese dinamismo por fin se exterioriza, y arrolla con todo: los techos, las paredes, la razón, los pronósticos. La nueva novela tiene numerosas referencias a personajes de las otras instancias de Macondo que figuran en *La hojarasca*, en *Los funerales*, en *El coronel*, en *La mala hora*, pero basta comparar la austera credibilidad de aquellas figuras con la desembarazada, casi loca articulación que ahora mueve a los mismos personajes, para advertir que si el Macondo de los otros libros transcurría a ras de suelo, éste de ahora transcurre a ras de sueño. Los ojos abiertos que, tácitamente, el novelista reclama del lector, son en cierto modo los de una vigilia dentro del sueño. Por algo, la más famosa enfermedad que atraviesa el libro, es la peste del insomnio. ¿Dónde es permitido mantenerse inexorablemente despierto? ¿en qué región que no sea la del sueño es posible la vigilia total, inacabable? Justamente, varios de los pasajes más notables de la obra (por ejemplo, la posesión de Amaranta Ursula por el último Aureliano) son aquellos en que las cosas acontecen no exactamente como en la embridada realidad, sino como suelen transcurrir en la dimensión imprevisible de los sueños, cuando el inconsciente aparta por fin todas las convenciones y prójimos que molestan, todos los códigos, rituales y miradas que impiden el cumplimiento de los deseos más raigales.

En el fragor del encarnizado y ceremonioso forcejeo, Amaranta Ursula comprendió que la meticulosidad de su silencio era tan irracional, que habría podido despertar las sospechas del marido contiguo, mucho más que los estrépitos de guerra que trataban de evitar.

Sí, Amaranta Ursula lo comprende, y evidentemente se trata de uno de esos lúcidos alcances que sobrevienen dentro del sueño, porque un silencio así, tan compacto, tan fragrante, tan fértil, entre dos que hacen peleada y furiosamente el amor, puede sobrevenir, en el plano de la mera comprensión, como un deseo que tiene conciencia de las distancias; pero sólo puede realizarse en esa desenvoltura, inmune y resuelta, que crea el ensueño.

En una dimensión así, donde todo parece levemente distorsionado pero no irreal, cada premonición ocurre como vislumbre, cada palabrota suena como un canon, cada muerte viene a ser un tránsito. Quizá ahí esté el más recóndito significado de estos pavorosos, desalados, mágicos, sorprendentes *Cien años de soledad*. Porque la verdad es que nunca se está tan solo como en el sueño[7].

(1967)

El recurso del supremo patriarca

1

Antes que nada una aclaración: el título de este trabajo (que obviamente va a tratar de tres novelas: *El recurso del método*, de Alejo Carpentier; *Yo el Supremo*, de Augusto Roa Bastos y *El otoño del patriarca*, de Gabriel García Márquez) no es un mero juego de palabras. Por algún extraño azar, estos tres notables narradores apelaron al mismo *recurso:* narrar la vida de un dictador latinoamericano, ese *supremo patriarca* que en un caso (el de la obra de Roa Bastos) tiene nombre y apellido, y en los otros dos es algo así como un ente promedial.

Medio en serio, medio en broma, Carpentier incluso ha llegado a decir[1] que su novela está construida con un 40% de Machado, un 10% de Guzmán Blanco, un 10% de Cipriano Castro, un 10% de Estrada Cabrera, un 20% de Trujillo y un

---

[7] Como enfoque complementario sobre este autor, véase, en este volumen: *El recurso del supremo patriarca*. Allí intento una valoración comparativa de tres novelas sobre dictadores: *El recurso del método* (Carpentier), *Yo el Supremo* (Roa Bastos) y *El otoño del patriarca* (García Márquez).

[1] Carta a Arnaldo Orfila Reynal, fechada en París, el 15 de marzo de 1974. (Citada por Jaime Labastida en su artículo «Alejo Carpentier: realidad y conocimiento estético. Sobre *El recurso del método*», *Casa de las Américas*, La Habana, núm. 87, noviembre-diciembre de 1974.)

10% de Porfirio Díaz, sin perjuicio de reconocer que el personaje contiene, además, ciertas características de Somoza y de Juan Vicente Gómez.

Sin salir aún de los títulos, cabe señalar también el ingrediente irónico que los emparienta. El de Carpentier tiene un dejo burlón que no sólo afecta al protagonista sino al mismísimo Descartes; el de Roa Bastos admite la sorna de asignar a su personaje el colmo de vanidad que el mismo dictador se endilga; el de García Márquez propone todo un «Patriarca», poco menos que entre comillas, a fin de que luego produzca más efecto la demolición del mito.

Por supuesto, ninguno de los tres novelistas pretende haber descubierto el «recurso». Quizá algún lector piense automáticamente en *El rey se muere*, de Ionesco, pero la verdad es que el óbito de un dictador latinoamericano por lo común tiene más que ver con la crujiente agonía de Franco que con las sutiles postrimerías de un monarca del absurdo.

Hay, sin embargo, dos antecedentes literarios inocultables: *Tirano Banderas*, de don Ramón del Valle Inclán, y *El señor presidente*, de Miguel Ángel Asturias; y si no incluyo una de las primeras obras de Carpentier, *El reino de este mundo*, es porque en esta novela Henri Christophe es un personaje importante, pero no el protagonista, ya que tal categoría corresponde sin duda a Ti Noel, esclavo negro. La diferencia más obvia entre las obras de Valle Inclán y Asturias, por un lado, y las tres recientes, por el otro, mucho más que con la época en que transcurren los relatos, tiene que ver con la mirada del narrador.

Como ha señalado certeramente el crítico mexicano Jaime Labastida[2], Zamalpoa, el país en que transcurre *Tirano Banderas*, «corresponde, por sus características, a una región geográfica, económica, política y social, que ya no existe», y —agreguemos— que quizá nunca existió. Pese al indiscutible talento de su autor y a los notables aciertos de la novela, su peripecia, aunque está «imaginada» a partir de concretas realidades latinoamericanas, deja al descubierto que ha sido con-

---

[2] Art. cit.

cebida desde Europa. *Tirano Banderas*, con su América pensada por un español, es de alguna manera la contrapartida de *El embrujo de Sevilla*, del uruguayo Carlos Reyles, o *La gloria de Don Ramiro*, del argentino Enrique Larreta, con una España pensada por latinoamericanos; dicho sea esto sin perjuicio de reconocer que la obra de Valle Inclán es desde todo punto de vista una empresa mucho más interesante, y también más lograda, que las de los rioplatenses, ya que éstos en ningún momento consiguen superar sus limitaciones poco menos que turísticas. Pero aún así, en la novela de Valle Inclán es evidente que el general Banderas, en su Zamalpoa, tiene menos relación con cualquier tiranuelo de estas tierras que con la visión que un español (aun tratándose de uno tan bienhumorado y esperpéntico como Valle Inclán) suele tener de ese fenómeno tan peculiar y tan latinoamericano.

Con respecto a la novela de Asturias hay, por cierto, menos distancia, e incluso la de García Márquez se acerca particularmente al «señor presidente» al atribuir a su protagonista un parecido regodeo en la maldad. Pero el punto de vista de Asturias, aun siendo agudamente crítico con respecto al dictador Estrada Cabrera que le sirve de modelo, por lo general no establece distancia en relación con la historia que narra. Cuenta desde adentro de la época. Se rebela, pero no se aleja. Y ésta es quizá la principal diferencia con las tres novelas de hoy. Tanto Carpentier, como Roa Bastos, como García Márquez, enfocan el pasado pero narran desde el presente. Aunque en la palabra de cada narrador virtualmente no aparece (o si alguna vez aparece, es por una voluntaria y disparatada contorsión) el tiempo de hoy, este hoy, en cambio, con todos sus horrores y esperanzas, con todos sus fracasos y todos sus logros, está siempre inserto en la mirada del narrador. Es así que, casi inevitablemente, en Roa Bastos aparece la mirada del exilio y sus frustraciones; en García Márquez, la de un país (el suyo, aunque tal vez no sea el de la novela) que es colmo de violencia; en Carpentier, la de un militante revolucionario. Y cada mirada colorea su objeto. Quizá por eso el lector tiene la sensación de transitar, no por un pasado de rescate, sino por un presente de delirio.

2

No pienso acometer, en estas páginas, la magna faena investigadora, comparativa y erudita que las tres novelas merecen, no sólo por su nivel literario, sino por el hecho excepcional de haber tratado simultáneamente un mismo tema, como si respondieran a demandas de testimonio e imaginación, creadas por la historia misma de esta América, sufrida y también esplendorosa, donde aún coexisten una plaga tan horrenda como la tortura y un milagro tan humano como la solidaridad. Simplemente quiero transmitir mi experiencia, o sea, la de un lector que virtualmente conoce toda la obra que hasta ese momento habían publicado estos novelistas y que leyó las tres novelas casi sin solución de continuidad, atraído no sólo por las cualidades literarias, sino también por dos comparaciones latentes: la de cada una de esas obras con los libros anteriores de su autor, y la de cada una de las tres novelas con las dos restantes.

En el primer cotejo quien sale extraordinariamente favorecido es Augusto Roa Bastos, ya que el salto cualitativo que va de su obra anterior (por cierto muy estimable, en especial la novela *Hijo de hombre*) a *Yo el Supremo*, es sencillamente notable. De ser un buen novelista local, este paraguayo se eleva ahora (entre otras cosas, por haber profundizado en su esencia y raigambre nacionales) a la categoría de un escritor latinoamericano de primerísimo rango. Aunque el juicio pueda parecer irreverente, estimo que, desde *Pedro Páramo*, la excelente narrativa latinoamericana no producía una obra tan original e inexpugnable como *Yo el Supremo*. En ese lapso se publicaron por lo menos diez o doce grandes novelas, notables en algunos casos por su nivel estrictamente literario, en otros por la oportunidad del tema o el carácter testimonial, y en otros más por su propuesta experimental. Pero quizá ninguna como la de Roa sea a la vez un excepcional logro literario, un testimonio apasionante y una obra de vanguardia. Me atrevo a decir que *Yo el Supremo* pasará a integrar la todavía magra lista de nuestros clásicos, siempre que concedamos a esta palabra sus connotaciones de obra maestra, garantizada permanencia, solidez estructural y expresión artística de todo un pueblo. Carpentier y García Márquez habían demostrado ser, hasta ahora, escritores de mayor envergadura y creatividad que Roa. Sin embargo, en este primer cotejo con sus propios antecedentes, enfrentan la probable comprobación de que ni *El recurso del método* ni *El otoño del patriarca* son respectivamente sus mejores libros. Sin embargo, también entre ellos hay diferencias, matices. No hay que olvidar que tanto *El recurso* como *El otoño* significan la apertura de nuevos rumbos. Carpentier se lanza decididamente al ejercicio del humor, que hasta aquí no había sido rasgo fundamental de su obra, y muestra un dominio casi perfecto del nuevo instrumento. Cualquier lector de *El recurso* estará dispuesto a reconocer que más de un pasaje de la novela lo llevó a la risa o a la franca carcajada. Y ésta es la prueba del nueve de la eficacia.

García Márquez, por su parte, emigra (¿para siempre?) de su seguro y feérico Macondo para encararse con un tema particularmente ríspido: la figura de un dictador promedio (también es posible que se trate de un personaje de concreta inspiración histórica, pero irrealizado por la imaginación), una suerte de monstruo antediluviano metido a gobernante. Por otra parte, no se limita a experimentar, como en *Cien años de soledad*, con supuestos ingredientes mágicos, sino que incorpora a su estilo, siempre atrayente, recursos agilitadores como la falta o escasez de puntuación o el cambio de sujeto sin previo aviso. Sin embargo, este nuevo García Márquez está, en varios aspectos, más lejos de sus anteriores excelencias que el nuevo Carpentier de sus antiguas virtudes. Más aún, se me ocurre que lo que sucede con *El recurso* es que la previa y deliberada asunción de un género menor, la novela picaresca, de algún modo predispone al lector a una actitud más liviana, menos apta para ahondar (y para captar los ahondamientos) en una realidad y una imaginería que en el fondo no son nada frívolas. Por eso, aunque es evidente que *El recurso* no tiene la complejidad intelectual de *Los pasos perdidos* ni la estructura catedralicia de *El siglo de las luces*, no estoy demasiado seguro de que la nueva novela tenga menos rigor o sea menos eficaz que aquellos dos libros que considero como obras maestras en la narrativa de Carpentier y en la novela latinoamericana.

3

Con *El otoño del patriarca* el problema es distinto. Quizá por ser García Márquez la figura máxima del ex *boom*, lo cierto es que una monumental propaganda, directa o indirecta, precedió largamente a la aparición de la nueva novela. Quien conozca los entretelones de la crítica y la subcrítica de América Latina, sabrá cuán difícil es para un escritor, tras un éxito avasallante (como lo fue el de *Cien años de soledad*), volver a cosechar parecidos o mayores elogios. Existe algo así como una expectativa agorera en tales medios, que por lo general esperan un nuevo título con las garras bien afiladas. Por ejemplo: después de la inusual repercusión de *Rayuela*, era previsible que cualquier novela de Cortázar iba a ser destrozada por los gacetilleros. Los famosos *críticos de sostén* se convierten de pronto en *críticos de derrumbe*. Cualquier escritor tiene altibajos en su producción, y por lo general le son señalados con relativa objetividad, pero cuando el descenso de calidad viene después de un éxito descomunal, la crítica puede llegar a niveles de sadismo. Siempre he pensado que el larguísimo (y hasta ahora no interrumpido) silencio de Juan Rulfo, después de su magnífico *Pedro Páramo*, quizá venga de haber intuido con certeza esa latente amenaza.

Todos éstos son condicionantes que entorpecen la ecuanimidad, pero hay que hacer el esfuerzo por conservarla. Creo que lo primero a reconocer en García Márquez es el coraje de haber escrito otra ambiciosa novela (la aparición de *El náufrago* y *La cándida Eréndira*, por sus menores dimensiones, no se prestaba para la «venganza», aunque debe señalarse que, así y todo, el volumen de cuentos cosechó algunas críticas más bien demoledoras) después de *Cien años de soledad*. Lo segundo a reconocer es que el nuevo intento, sin ser un fracaso ni mucho menos, no está a la altura de aquella novela excepcional. En la carrera de cualquier otro escritor, *El otoño* significaría un logro mayúsculo. ¿Por qué entonces genera en el lector (no sólo en el crítico) de García Márquez, aun en el mejor predispuesto, una cierta decepción, sobre todo si además compara esa novela con las de Roa y Carpentier? Aquí ya empezamos, casi insensiblemente, a abarcar el segundo cotejo, o sea el de las tres obras en sí. Una comparación a la que de algún modo obliga su común denominador: el retrato de un dictador latinoamericano, un «señor presidente» del pasado visto con ojos de los años setenta. Tanto el Primer Magistrado, de Carpentier, como el Supremo dictador, de Roa, son seres complejos, crueles, de ácido humor, pero con fases afectivas y hasta generosas. Es claro que en el retrato predominan el gesto arbitrario, las órdenes injustas, las duras y a veces criminales decisiones, pero hay también (sobre todo en el personaje de Carpentier) una cualidad alegre, despreciativa de los abyectos adulones, y (en el personaje de Roa) un sentido de patria, una voluntad cohesionadora de todo un pueblo. O sea que no hay maniqueísmo. Aun con su negativo diagnóstico promedial, estos poderosos tienen sus debilidades, sus concesiones y hasta sus recónditas ternezas. Quizá sea esa complejidad la que los hace creíbles, pero también la que hace más impresionante su lado sombrío.

Por el contrario, el Patriarca de García Márquez es casi una bestia apocalíptica, un déspota de luctuoso origen, una hipérbole paternalista de la que sólo es dable renegar. Aun en su relación con los únicos tres seres que aparentemente lo conmueven (su madre Bendición Alvarado, su amor irrealizado Manuela Sánchez, su amor realizado Leticia Nazareno) el personaje se las arregla para mantener su pétrea condición.

Es así como la «santa civil» Bendición Alvarado, más que una santa es una socia; la etérea Manuela, ante aquel extraño amor («sus antiguos pretendientes habían muerto uno después del otro fulminados por colapsos impunes y enfermedades inverosímiles»), seco y reseco de tan distante y congelado, decide esfumarse en pleno eclipse de sol; y hasta el acto de amor con Leticia Nazareno, la ex novicia, se convierte en un acto fecal.

Es posible creer en los dictadores de Roa y Carpentier; en cambio, es virtualmente imposible creer en el de García Márquez. Más que un personaje, es una idea feroz. Sólo como idea puede un individuo, así sea un tirano, llegar a ser tan rigurosamente destructivo. Y se da entonces esta paradoja: como el lector no puede creer en este dictador tan maldito, su imagen resulta considerablemente menos real que la de los respectivos déspotas de Roa Bastos y Carpentier.

El protagonista de *El otoño* es tan cruel que da lástima; los de las otras dos novelas no son monstruos, sino símbolos del poder absoluto. El hecho de que tengan su «lado humano» los hace más verosímiles, y esa verosimilitud los vuelve, paradójicamente, más terribles. En un antiguo pero revelador reportaje que le hizo Armando Durán, dijo García Márquez: «A un escritor le está permitido todo, siempre que sea capaz de hacerlo creer.»[3] En *Cien años de soledad* —verdadero desafío a la credulidad— el autor fue fiel a aquella máxima: nos lo hizo creer, y por eso se lo permitimos todo. Ahora, en *El otoño*, vaya a saber por qué, la historia resulta mucho menos creíble. Los nuevos rumbos requieren un ritmo, tienen también sus leyes. Joyce abrió con su *Ulysses* una nueva y colosal posibilidad a la novela de este siglo, pero en *Finnegan's Wake* le exigió a su instrumento más de lo que éste permitía, y el experimento en cierto modo se malogró. García Márquez, justamente engolosinado con su capacidad de fabular y de hacer creer que Remedios, la bella, subía efectivamente al cielo, intenta ahora quemar etapas imaginativas y trae a la mesa de los conspiradores el cadáver del egregio general de división Rodrigo de Aguilar

en bandeja de plata puesto cuan largo fue sobre una guarnición de coliflores y laureles, dorado al horno, aderezado con el uniforme de cinco almendras de oro de las ocasiones solemnes y las presillas del valor sin límites en la manga del medio brazo, catorce libras de me-

---

[3] «Conversaciones con Gabriel García Márquez», *Revista Nacional de Cultura*, Caracas, núm. 85, julio-agosto-septiembre de 1968.

dallas en el pecho y una ramita de perejil en la boca, listo para ser servido en banquete de compañeros por los destazadores oficiales ante la petrificación de horror de los invitados que presenciamos sin respirar la exquisita ceremonia del descuartizamiento y el reparto, y cuando hubo en cada plato una ración igual de ministro de la defensa con relleno de piñones y hierbas de olor, él dio la orden de empezar, buen provecho señores.

Haber imaginado esa rotunda exageración es, sin duda, un lujo narrativo (ya querría el subpatriarca Pinochet recibir en bandeja de plata a alguno de sus generales al *spiedo*) pero hay momentos en que la economía de un relato no permite dispendios suntuarios. Como lector, me divierto con ese alarde de pantagruelismo político, pero no puedo creer en su exageración descomunal. No descarto que ese hecho haya sucedido efectivamente en América Latina (cosas tan insólitas como ésas han tenido lugar, eso hay que decirlo en descargo de García Márquez), pero ni siquiera la constancia de que haya efectivamente sucedido da certificado de verosimilitud a una transcripción literaria. A veces el lector está dispuesto a creer una peripecia que desafía, o contradice, todas las leyes físicas, y en cambio se resiste a admitir una anécdota de estricto basamento en la realidad. Aunque a algún lector pueda resultarle extraño, en novela hay que ser muy verídico para mentir. Lamentablemente, en el episodio antes mencionado, y en algún otro, García Márquez no es suficientemente veraz para engañarnos y hacer que admitamos el engaño. Como Joyce en *Finnegan's Wake*, García Márquez le exigió a su instrumento literario más de lo que éste permitía.

En otra entrevista, ésta más reciente, concedida a Ernesto González Bermejo, al preguntarle el periodista sobre la estructura de *El otoño*, García Márquez responde: «Te digo que no tiene tiempos muertos, que va de lo esencial a lo esencial, que es tan trabajado que hubo veces en que me di cuenta de que me había olvidado de algo y no encontraba cómo meterlo»[4]. Ese autodiagnóstico es rigurosamente cierto, pero quizá

---

[4] «Gabriel García Márquez: la imaginación al poder en Macondo», *Crisis*, Buenos Aires, núm. 24, abril de 1975.

resida ahí la paradójica debilidad del libro: una novela (el precursor Quiroga bien lo sabía) no puede tratar sólo de cosas esenciales. El cuento sí acepta ese rigor, y el propio García Márquez tiene en su haber algunos ejemplos notables, verbigracia «La siesta del martes» o «La prodigiosa tarde de Baltazar». No sé si una novela precisa «tiempos muertos» pero sí necesita períodos de descanso, a fin de que el lector se tome un respiro y la próxima y esencial instancia no lo encuentre fatigado. Más que un hilo argumental, el de *El otoño* es una cuerda tendida sobre un abismo. Así como en *La mala hora* el tiempo externo de la novela es aproximadamente una hora, en *El otoño* es de una extensión poco menos que infinita, y —lo más riesgoso— esa infinitud no empieza en la infancia, ni siquiera en la madurez, sino en la decrepitud del personaje. Es algo así como una operación anti Juvencia, ya que en vez de buscar el secreto de la eterna juventud, parece buscar el de la eterna vejez. (También los *patriarcas* de Roa y Carpentier son viejos, pero el punto de vista del personaje, cuando recuerda, no es siempre y obligadamente decrépito.)

En un polémico y agudo ensayo[5], el colombiano Jaime Mejía Duque hace una acertada observación sobre la novela de su compatriota:

La hipérbole, recurso activo, el aglomerarse por sobre el límite que la economía de la expresión le fija internamente (su legalidad estética), se neutraliza en una especie de parálisis del relato, que se vuelve así reiterativo y ornamental, se congela para tornarse en una imagen, la *Misma*, multiplicada en el espejo de un agua inmóvil: la Gran Tautología. Esta última bien podría, pese a la advertencia de los filósofos, constituir un «género literario», pero un género sin porvenir, nacido para fructificar una sola vez —de sorpresa, de asombro— en un libro único, cuando más. Como la pornografía, la hipérbole nace destinada a languidecer pronto en el bostezo de un hastío sin fondo. El talento plástico y jocundo del escritor arriesga encontrar en ella su trampa definitiva. Por eso la cantidad de texto no agrega nada. Un

---

[5] *El otoño del patriarca, o la crisis de la desmesura*, Medellín, Editorial La Oveja Negra, 1975.

capítulo será el libro entero y lo será en todo lo que el libro pueda contener de novedad y de repetición, de plenitud y de vacío, porque lo tautológico —versión sustancial de lo cuantitativo— es infinitud sin progresión, finitud repetida en la cual no hay salto alguno hacia lo diverso y enriquecedor... El lector se vuelve indiferente al recurso exterior, le va invadiendo una impresión de monotonía, se encoge de hombros y es como si pensara: bueno, pues las vacas deambulan por el salón de audiencias, se comen las cortinas de terciopelo y las alfombras, sestean en la ilusoria pradera de los gobelinos, etc., y el Patriarca manda que sea de día en plena noche, etc. ¿y qué...?

O sea, que —para emplear el término clave del ensayo de Mejía Duque— la *desmesura* de la imagen, al quitarle vaivén y expectativa a la anécdota, no sólo monotoniza el recurso, sino que además deja al descubierto una retórica que en *Cien años de soledad* había sido genialmente camuflada por la fruición de la peripecia y la invención verbal. No hay novela sin retórica, eso está claro (aun novelistas removedores, como Proust, Joyce o Faulkner, si bien rompen con una retórica, se las arreglan para fundar una nueva), pero el arte del escritor es saber esconderla, disimularla a la vista del lector, o en todo caso hacérsela olvidar merced a otros focos de interés. *Cien años de soledad* tenía por supuesto su retórica interna, pero ¿a quién le preocupaba o molestaba?

4

También tienen su retórica *El recurso del método* o *Yo el Supremo*, pero en estas novelas, aunque la forma, la palabra y la estructura son componentes de su logro final, la *vedette* del relato no es ninguna de ellas, sino la *situación* del protagonista. El interés humano supera largamente los demás alardes y planificaciones. Ambas novelas, en relación con *El otoño* significan que, aun en la categoría de los mejores narradores latinoamericanos, lo *real maravilloso* le ha empezado a sacar ventajas al llamado *realismo mágico*.

En *Cien años de soledad*, García Márquez todavía estaba a caballo entre ambas tendencias; en *El otoño* ha optado decididamente por la segunda. Carpentier (a quien se debe que lo real *maravilloso* haya encontrado su nombre) y Roa Bastos, asumen, en cambio, los milagros que dócil o arduamente proporciona la historia, ese archivo de realidades, y los desarrollan con la mayor flexibilidad de que dispone la imaginación cuando no corta sus amarras con lo verosímil. En este punto hay que reconocer que, antes aún de la aparición de *El otoño*, el crítico venezolano Alexis Márquez había señalado esta diferencia entre García Márquez (el de *Cien años*, claro) y Alejo Carpentier (fundamentalmente, el de *El reino de este mundo*):

Como se ha visto, el *realismo mágico* supone una intervención del artista diferente de la que corresponde a lo *real-maravilloso*. No se trata, sin embargo, de diferencias jerárquicas. Son, sin más, procedimientos distintos. No se podría decir que uno tenga más valor que otro... Seguramente la reacción del lector cuando lee el pasaje de la levitación en *Cien años de soledad*, de García Márquez, será distinta de la que le produce la lectura del pasaje de *El reino de este mundo* en que Mackandal, sometido y condenado a muerte, es *visto* por el pueblo que *creía en él* salir volando convertido en ave cuando estaba siendo quemado vivo. En la obra de García Márquez hay una *elaboración fantasiosa* de una escena basada, ciertamente, en una creencia popular. Carpentier, en cambio, no *elabora* un suceso fantástico, sino que se limita a transmitirlo al lector tal como las crónicas de la época lo registraron. En este último caso hay también, por supuesto, una elaboración estética. De otro modo el relato de Carpentier no se diferenciaría de la crónica o la narración histórica. Mas se trata de una elaboración distinta de la de García Márquez, ubicable, esta última, dentro del *realismo mágico*. La elaboración por parte del cubano, como hecho artístico, supone un desafío a lo estético, a la necesidad de dar al lector una versión de los hechos, objetivamente ocurridos, dentro de los lineamientos del arte. La elaboración de García Márquez, también obediente, desde luego, a una necesidad estética, supone más bien un desafío a lo fantástico, a la imaginación fantasiosa. En el *realismo mágico* la *magia* está en el artista. En lo *real maravilloso* la *maravilla* reside en la realidad[6].

_____

[6] «Dos dilucidaciones en torno a Alejo Carpentier», *Casa de las Américas*, núm. 87, noviembre-diciembre de 1974.

En su nueva novela, Carpentier apela, incluso para burlarse cordialmente de Descartes, al *recurso del humor*. Su procedimiento entronca con el de la *novela picaresca*, pero, como era previsible, en este caso la mirada del escritor es considerablemente menos ingenua que la de los clásicos del género. Alejo escribe desde una revolución, y en un revolucionario no cabe la ingenuidad, particularmente cuando se introduce en un tema político. «Mi pícaro, en este caso», ha dicho Carpentier en un reportaje publicado en México, «se llama sencillamente el Primer Magistrado de la nación, que como tal vive y revive lo que fueron las vidas de los más famosos tiranos ilustrados del continente»[7]. En *El recurso* (más claramente aún que en *Yo el Supremo*, pero menos esquemáticamente que en *El otoño*) hay un juicio implícito que planea sobre cada proceder del Primer Magistrado, y ese juicio implícito se llama *ironía*. Para Carpentier, el afilado humor es una herramienta literaria, tan válida como cualquier otra. Gracias a su festiva imaginería, la novela desmitifica un sistema retrógrado y cruel. En América Latina, es difícil sobrevivir al ridículo, máxime cuando el juicio demoledor es ejercido desde la razón y la justicia. El chiste que parte de la clase dominante puede hacer reír, pero tiene vida breve; en cambio, la burla que arranca del pueblo, en el camino se va enriqueciendo y depurando. Puede empezar en un chascarrillo y terminar en un ataque a Palacio.

El humor se constituye así en un decisivo recurso de *El recurso*. Es a golpes de humor que Carpentier va signando y definiendo la imagen de su protagonista. Hay, en primer término, una suerte de burla autocrítica. Muchas veces se ha destacado, con razones y ejemplos generalmente válidos, el carácter barroco de la narrativa de Carpentier. Pues bien, en *El recurso* el barroquismo aparece como un exceso del protagonista. El Primer Magistrado se pone pesado cuando se vuelve barroco. En su famosa entrevista con el Estudiante, llega a decirse a sí mismo: «Cuidado: he vuelto a caer en el idioma flo-

---

[7] En «Diorama», supl. de *Excelsior*, México, 14 de abril de 1974.

169

reado.» Carpentier usa inteligentemente esa circunstancia para tomar distancia, no sólo con respecto a la época en que transcurre la novela (como señalé al principio), sino también con relación a una característica propia. Esa implacable caricatura del barroco que es la prosa verbal del Primer Magistrado convierte por contraste en despojado y sustancial el actual estilo del narrador-testigo. Pocas veces Carpentier ha logrado un lenguaje tan pleno de hallazgos, pero asimismo tan sostenidamente inteligible y funcional, como el de *El recurso*.

El humor es en la novela un moderador (y hasta un exponente) ideológico. Trozos como el del numeral 10, cuando menciona a ciertos arquitectos que sólo pensaban «en la estética particular de su fachada, como si hubiese de ser contemplada con cien metros de perspectiva, cuando las calles, previstas para el paso de un solo coche de frente —de una recua, de un tren de mulas, de un carretón— sólo tenían seis o siete varas de ancho», constituye algo así como una metáfora-ensayo, ya que a través y a partir del cotejo imaginero, se construye (a pesar de la terminología municipal) un enfoque más sociológico que urbanístico. Dando vuelta la página, se asiste a esta nómina exultante de los progresos capitalinos:

Todo era apuro, apresuramiento, carrera, impaciencia. En unos pocos meses de guerra, se había pasado del velón a la bombilla, de la totuma al bidet, de la garapiña a la coca-cola, del juego de loto a la ruleta, de Rocambole a Pearl White, del burro de los recados a la bicicleta del telegrafista, del cochecillo mulero —borlas y cascabeles— al Renault de gran estilo que, para doblar las esquinas angostas de la urbe, tenía que realizar diez o doce maniobras de avance y retroceso, antes de enfilar por un callejón recién llamado «Boulevard», promoviendo una tumultuosa huida de cabras que todavía abundaban en algunos barrios, pues era buena la yerba que crecía entre los adoquines.

En esa apretujada pero chispeante síntesis, ya están presentes los albores del consumismo, y cualquier lector avisado puede captar que la mirada no sólo es burlona, sino también implacable. Y basta avanzar unas pocas líneas en ese inventario de «progresos» para hallar esta ironía que trasciende sus límites naturales y se convierte en denuncia: «Y hubo torneos de bridge, desfiles de modas, baños turcos, bolsa de valores y burdel de categoría, donde era vedada la entrada a quien tuviese la piel más oscura que el Ministro de Obras Públicas —tomado como paradigma de apreciación, ya que, si no era la oveja negra del Gabinete, era, indudablemente, su oveja más *tostada*.»

Es claro que en ocasiones el humor tiene una importancia aislada, válida en sí misma, sin otras implicaciones. Así el caso de la culebra cascabel que se cuela en el concierto, «pero siempre, vista a tiempo por el cellista que, de todos los músicos, es el que más mira al suelo, la serpiente era muerta de un golpecito dado certeramente en su lomo con el dorso del arco —*col legno*, como se dice en lenguaje técnico...» O cuando el Agente Consular interrumpe la jeremiada del ya entonces Ex, para decirle: «No se cante tangos con letra de Réquiem.» Son bromas independientes, sin sostén ideológico (no hay que olvidar que el chiste del Réquiem lo hace un yanqui), pero con una gracia claramente resuelta.

En medio de una crisis gubernamental, el Primer Magistrado da comienzo a una sesión de gabinete. Todo es pobre solemnidad, compostura obsecuente, retórica adulona. De pronto el falso orden estalla: «"La bragueta y perdone", dijo Elmira al Ministro de Comunicaciones, advirtiendo que la tenía abierta.»

La utilización del humor en *El recurso* es una nueva muestra de la madura eficacia de Carpentier, sobre todo porque le permite construir una novela política que no parece serlo. El relato es de un rigor (la discusión, en el numeral 15, entre el Primer Magistrado y el Estudiante, es en ese sentido una joya dialéctica), de una objetividad tal, que llega a poner argumentos muy atendibles en boca del dictador o en la del Agente Consular. Es mediante el ejercicio del humor que Carpentier, de una manera increíblemente astuta, subjetiviza, o más bien *desobjetiviza*, la novela desde un punto de vista ideológico. Graziella Pogolotti ha visto sagazmente este matiz:

Corresponde ahora a la ironía favorecer un ambivalente distanciamiento. Subraya lo grotesco y lo ficticio, pero ello procede de un autor cómplice, que se siente formando parte de esa realidad, implicado en ella como nunca antes. Porque si se trata de dilucidar en términos artísticos la naturaleza de ciertos problemas políticos de la América Latina, el subtexto más íntimo del libro prosigue el viejo debate sobre las posibilidades y el significado de la acción, sobre las relaciones entre vida y cultura en el contrapunto Europa-América[8].

Esta *complicidad*, este formar parte de una realidad, que señala Pogolotti, no contradice sino que confirma algo que señalé al principio: el tiempo de hoy está siempre inserto en la mirada del narrador. Sin la revolución en que el autor está inmerso y que mira por sus ojos actuales, Carpentier no podría sentirse *distante* y *cómplice* a la vez: sólo la distancia permite el juicio y la comprensión de la complicidad.

Ahora bien, el marxista leninista que hay en Carpentier no aparece agitando consignas como pancartas, ni adjudicando al Estudiante (seguramente el personaje más cercano al pensamiento político del autor) parrafadas panfletarias, sino más bien dejando caer, aquí y allá, burlas y sarcasmos, y en ocasiones meras pinceladas alegres, que actúan como fijadores y hasta como instrumentos de persuasión. Es curioso observar que, siendo *El recurso* una novela que en el fondo es mucho más *política* que *El otoño*, no padece del maniqueísmo (sutil, bien adornado, prodigiosamente escrito, pero maniqueísmo al fin) que aflora frecuentemente en la novela de García Márquez. Cotejar ambos resultados, ya no desde el punto de vista literario, sino desde una perspectiva política, es por cierto una aprovechable lección para más de un joven escritor revolucionario que cree que una obra literaria puede formarse con la simple yuxtaposición de consignas, o dividiendo esquemáticamente el mundo entre progresistas y reaccionarios (que han venido a sustituir a los *ángeles y demonios* de otros maniqueísmos). La realidad muestra que la vieja y sabrosa fá-

---

[8] «Carpentier renovado», *Casa de las Américas*, núm. 86, septiembre-octubre de 1974.

bula de Stevenson sobre el Dr. Jekyll y Mr. Hyde, sigue teniendo una increíble vigencia. Aun el mejor revolucionario puede detectar en sí mismo —como lo hace con ecuanimidad el Estudiante— sus tentaciones y debilidades. Aun un maniático del poder, como el Primer Magistrado de *El recurso*, tiene su «corazoncito». Desde una perspectiva simplemente literaria, la novela de Carpentier tal vez no sea, como lo señalé al comienzo, la mejor de sus novelas, pero como propuesta de *novela política*, me parece un verdadero paradigma, sobre todo porque cumple una ley que, si bien parece elemental, rara vez es observada por el escritor comprometido o militante (quizá el otro ejemplo reciente y notorio sea el excelente *Mascaró*, del argentino Haroldo Conti): la *novela* que lleva implícita una propuesta política, debe cumplir primero con las leyes novelísticas. Debe existir primero como novela, a fin de que ese nivel cualitativo sirva de trampolín para el salto ideológico. De lo contrario, la propuesta política se volverá frustración o salto en el vacío.

Un ejemplo para terminar con este aspecto. La mejor definición sobre el Estudiante la dice, en el numeral 18, el Agente Consular, o sea, quien está en los antípodas de la revolución: «Es hombre de nueva raza dentro de su raza.»

5

Tampoco en Roa Bastos había sido el humor un recurso primordial de sus narraciones anteriores. Ahora, en *Yo el Supremo*, sin llegar a constituir una primera prioridad, el humor es sin embargo un elemento esencial que el autor pone al servicio de su tarea mayor: el tratamiento (y desecación) del mito del poder absoluto. En medio de ese colosal fárrago de ideas y delirios que es el gran monólogo del Supremo, Roa apela a un humor que es creación verbal: «almastronomía», «panzancho», «greengo-home», «clerigallos», «historias de entretén-y-miento», «uno rasga la delgada telita himen-óptera», «contra la cadaverina no hay resurrectina», etc., son apenas algunas de las incontables invenciones verbales, sólo comparables a las que Joyce primero, y Guimaraes Rosa después, incorporan al consumo literario. Pero el humor del Supremo es sobre todo implacable escarnio. Su monumental discurso eleva de pronto el libelo a la categoría de obra maestra. Pocas veces se ha visto en la literatura universal, y menos aún en la latinoamericana, un manejo tan artísticamente logrado del agravio, el sarcasmo y la blasfemia. Quizá la clave de esta proposición, que también es estética, la haya encontrado la hispanista británica Jean Franco, quien al comentar la novela, señala que «el purgatorio del dictador es que sólo vive en el lenguaje de los otros, de modo que aun su autojustificación es apenas una respuesta a las acusaciones»[9]. Ese carácter de *respuesta* es probablemente el que mejor explica el rencor de la invectiva. Testigos verídicos, pero también cronistas semiveraces y hasta calumniosos, sembraron la historia paraguaya y las notas viajeras de contradictorias imágenes del doctor Francia, el Supremo. El propósito de Roa Bastos consta en una entrevista que concedió en Lima:

Yo creo que la manera de leer la Historia exige una serie de exploraciones nuevas a cada lectura... Creo que la Historia está compuesta por procesos y lo que importa en ellos son las estructuras significativas: para encontrarlas, hay que cavar muy hondo y a veces hay que ir contra la Historia misma. Eso es lo que yo he intentado hacer y es lo que más me costó en la elaboración del texto: este duelo, un poco a muerte, con las constancias documentales, para que sin destruir o anular del todo los referentes históricos, pudiera, sí, limpiarlos de las adherencias que van acumulando sobre ellos las crónicas, a veces hechas con buena voluntad pero con mucha ceguera[10].

La del autor es, por lo tanto, una doble faena: rehacer de alguna manera la verdadera historia, y otorgar a la reconstrucción una dimensión rigurosamente novelesca. La hazaña de

---

[9] «Paranoia in Paraguay», *The Times Litterary Supplement*, Londres, 15 de agosto de 1975.
[10] «Escarbando a un Dictador: *Yo el Supremo*», *La Prensa*, Lima, 4 de febrero de 1975.

Roa es haber triunfado sobre el desafío que él mismo se impuso.

Es interesante releer ahora unas reveladoras palabras del protagonista-testigo de *Hijo de hombre*, la anterior novela de Roa: «Mi testimonio no sirve más que a medias. Ahora mismo, mientras escribo estos recuerdos, siento que a la inocencia, a los asombros de mi infancia, se mezclan mis traiciones y olvidos de hombre, las repetidas muertes de mi vida. No estoy reviviendo estos recuerdos, tal vez los estoy expiando.» ¿No podría ser ésta una adecuada síntesis del gigantesco monólogo del Supremo? ¿Qué cosa es esta novela sino una Gran Expiación, un largo y pormenorizado recorrido por las repetidas muertes de una vida? De los tres grandes personajes que considero en este trabajo, el Supremo me parece la única figura (a pesar de los rasgos de oscuro humor antes señalados) que tiene una indudable dimensión trágica. Más que la influencia de otros novelistas, del pasado o del presente, veo aquí la presencia de los grandes trágicos griegos. Con sus contradicciones, con su sentido absoluto del poder, con sus constantes desafíos al destino, el Supremo podría haber sido un personaje de Esquilo o de Sófocles. Y hasta ese retorcido escriba Patiño (a quien podría aplicarse sin desperdicio el retruécano que, en la novela de Carpentier, consagra Ofelia a Peralta, el amanuense del Primer Magistrado, cuando éste lo llama «Maquiavelo de bolsillo» y ella retruca: «Ni eso: si acaso el bolsillo de Maquiavelo») cumple a veces la función de coro griego.

Hay un lenguaje sobrehumano en ciertas constancias del Supremo: «YO no soy siempre YO», «YO no me hablo a mí», «YO he nacido de mí», «YO no escribo la historia. La hago», y particularmente este párrafo impecable:

Estar muerto y seguir de pie es mi fuerte, y aunque para mí todo es viaje de regreso, voy siempre de adiós hacia adelante, nunca volviendo ¿eh? ¡Eh! ¿Crecen los árboles hacia abajo? ¿Vuelan los pájaros hacia atrás? ¿Se moja la palabra pronunciada? ¿Pueden oír lo que no digo, ver claro en lo oscuro? Lo dicho, dicho está. Si sólo escucharan la mitad, entenderían el doble. Yo me siento un huevito acabado de poner.

Varias veces se ha hablado, a propósito de *El otoño*, de «la soledad del poder». Pero tal vez no exista (al menos, en la región literaria) un poderoso más solo, más obstinadamente solo, que el Supremo. Hasta Sultán, el perro viejo que lo acompaña con hostil lealtad, es, como él, «misógino y cascarrabias». Allá por la página 156, el Supremo recuerda una frase del Aya, que es un prodigio de síntesis: «Nadie sabe desertar de su desgracia.» El poder es (entre otras cosas) la desgracia del Supremo, una malaventura de la que desertará sólo con la muerte, cuando El (en una dualidad que es también formidablemente teatral) venga a llevarse al YO: «Está regresando. Veo crecer su sombra. Oigo resonar sus pasos. Extraño que una sombra avance a trancos tan fuertes. Bastón y borceguíes ferrados. Sube marcialmente. Hace crujir el maderamen de los escalones. Se detiene en el último. El más resistente. El escalón de la Constancia, del Poder, del Mando.» Desertará del poder con la muerte, pero el poder lo acompañará hasta el último escalón de la desgracia, que para él es casi sinónimo de vida. Sólo los pueblos pueden desertar de su desgracia. Eso se llama revolución, claro. Algo que de alguna manera avizoró Roa Bastos, cuando expresó en relación con su novela última: «*Yo el Supremo* me acercó a uno de los hallazgos más fértiles de mi vida de escritor: que los libros de los particulares no tienen importancia; que sólo importa el libro que hacen los pueblos para que los particulares lo lean.»[11] *Yo el Supremo* es, aunque suene extraño, una objetivación del subjetivismo, o sea la historia de un subjetivismo llevado a extremos casi inverosímiles (hay trozos en que sólo la historia, presente en los documentos al pie de página, les da patente de credibilidad) y esa monstruosa suma de poder acaba siendo una resta: la tremenda disminución del no-poder. La lu-

[11] Cit. por Rogelio Marín, en «Los papeles de la vida», *Nuestra palabra*, Buenos Aires, 25 de septiembre de 1974.

cidez con que el Supremo ve, en ciertas instancias de su vida, las claves de transformación política capaces de convertir a su dolido Paraguay en una nación hecha y derecha (como simple curiosidad, vale la pena citar este fragmento de *El recurso*, donde el Primer Magistrado parece tenderle una mano, o quizá una garra, al Supremo colega: «Si, por caprichosa voluntad del Todopoderoso, las carabelas de Colón se hubiesen cruzado con el *Mayflower*, yendo a parar a la isla de Manhattan, en tanto que los puritanos ingleses hubiesen ido a parar al Paraguay, Nueva York sería hoy algo así como Illescas o Castilleja de la Cuesta, en tanto que Asunción asombraría al mundo con sus rascacielos, Times-Square, Puente de Brooklyn, y todo lo demás») no alcanza a justificar, ni mucho menos a hacer plena su existencia. El poder, con todas sus tentaciones de arbitrariedad, de injusticia, de crueldad, de corrupción, de omnipotencia, nubla y perturba esa lucidez, desgasta y finalmente deteriora aquella generosa voluntad de servir, convierte al portavoz de un pueblo en la aguardentosa voz de un viejo agonizante y rencoroso. Por eso, las verdades manifiestas (por ejemplo, la tan compartible que figura en la página 385: «He dicho y sostengo que una revolución no es verdaderamente revolucionaria si no forma su propio ejército; o sea si este ejército no sale de su entraña revolucionaria. Hijo generado y armado por ella») dejan paso a los odios, al rencor incubado y crecido, a la egolatría sin freno.

Uno de los más evidentes méritos de Roa ha sido no caer en el primario sectarismo de algunos historiadores, que satanizan o angelizan a las figuras de cierta dimensión temporal. El novelista paraguayo pone sobre el tapete los datos de que dispone, y sobre esos datos monta su aparato imaginativo. Pero el lector no tiene nunca la impresión de estar asistiendo a una prodigiosa mentira, sino tan sólo a la provocativa, inteligente prolongación de las coordenadas de la realidad.

6

Quizá valga la pena, para terminar esta tentativa de interrelacionar los tres libros, preguntarnos el porqué del tema común, y sobre todo el porqué de la asunción simultánea de este tema. El déspota (que es *ilustrado* en dos de las novelas, y todo lo contrario en *El otoño*) es todavía hoy una presencia infamante en esta América. Los Pinochet, los Bordaberry, los Stroessner, los Banzer, los Somoza, los Duvalier *Junior*, son los actuales representantes del despotismo no ilustrado. Su erudición es la tortura, su recurso es el terror. Como el Patriarca de García Márquez, el ínfimo Bordaberry podría decir: «Nadie se mueva, nadie respire, nadie viva sin mi permiso», pero naturalmente debería agregar: «Y sobre todo, sin el permiso de los militares que me dan permiso.» Como el Primer Magistrado de Carpentier, Pinochet podría decir: «En materia de Cárcel, nos habíamos adelantado a Europa —lo cual era lógico, puesto que, estando en el Continente-del-Porvenir, por algo teníamos que empezar...» Como el Supremo de Roa Bastos, (aunque a años luz de la preocupación de Francia por su pueblo) Stroessner podría decirse a sí mismo: «Lo que te ha sucedido es nada en comparación con lo que no te ha sucedido.»

Que tres notables novelistas como García Márquez, Carpentier y Roa Bastos, hayan coincidido en elegir la figura (promedial o histórica) de un dictador del pasado, es un categórico juicio sobre el presente, desgraciadamente pródigo en esos padres putativos de la tortura que, como el personaje de Roa Bastos, admiran al «matador de cisnes, ese extraño asesino que mata a los cisnes para oír su último canto». Pero también es un alerta sobre el futuro. Tal presencia, la del déspota ignorante o ilustrado, es sin duda el común denominador más evidente. Pero hay otro, menos espectacular, más silencioso aunque quizá menos perecedero: el pueblo, o mejor los pueblos, que en las tres novelas son algo así como el papel de la página, porque sin ellos no existiría la letra ni la peripecia que esa letra narra. Bajo el latigo o bajo el delirio, bajo las botas o bajo la tierra, el pueblo (las más de las veces como un silencio anónimo) está presente en las tres obras. En mazmo-rras, en mercados, en ese formidable paro general hecho tam-bién de silencio (en *El recurso*) en la muchedumbre frenética que (en *El otoño*) se echa a las calles «cantando los himnos de júbilo de la noticia jubilosa» del óbito del Patriarca por fin llegado a su mortal invierno; y, por último, en las treguas no descritas, en las omisiones del discurso supremo (en la novela de Roa).

De las tres novelas, la que tiene una propuesta política más revolucionaria es indudablemente *El recurso*; no por azar es la única en que el dictador es derrocado. En las otras dos (re-conociendo que la de Roa obedece obligadamente a un itine-rario histórico), la soledad del poder sólo acaba con la com-pañía de la muerte. Pero en las tres el pueblo permanece como un fondo imperecedero, capaz de tener la inconmesurable pa-ciencia de esperar la hora de su libertad, y capaz también de generar los libertadores que aceleren la llegada de esa ocasión, a la que ya no pintan calva. Entonces sí, como decía Roa Bas-tos, «los libros de los particulares» no tendrán importancia y sólo importará «el libro que hacen los pueblos para que los particulares lo lean». Tal vez no haya que aguardar hasta un remoto futuro. De alguna manera estas tres novelas han sido escritas por los pueblos, y García Márquez, Carpentier y Roa Bastos sólo son los *particulares* (o más bien las partículas del pueblo) que, al leerlas con su mirada-testigo, las restituyen a la comunidad que les dio origen.

Carlos Fuentes: del signo barroco al espejismo

1

«No ha habido un héroe con éxito en México. Para ser hé-roe, han debido perecer: Cuauhtémoc, Hidalgo, Madero, Za-pata.» Esta es la afirmación de un personaje de *La región más transparente*, novela del mexicano Carlos Fuentes. Los uruguayos, que tenemos en Artigas el paradigma de la heroicidad sin éxito, deberíamos comprender mejor que nadie esa vieja contradicción, agazapada en más de una historia nacional. Pero no nos engolosinemos con el fácil paralelismo. Es probable que el mexicano se parezca más a su historia, que nosotros a la nuestra.

Carlos Fuentes es tal vez el novelista mexicano que ha visto con mayor claridad cierta dramaticidad de opciones en la vida de su país. Sus tres novelas (*La región más transparente*, 1958; *Las buenas conciencias*, 1959; *La muerte de Artemio Cruz*, 1962) son historias de hombres que se deciden, una o varias veces, y tales decisiones son como golpes de machete que abren paso en la espesura al ser esencial, al ser mexicano. Hace más de cincuenta años que México inició su corajuda, entreverada, crecida revolución, pero todavía hoy ésta constituye un tema candente. Frente a la versión escolar, enfática, campanuda, se levantan voces de reclamo, de acusación, de alerta. La verdad es que la transformación quedó a mitad de camino, el tiempo limó los propósitos, los voraces están ganando la partida.

Jesús Silva Herzog concluye su *Breve historia de la revolución mexicana* con estas palabras:

Todavía hoy, después de medio siglo, no obstante los logros alcanzados en el campo social y en el económico [...] existen millones de mexicanos con hambre de pan, de tierras, hambre de justicia y hambre de libertad [...] Sin embargo, no somos pesimistas. Durante largos años el problema fundamental de México fue conocer nuestros problemas. Ahora, creemos que por lo menos ya los conocemos y, por lo tanto, ya conocemos los medios para resolverlos[1].

Es a partir de ese conocimiento, y también de ese inconformismo, que Carlos Fuentes hace su disección del presente

---

[1] *Breve historia de la revolución mexicana*, México, 1960, p. 266 del vol. II.

mexicano, pero su escalpelo no respeta pasado ni futuro; corta donde le parece oportuno, donde el corte puede ser revelador.

Fuentes nació en 1929 y pertenece a la misma promoción literaria que Sergio Galindo, Rosario Castellanos y Jaime Sabines. Además de las tres novelas anteriormente mencionadas, publicó un libro de cuentos (*Los días enmascarados*, 1954) y un excelente y breve relato de corte fantástico (*Aura*, 1962), prodigiosa mezcla de suspenso y absurdo, de ensueño y pesadilla, escrita además con una elegancia estilística y un refinamiento conceptual y verbal, que a primera vista parecen contradecirse con la agresividad crítica de su mundo novelesco. Sin embargo, hay una barroca conciencia latina, una mexicana propensión a la exageración convicta, que vinculan sutilmente el aura de *Aura* con el México que busca su destino.

Fuentes es actor y testigo de una realidad que le parece una trampa. Sus novelas pormenorizan, rastrean, descubren las equivocaciones fundamentales de una sociedad, de un sistema de vida en que la corrupción se ha vuelto, no sólo un hábito, una obligación, sino también una contraseña de prestigio. Los hombres que se extrajeron a sí mismos de la revolución («la militancia ha de ser breve y la fortuna larga», dice el exrevolucionario y actual banquero Robles), se embriagan con su propio coraje, más aún con los recuerdos de ese coraje, y pierden el sentido moral de sus actos. Todo es tan dramático, tan vertiginoso, tan tenso, que la lenta, segura conciencia va quedando atrás, tan atrás que su voz deja de ser audible. Entre oleadas de dinero fácil, repentino, tales briosos sobrevivientes crean la maquinaria a imagen y semejanza de sus nuevas ambiciones. Claro que algunas veces la maquinaria los tritura, pero quizá sea ésta la excepción. El novelista asiste, con rabiosa impotencia, al despilfarro espiritual de tanto rasgo noble, de tanta limpia esperanza, de tanta vitalidad potencial. Como el viejo y mejor Steinbeck de 1939, Fuentes extrae todo el jugo a las uvas de su cólera, y, en tanto propina saludables bofetadas en el letargo del posible lector, amontona (con asco, con simpatía, con estupor) largas enumeraciones testimoniales:

Ciudad del tianguis sumiso, carne de tinaja, ciudad reflexión de la furia, ciudad del fracaso ansiado, ciudad en tempestad de cúpulas, ciudad abrevadero de las fauces rígidas del hermano empapado de sed y costras, ciudad tejida en la amnesia, resurrección de infancias, encarnación de pluma, ciudad perra, ciudad famélica, suntuosa villa, ciudad lepra y cólera hundida, ciudad. Tuna incandescente. Aguila sin alas. Serpiente de estrellas. Aquí nos tocó. Qué le vamos a hacer. En la región más transparente del aire.

Antes de existir como crítica social, como desenmascaramiento de la hipocresía, las novelas de Fuentes existen como literatura. Todas tienen una estructura deliberada y firme. Como en varios de los monstruos sagrados de la narrativa contemporánea (pienso en Joyce, Faulkner, Dos Passos), no hay partícula de caos que no dependa de una milimétrica organización.

Tal vez ninguna de las tres novelas publicadas hasta ahora por Fuentes sea la obra maestra a que tiene derecho América Latina. Creo, sin embargo, que el novelista mexicano es uno de los que ha estado más cerca de ese logro. Sólo que su propósito de renovación es demasiado amplio, y es tarea sobrehumana (y acaso sobreliteraria) pretender cumplirlo en pocos años. Ya es bastante lo logrado hasta ahora por este escritor joven, que ha hecho novela social en el mejor sentido literario de la palabra; rescatándola de la plúmbea transcripción textual, de la descripción meramente fotográfica, del mensaje gritado. En una entrevista que concedió a principios de 1962, Fuentes hizo esta declaración:

El problema básico, para nosotros los escritores latinoamericanos, es superar el pintoresquismo. Nosotros, más que los extranjeros, nos hemos colocado tras los barrotes del zoológico para exhibirnos como animales curiosos. Para superar el realismo superficial de la novela crónica o documento e ingresar a lo universal, el escritor no debe «reproducir» el lenguaje popular, por ejemplo, sino recrearlo. Hay un gran signo barroco en el lenguaje latinoamericano, capaz de crear una atmósfera envolvente, un lenguaje que es ambiguo y por lo tanto artístico[2].

---

[2] Revista *Ercilla*, art. cit.

Fuentes ha utilizado con gran sagacidad ese signo barroco; ha comprendido que éste invitaba a la exageración más legítima, al énfasis más honesto y a la vez más imaginativo.

2

Pese a mover figuras de un mismo mundo (algunos nombres, como Federico Robles, aparecen en dos de las novelas, y otros, como Jaime Ceballos y los Régules, concurren a las tres), las novelas publicadas por Fuentes siguen ritmos distintos y obedecen a diferentes estructuras. En *La región más transparente*, el protagonista es la ciudad de México; se ha comparado esta novela con un fresco de Diego Rivera. Empleando procedimientos que recuerdan insistentemente a Dos Passos pero que revelan además una marca muy personal y mexicana, el autor corta rebanadas de vida ciudadana que dejan a la vista del lector diversos niveles de sucesos.

Desde el banquero millonario, a la prostituta de última fila; desde la vieja india, a la aristócrata en desgracia; desde el poeta fracasado que termina en libretista de cursilerías, hasta el intelectual dolido que quiere indagar su México, todos integran de algún modo el gran fresco ciudadano. (En cierto modo, es revelador que Gabriel, el bracero que estuvo trabajando en Estados Unidos, y Manuel Zamacona, el intelectual que escribe su obsesión mexicana, encuentren, cada uno por su lado y casi al mismo tiempo, una misma muerte violenta, irracional.) El ritmo novelístico de Fuentes, es de furor, de nervio, de rápida consumación. El presente es de 1951, pero esa fecha apenas significa el foco en que convergen todos los pasados y todos los futuros.

En la nueva literatura latinoamericana, el humor es algo así como un denominador común, el indispensable y humano amortiguador (y fijador) de la violencia, del estallido. Fuentes hace habilísimo uso de ese recurso; con simples modos de articular una frase, de colocar un adjetivo, de introducir una viñeta, fija indeleblemente la actitud o la intención de un personaje.

En *La región más transparente*, por ejemplo, se describe

un apartamento en cuyas paredes había retratos autógrafos de celebridades: Shirley Temple, el Dr. Atl, Somerset Maugham, Elsa Maxwell, los Duques de Windsor, Alí Chumacero y Victoria Ocampo. Esto no es la *enumeración caótica* que alguna vez descubrió Leo Spitzer; por el contrario, es juicio crítico, ironía, oportuna instantánea sobre un infra esnobismo. En la misma novela, alguien le pregunta a Gus si es homosexual, y él contesta: «Homo sí, sexual quién sabe». Para Natasha, «ser cristiano de veras... es un problemón» y los intelectuales «son a la inteligencia lo que la saliva al correo, una manera [...] de pegar la estampilla». A Pimpinela de Ovando le dice Ixca Cienfuegos: «Vivimos en la época del cachondeo, señorita», y la vecindad de la grosería con el tratamiento respetuoso, provoca una inevitable chispa de humor. En *Las buenas conciencias*, se dice de un personaje: «Como todo católico burgués, Balcárcel era un protestante». Y las citas podrían prolongarse indefinidamente.

Haciendo cálculos, puede llegarse a la conclusión de que el tiempo presente de *Las buenas conciencias* transcurre más o menos en la misma época, o tal vez algo antes, que el de *La región más transparente*. Es vida de provincia, en Guanajuato. La diferencia de ritmo entre la primera novela y la segunda, corresponde a la que separa el compás de vida capitalino del de la provincia. En *Las buenas conciencias*, la cadencia de la prosa es casi galdosiana, y a tal punto lleva Fuentes la deliberada propensión que, al pormenorizar la ascendencia española del protagonista Jaime Ceballos, la hace remontar hasta un tal Higinio Ceballos, quien fuera oficial de Baldomero Santa Cruz, un pañero de la calle de la Sal, extraído, con nombre y apellido, de *Fortunata y Jacinta*, la obra maestra de Benito Pérez Galdós.

El libro está dedicado, a Luis Buñuel, «gran artista de nuestro tiempo, gran destructor de las conciencias tranquilas, gran creador de la esperanza humana». Conviene recordar que en cierta oportunidad, al escribir sobre *Viridiana*[3], Fuentes

---

[3] Carlos Fuentes: «Viridiana», artículo publicado en *El escarabajo de oro*, Buenos Aires, abril de 1962, año 3, Núm. 6, pp. 20-21.

sintetizó así las oposiciones temáticas de la obra de Buñuel: «La ternura en la violencia, la búsqueda como realización, los órdenes viejos contra la vida nueva, la humanización de los extremos, la perversidad de la inocencia». ¿Cabe una síntesis más sagaz y certera de la obra novelística del propio Fuentes?

Jaime Ceballos es, probablemente, el personaje más simpático de Fuentes, el que más se resiste a entrar en el engranaje de eso que el novelista llama irónicamente «las buenas conciencias». Pero quizá haya otra razón para la simpatía. Los personajes de las otras dos novelas de Fuentes, son vistos y examinados desde el presente hacia el pasado, es decir, desde su corrupción actual hacia su origen no contaminado, mientras que Jaime Ceballos es visto desde su comienzo, cuando el lector no sabe aún si se mantendrá firme o se pervertirá.

También Federico Robles (en *La región más transparente*) o Artemio Cruz (en la novela que recorre su muerte) tienen zonas de bondad, puntos a favor, pero el lector ya sabe cuál es la última carta, el definitivo rostro del personaje. «Voy a hacer todo lo contrario de lo que quería. Voy a entrar al orden», dice conscientemente Jaime Ceballos en la antepenúltima página. Desde ya adivinamos qué desórdenes traerá ese orden a la oprimida, golpeada (y finalmente anestesiada) conciencia, no la hipócrita y «buena», sino la verdadera. Y más adelante, en la tercera novela, lo confirmaremos: el 31 de diciembre de 1955 Jaime Ceballos se acerca a la «momia de Coyoacán», al todopoderoso Artemio Cruz, para mendigar un favor; su vocabulario ya se ha contagiado de todos los lugares comunes de la vieja, inconmovible corrupción. Allí sabremos que no sólo entró al orden, sino que se instaló cómodamente en él.

La muerte de Artemio Cruz tiene alguna semejanza, sólo superficial, con la primera novela. La base, sin embargo, es totalmente distinta. El protagonista ya no es la ciudad, sino Artemio Cruz, el agonizante millonario, monstruosamente dilatado y escindido a través del tiempo, de su memoria, de su subconsciente. Así como los personajes de *La región más transparente* eran meras partículas de la ciudad protagonista, los personajes de la última novela se convierten en reflejos del agonizante, en imágenes (nuevas y viejas) donde rebota su verdadero ser.

Son doce horas de agonía, pero el novelista introduce en ellas las inexorables cuñas de doce días que son otras tantas claves en la vida del que está muriendo. «Hay un tercer elemento», ha expresado el autor en declaraciones a Emmanuel Carballo,

el subconsciente, especie de Virgilio que lo guía por los doce círculos de su infierno, y que es la otra cara de su espejo, la otra mitad de Artemio Cruz: es el Tú que habla en futuro. Es el subconsciente que se aferra a un porvenir que el Yo —el viejo moribundo— no alcanzará a conocer. El viejo Yo es el presente, en tanto el El rescata el pasado de Artemio Cruz. Se trata de un diálogo de espejos entre las tres personas, entre los tres tiempos que forman la vida de este personaje duro y enajenado. En su agonía, Artemio trata de reconquistar, por medio de la memoria, sus doce días definitivos, días que son, en realidad, doce opciones,

y agrega: «En el tiempo presente de la novela, Artemio es un hombre sin libertad: la ha agotado a fuerza de elegir. Bueno o malo, al lector toca decidirlo»[4].

Pocas novelas he leído con una construcción tan severa y tan riesgosa. Los *doce días* decisivos se interpolan en desorden cronológico, a la manera de Huxley (como ya ha sido abundantemente destacado por la crítica), pero en la novela de Fuentes el procedimiento está mejor justificado que en *Eyeless in Gaza*, donde la novedad y la escarmentada pericia de Huxley no alcanzaban a ocultar su arbitrariedad esencial. El procedimiento de Fuentes tiene rigor. En el presente, o sea el plano regido por el Yo, surge por lo general una palabra ajena, o un pensamiento del protagonista, o el relámpago de un recuerdo, que exige la apelación a un pasado; pero no a cualquier pasado, sino a uno particular, con fecha exacta, con

---

[4] Cit. en «La hora del lector», de José Emilio Pacheco, *Revista de la Universidad de México*, agosto de 1962, pp. 19-20.

rostros, con palabras que fueron vitales, decisivas. Imposible barajar esas imágenes; imposible reordenar esos fragmentos de pasado en otra sucesión o dependencia que no sea la que el presente exige. Eso en cuanto a la forma. En cuanto al tema, se me ocurre que los antecedentes más obvios son *As I Lay Dying* de Faulkner, *La amortajada* de María Luisa Bombal, *Malone meurt* de Beckett. Pero en ninguna de esas novelas aparece la triple dimensión del personaje, ahora introducido por Fuentes.

Fuentes maneja admirablemente su *diálogo de espejos*. En el Yo hay autopiedad y todavía disimulo, no ya frente a los demás, sino ante sí mismo. En el El hay un juicio implícito, una frialdad que sólo la distancia puede conceder. En el Tú vibra un borrador de la verdad, golpea encarnizadamente una posibilidad, tal vez la última. Es una extraña mezcla de realismo y fantasía, de memoria y ficción. Quizá sea realismo en una octava más alta, la suficiente para adquirir un impulso lírico, un sonido a veces conmovedor. Cerca del final de la novela, el subconsciente enumera todas las cosas que Artemio Cruz pudo haber sido, mediante el simple recurso de haber elegido, en cada opción, caminos distintos de los que en verdad tomara. El *crescendo* de la enumeración es impresionante; la inevitable consecuencia es que cada lector repase su propia y modesta nómina, y llegue acaso a la conclusión de que, a fuerza de elegir, también él haya agotado su libertad. ¿Quién no? La comunicabilidad de la novela es aproximadamente ésa: el sacudón en la mente, el arañazo en las raíces. Novela tenaz como pocas, llega hasta donde quiere llegar, sobre eso no hay dudas.

José Emilio Pachecho ha señalado que «Fuentes, por naturaleza, es, como Carpentier, un escritor retórico; pero su retórica —esa palabra que en nuestros días ya adquirió connotación peyorativa— es, casi siempre, una retórica eficaz, una utilización de los vocablos que al combinarse dicen lo que su autor quiere decir»[5]. Podría agregarse que en Fuentes hay

[5] José Emilio Pacheco, art. cit.

también una retórica de la estructura, del agrupamiento y encuentro de los personajes. Y también en este sentido puede hablarse de una retórica eficaz, de una utilización de los personajes que, al combinarse, al cruzarse, al enfrentarse, forman (acaso con ingredientes que han eludido el vistobueno de la realidad) precisamente ese mundo que el novelista quiso, ya no reproducir, sino producir.

3

En *Cantar de ciegos* (1964) tienen buen material los amigos de desentrañar símbolos, significados ocultos, claves secretas. Pese a que en cualquiera de sus novelas, o en esa refinada mezcla de ensueño y pesadilla que es *Aura*, los símbolos parecían trepar incansablemente por la complicada estructura, tal como si quisieran agotar al lector antes de revelar su último sentido, nunca como en los cuentos de este *Cantar de ciegos* el propósito trascendente quedó tan a la vista, propuso tantas claves. Alguna vez Fuentes declaró: «Hay un gran signo barroco en el lenguaje latinoamericano, capaz de crear una atmósfera envolvente, un lenguaje que es ambiguo y por lo tanto artístico». Si eso fuera verdad (quizá sea imposible saberlo con absoluta precisión) jamás habría estado Fuentes tan cerca de lo artístico como en este ambiguo *Cantar de ciegos*.

En la ficha editorial de la contratapa, se menciona el término *espejismo*, y también el penúltimo de los cuentos termina con esa palabra. Dice además el epígrafe (extraído del *Libro de buen amor*): «Non lo podemos ganar / Con estos cuerpos lazrados, / Ciegos, pobres é cuytados». Los siete cuentos, de temas tan diversos, de tan distinta materia humana, de tan variado contorno social, se unen sin embargo en esa concepción del narrador, algo que parece haberse convertido en su idea fija. Siempre hay algún personaje, no importa si joven o viejo, si ingenuo o fogueado, si hombre o mujer, que se enfrenta de pronto a un espejismo y se dirige pertinazmente hacia esa imagen que parece realidad; siempre ese alguien acaba por derrumbarse en la insatisfacción o en el cinismo o en el suicidio o en la corrupción.

En «Las dos Elenas», una de ellas, de ojos verdes y piel dorada, opina ante Víctor, su marido, que «una mujer puede vivir con dos hombres para complementarse» y enarbola tan convincentemente su lema que acaba por convencerse de otro axioma: los hombres «tienen razón de ser misóginos». Un espejismo, claro; la realidad es la ignorada Elena número dos (un complemento ¿no?), de ojos negros y carne blanca, que espera a Víctor en su cama tibia. En «La muñeca reina», a partir de un garabato de Amilamia, niña deliciosa de un lejano parque, el narrador alimenta fervorosamente una nostalgia y concibe con delectación el cuadro de un reencuentro. El cuento (notable en sus gradaciones de estilo, en sus descripciones casi barrocas) ya había sido publicado en Montevideo por el semanario *Marcha*, de modo que no traiciono ninguna expectativa si recuerdo la final y atroz comparecencia de la jorobadita pintarrajeada y fumadora, muequeante y desolada, ese «engendro del demonio» en que ha venido a parar la Amilamia del espejismo ingenuo. En «Fortuna lo que ha querido» (sin duda, el menos logrado de los siete relatos), un pintor, rodeado siempre de mujeres estúpidas, o frívolas, o inconscientes, que lo «protegen del amor», llega a la conclusión de que «el mundo exterior y el mundo de la obra de arte son iguales» y también de que «la obra es la realidad, no su símbolo, su expresión o su significado». Pero aparece Joyce, una espléndida mujer ajena, a cuyo contacto él se transfigura y quizá vislumbra, paradójicamente, que su fanática inclinación a la realidad era una trampa conceptual, un espejismo en fin. Pero no tiene valor para enfrentar el símbolo, la expresión, el significado, y se lanza tristemente (un crítico defenderá su pintura textualísima denominándola *sacralización de lo baladí*) hacia esa falsa presencia de lo real.

En «Vieja moralidad», Alberto, un muchachito de trece años, que es a la vez el narrador en primera persona, huérfano de padre y madre, es arrancado —por unas tías solteronas y beatas y mediante una orden judicial— de la pecaminosa cercanía de su abuelo, que vive «amancebado» con una mujer joven. El chico pasa a vivir con la tía Benedicta. La inocencia de Alberto había sobrevivido a la vecindad del pecado ostensible, pero ahora sucumbe al espejismo llamado moralidad, o sea frente a los hipócritas manejos de la señorita Benedicta, para cuyas represiones será Alberto el adecuado instrumento de soltura. En «El costo de la vida», un maestro que consigue un trabajo extra como peón de taxi, cede blandamente al rumbo que le marcan las circunstancias (una muchacha que contonea sus caderas, un colega que va a una imprenta) y sucumbe sin gloria, sin razones heroicas, sin complicidades resueltas, sin consciente sacrificio. No hay martirio; sólo la muerte estúpida. Es el espejismo de lo trivial, esa tentación de lo insustancial que a veces puede incluir, como en este caso, algo más trágico o más profundo. «Un alma pura» propone, a través del epígrafe de Raymond Radiguet, que «las maniobras inconscientes de un alma pura son aún más singulares que las combinaciones del vicio». Este relato, probablemente el mejor de los siete (su *tempo* narrativo es de una perfección casi diabólica), es tal vez el más ambiguo, el que más campo deja al aporte imaginativo del lector. A medio camino entre la extrema pureza y el incesto, la atracción que une (y separa) a Juan Luis y Claudia, hace que el primero busque desesperadamente el espejismo, en este caso la sucedánea de su hermana, la suplente irremisiblemente condenada. Juan Luis, que ha huido de México y también de algo más, se instala en Suiza, ve cómo el lago refleja los Alpes, transformándolos en una vasta catedral sumergida, y le escribe a Claudia que una y otra vez se arroja al agua para bucear en busca de las montañas. Pero aparece Claire, y Juan Luis cree reencontrar a Claudia, y se sumerge en ella, bucea en ella en busca de su hermana. Pero detrás de la ilusión óptica está la desolación, está la muerte. Por último, en «A la víbora de la mar», una cuarentona ya resignada a la soledad, cree de pronto descubrir el amor, un Amor con tierna correspondencia, con romántico impulso y con mayúscula, pero en verdad sucumbe a una doble, inesperada estafa.

¿Estará más cerca de lo *universal* este Fuentes de los cuentos que sólo excepcionalmente pone el acento en algún rasgo inocultablemente mexicano, estará más cerca que aquel otro de las novelas, donde el país era algo así como una abierta herida, una obsesión candente? Es cierto que para un lector no mexicano este lenguaje más depurado y menos regional, incluye también menos zonas esotéricas. Sin embargo, México sigue tan presente como siempre. Frente a los mejores de estos relatos («La muñeca reina», «Vieja moralidad», «Un alma pura», «A la víbora de la mar»), uno descubre retroactivamente que en sus novelas (especialmente en *La región más transparente* y *La muerte de Artemio Cruz*) el narrador se había descargado tumultuosamente del pesado fardo de sus preocupaciones, de sus rabias, de sus ímpetus. Ahora, después de aquel explicable turbión, la atmósfera está más limpia, y el convaleciente narrador parece aproximarse a su mejor sustancia.

Conviene advertir que en este libro no hay concesiones, ni evasión, no cómodo cinismo. Y, por supuesto, la nueva serenidad no es mansa. Tengo la impresión de que Fuentes llega a estos siete espejismos después de haber mirado largamente el estado actual de la revolución de Madero, esa *fata Morgana* de su México de tremendos contrastes. Tanto ese *leitmotiv* como cada una de sus siete variantes, pueden ser *universales* en su actual expresión artística, pero es evidente que han sido dolorosamente aprendidos por Fuentes en su alrededor. La lección de la ingenuidad contrahecha, el tufo del falluto puritanismo político, la extraviante ruta de lo baladí, la consecuencia trágica del autoengaño, son las corrientes subterráneas que convierten en diagnosis mexicana esta verbena de la ilusión óptica. Que cada una de esas corrientes pueda ser seguramente refrendada por otras fieles memorias de éste u otros continentes, no impide comprobar que el regusto de la amarga búsqueda sea legítimamente mexicano.

Cantar de ciegos, proclama el título. Pero el único ciego, Macario, que aparece en el libro allá por la página 102, es apenas un bromista que sabe poner los ojos en blanco. O sea, no sólo el espejismo es una imagen falsa; también es falsa la ceguera. Los que parecen no ver, sólo simulan. Fuentes, que a lo largo del libro emplea su escalpelo en disecciones varias, desde el chispeante esnobismo (dice la primera Elena: «Ah, y el miércoles toca Miles Davies en Bellas Artes. Es un poco passé, pero de todos modos me alborota el hormonamen. Compra boletos. Chao, amor») hasta el viejo clasicismo vernáculo (dice la veterana Isabel, candidata al desengaño: «Una vez me puse mala y la criada que teníamos se atrevió a acariciarme la frente para ver si tenía fiebre. Sentí un asco horrible. Además tienen hijos sin saber quién fue el papá. Cosas así. Me enferman, de veras»), tal vez quiera que su libro contenga siete alertas contra la hipocresía, contra lo espurio, contra la falsificación. Después de los estallidos novelescos que precedieron a este *Cantar de ciegos*, quizá la calma actual venga de un progresivo y tenso desaliento, e incluya una honda preocupación por el destino de su país, de su mundo, de su tiempo.

(1965)

Paco Urondo, constructor de optimismos

Quienes conocimos de cerca a Francisco Urondo sufrimos en una doble dimensión la abrupta noticia de su muerte en combate. Una, prioritaria, ligada a los sentimientos, ya que Paco era un tipo particularmente querible. Y otra, subsidiaria de aquélla pero no menos honda: la resistencia a admitir el hecho, casi la imposibilidad de imaginar a Paco para siempre inmóvil, ya que era un ser excepcionalmente vital, de esos que uno pudo creer vacunados contra la muerte.

A veces pasábamos años sin vernos, pero encontrarnos era reanudar un largo diálogo, siempre coloreado por su innata alegría, por su inventiva verbal, por sus maduras certidumbres. Así nos cruzamos en Montevideo, en Buenos Aires, en La Habana, en París, en Argel. Precisamente en esta última y luminosa ciudad —donde fuimos invitados como observadores al Primer Festival Panafricano de Cultura, en julio de

1969— tuvimos ocasión de hablar largo y tendido, ya fuera entre discurso y discurso de los delegados al Simposio, o recorriendo los quebrados callejones de la vieja Kashba. Recuerdo, por ejemplo, cuánto discurrimos en un café de la célebre plaza del Emir Abdel Kader, a la vista de una muchacha, linda y árabe, que subió a un taxi y prestamente se desprendió del velo y de todo el atuendo tradicional como de una cáscara inservible para quedar a disposición del futuro en ahorrativa minifalda.

La última vez que lo vi fue en Buenos Aires, a fines de 1974: desde la plaza del Emir Abdel Kader hasta la Diagonal Norte habían pasado cinco arduos años, durante los cuales su coherente e indeclinable militancia lo llevó a correr diversas suertes, que en definitiva eran una sola: clandestinidad, cárcel, amnistía, fugaz legalidad, nueva etapa clandestina. De aquel casual encuentro, recuerdo que me impresionaron su madurez, su serenidad, la firmeza de su convicción, el realismo de sus pronósticos. No obstante, bajo aquel nuevo, lúcido y responsable dirigente político, volví a encontrar al muchacho de siempre, alegre y cálido, ocurrente y vital. En él la risa era algo así como su identidad. Siempre pensé que Paco, cuando debía llevar una vida ilegal, no tenía más remedio que ponerse serio, ya que en él reírse era decir su nombre.

Creo que en ninguno de nuestros encuentros hablamos de poesía, aunque cada uno sabía lo que estaba haciendo el otro y éramos conscientes de más de una afinidad; pero cuando conversábamos los temas eran la política, Cuba, el Che, la encrucijada hacia la que iban nuestro países, y, en momentos más laxos, el tango, el fútbol, los vericuetos del amor, tema éste último que lo fascinaba y al que se refería —no había términos medios— en masticados monosílabos o en prolongadas confesiones.

La estimulante y afectiva experiencia de releer ahora, de un tirón, toda la poesía (publicada) de Paco, es llegar a conclusiones que no distan demasiado de aquellas intermitentes compulsas. Desde *Historia antigua* (1956) hasta los últimos poemas publicados en la revista *Crisis* (1974), hay una circulación interna que tiene que ver fundamentalmente con su alegría de vivir. En su poesía Paco nunca se enmascaró, tampoco se emboscó en la vanidad, ese talón de Aquiles del artista; jamás se permitió mentiras piadosas, ni siquiera consigo mismo. Sus veinte años de poesía son un testamento de sinceridad, de fructuosa búsqueda de su (y de la) verdad, pero son además una indagación sin petulancia, sin soberbia, con la modestia que da el orgullo, con el candor que brinda la certeza. Para las lavanderías de cerebro que quieren hacernos creer que un revolucionario es un delincuente, un asesino, un desalmado, Paco es la más rotunda desmentida: nadie más generoso, más honesto, más *almado*.

En esos primeros —y ya firmes— pasos, empieza siendo un testigo de la naturaleza, pero un testigo que apenas roza las cosas y los prójimos con las palabras, y deliberadamente mezcla lo general con lo particular: «La hormiga pasea alrededor de la gorda naranja. La naranja es dorada, jugosa, correntina, y el camino infinito» («La hormiga»); «Volarán los pájaros silvestres, las islas vencerán a las palabras: el silencio sagrado sobre el mundo» («Ojos grandes, serenos»); «Ella se salva y crece sobre mis fisuras, sobre la piel que se ha secado, sobre el tambor que suena lejos. / Ella también será el primer amor para alguien» («Hija»). Ya desde entonces se consagra a la ardua empresa de fundar su optimismo. Por lo pronto, en el «Bar "La Calesita"» se siente «ferozmente feliz». En «El ocaso de los dioses», y en un contexto de soledad y abandono, alza sin embargo su voz jocunda: «Dueños del incendio, de la bondad del crepúsculo, de nuestro hacer, de nuestra música, del único amor incoherente; soberanos de esa calle donde los tactos y la imprecisión hicieron su universo». Es casi un optimismo a pesar suyo: todos los datos del mundo circundante apuntalan entonces una frustránea sordidez, parecen conducir inexorablemente a la derrota.

Sin embargo, el poeta es un optimista, pero no un iluso; quizá por eso decide generar nuevos datos, nuevas referencias que concurran a sostener su optimismo. Después de todo, la producción de nuevos datos también se llama militancia. Paso a paso, poema a poema, riesgo a riesgo, este poeta construye su optimismo, que nunca es un delirio triunfalista sino la justificada esperanza que acompaña su proceso ideológico. Y en ese desarrollo todo sirve, todo concurre al esfuerzo colectivo, comunitario. En consecuencia, no hay que descuidar ni un solo detalle: «Se ha perdido otra chispa, no podremos inventar el fuego» («La última cena»). La chispa es comunicación, persuasión ideológica, conciencias reclutadas para la verdad. La chispa hace la llama; la llama hace la hoguera. Si perdemos una chispa tras otra, no podremos inventar el fuego ni la revolución. Los poemas de Paco, aunque de aplomado lirismo, y por tanto de una consciente carga subjetiva, no se desconectan del prójimo, del contorno, del mundo. Hasta en las crisis de soledad, el prójimo comparece con su ausencia («Hay niños en soledad, manos que no asirán, ojos inocentes que pueden descubrir el escándalo. Veo sus gritos en la noche») y si el poeta lo detecta es porque lo sigue teniendo en cuenta, lo sigue necesitando. Ello se nota especialmente cuando echa de menos, no a *una* mujer sino a *la* mujer genérica, universal antes de ser privada: «Digo, frente al sol de abril, sobre esta baldosa calcinada, sin mujer, sin caricia circundante, hepáticamente embotado, sonriendo por traición, sin pasajes, sin ganas, con sangre, con pulso irregular: caramba, caramba» («A saudade mata a gente»).

Lugares (libro publicado en 1961, aunque escrito en 1956-57) arranca con una nueva arista en la lenta construcción del optimismo: «Vida linda y fuerte / ésta / / vida grande / difícil de vivir» («Garza mora»). Esta intersección de dos planos: *linda y fuerte*, pero también de otros dos: *grande y difícil*, muestran algo importante: aun en esa fecha temprana, está saliendo del confinamiento individualista para acceder a la realidad que —no tan compulsivamente como la de su última etapa, pero desde ya imperiosa y urgente— lo rodea y lo alude. Y también comienza a preocuparle otra tarea, casi diría otra misión: que el pueblo que él integra tome conciencia de esa realidad. Indirecta pero claramente, dice en «El sueño de los justos»: «Todos duermen / / alguien / pasa y mira / el lugar / donde duermen / / andan / entre el sueño / y el alba». Y si en uno de sus *Breves* (1959) comprueba que «un fantasma recorre la tarde... / / un fantasma / una voluntad // una esperanza / de ser limpiamente libres / como las hojas al relente», luego, en los dos últimos de la primera serie, palpa asimismo el otro y dificultoso plano de la arista: «hay que pasar la noche / tocar la oscuridad». Sólo tocando la oscuridad, aprehendiéndola y aprendiendo, se adquirirán los «nuevos ojos para mirar / estas cosas // leña para el invierno // pajaritos».

Manera tan peculiar, de emoción envolvente, de imagen límpida; alerta sensibilidad que nunca pierde la cabeza; una y otra estarán presentes en todo el curriculum poético de Paco, aun en sus últimos tramos, tan candentes y urgidos. Años después de ese compromiso que es apenas el escorzo de una relación destinada a ser verosímilmente trágica, el poeta termina así «Por soledades», poema esclarecedor que en su veintena de versos recorre puntualmente el proceso lastimero de algunos sectores populares que caen en las trampas sutiles del enemigo, y se difaman, y persiguen quimeras, y marginan la penosa esperanza:

Y ésta es la triste historia de los pueblos derrotados, de las familias envilecidas, de las organizaciones inútiles, de los hombres solitarios, la llama que se consume sin el viento, los aires que soplan sin amor, los amores que se marchitan sobre la memoria del amor o sus fatuas presunciones.

O sea que en el tiempo la convicción del poeta se ha fortalecido, la ideología ha madurado, el diagnóstico ha aprendido rigor; por otra parte no ha decrecido la economía formal, la autoexigencia artística, la necesidad de que el poema político sea ante todo *poema* para llegar a ser cabalmente *político*. Lo cierto es que Paco, aun en las jornadas de más arriscado vaivén, nunca dejó de ser un intelectual, en el mejor sentido de la palabra y del oficio; por el contrario, dignificó esa condición, la limpió de adherencias, clarificó sus normas y también la defendió de prejuicios deformantes e injustos.

Ahora que ningún prejuicioso, con la muerte de Paco en la mano, se atrevería a desconfiar de su siempre disponible valentía, cobran mayor significación y fuerza ejemplar las palabras que escribiera a fines de 1974, en la revista *Crisis* (Núm. 17, pág. 37):

Los problemas ideológicos impuestos a todo el mundo por la clase dominante se patentizan con más ahínco en los intelectuales y artistas. Tal vez por esto, ellos presentan una característica singular: generalmente —con razón o sin razones—, aunque haya entre ellos buenos y malos, son tratados como si fueran siempre malos. Suscitan una desconfianza a priori, un prejuicio. Y esto es malo, porque los prejuicios empujan, quitan espacio, alientan debilidades, sectarizan y terminan convirtiendo al destinatario de esa subjetividad, en algo bastante parecido a lo que el prejuicio anunciaba. Y no se trata de que el prejuicio venga a ser algo así como una presunción. Más que profetizar el prejuicio prefigura... No llenemos de piedras el camino. Es necesaria la presencia de los intelectuales en las organizaciones populares. Son importantes para el cuerpo global de la sociedad y para la clase que debe homogeneizar el proceso revolucionario. Habrá que combatir las deformaciones ideológicas, pero no con prejuicios, sino con realidades. Cuando existe una apelación al prejuicio es porque no hay buenas razones, y los revolucionarios deben tener buenas razones.

Si se considera que este autor es uno de por lo menos treinta poetas que en América Latina han pagado con sus vidas su militancia revolucionaria (amén de escritores de otros géneros, y de los poetas presos, torturados, secuestrados y desaparecidos, que no son pocos, y por supuesto de los que afortunadamente siguen aún generando poesía y militancia, que son más aún) tomar en cuenta el sereno llamado a la reflexión que, desde su máximo nivel de compromiso, hacía Paco en aquellas páginas de 1974, sería sin duda un buen homenaje que los revolucionarios de América Latina podrían consagrar a un poeta que murió combatiendo.

Pero volvamos a su poesía, sin olvidar, claro está, la cálida y constante inserción en su medio. A partir de *Nombres* (libro publicado en 1963, aunque escrito en 1956-59), la objetividad pasa a ser una hazaña. Un temperamento de rica afectividad, como el de Paco, debe haberse impuesto conscientemente una precisión y un difícil rigor como deliberado distanciamiento frente a sus temas, en los cuales es creíble que casi siempre estuviera inmerso. Quizá ese distanciamiento le habría sido más fácil si hubiera seguido la línea de los llamados *invencionistas* (poetas argentinos de las generaciones del 40 y del 50, liderados por Edgar Bayley) que, aun con variantes, eligieron el rumbo del arte puro, pero Urondo —como Juan Gelman, sin duda el más cercano a su poesía y a su actitud, y en algún sentido también como el César Fernández Moreno de *Argentino hasta la muerte*— elige un rumbo existencial: allí el mundo privado y el contorno mantienen una relación osmótica, y es la propia poesía la que oficia de tabique poroso, intercomunicante.

Si en la poética de Urondo, tal como ha sido destacado por Horacio Jorge Becco[1], confluyen «la experiencia formal que tiene en Oliverio Girondo uno de sus hitos más importantes y otra de un decantado lirismo que, a partir de Juan L. Ortiz, señala la posibilidad lírica sin aditamentos alegóricos», eso es cierto sobre todo en las primeras etapas de esa trayectoria. A partir de *Nombres* y sobre todo de *El otro lado* (publicado en 1967, pero escrito en 1960-65) y *Adolecer* (publicado en 1968; escrito en 1965-67), la poesía de Paco rompe el envase imaginero de Girondo y se vuelve mucho más comunicativa y depurada que la de Juan L. Ortiz, acercándose poco a poco (después de establecer puentes con Baldomero Fernández Moreno y Raúl González Tuñón) a la familia latinoamericana de poetas coloquiales o conversacionales, que incluye a Roque Dalton, Jorge Enrique Adoum, Roberto Fernández Retamar, Ernesto Cardenal, y por supuesto a sus compatriotas Juan Gelman y César Fernández Moreno.

La objetividad significa entonces una hazaña, porque Urondo se mete (no podía no hacerlo) con temas insoslayablemente porteños que arrastran una blanda retórica y una tradición de subjetivismo, difíciles de arrojar por la borda. Di-

---

[1] En *Enciclopedia de la literatura argentina*, dirigida por Pedro Orgambide y Roberto Yahni, Buenos Aires, Editorial Sudamericana, 1970, pág. 607-608.

gamos, por ejemplo: el tango. Me consta que Paco fue siempre un hedonista del tango, pero quizá por eso no quiso escribir poemas a su imagen y semejanza. La filosofía tanguera, con su pesimismo y su ritual melancolía, es a menudo un telón de fondo en esos poemas, sobre todo en los de amor y desamor. Pero justamente en ellos, Paco ha refinado su instrumento, decantado su voz, acentuado su autocrítica, a fin de que el ámbito tanguero asome corregido y sin afectación, expurgado de melindres, con los ojos abiertos y duchos. Es posible que sus poemas amorosos sean tangos, o su equivalente literario, pero en todo caso serán tangos lúcidos, descarnados. Creo que «Y ella me amaba» puede ser un adecuado botón de muestra:

ha tenido el resplandor del tiempo
que en ese momento podía pertenecerle

ha visto el rencor y el fracaso

pero nunca la factura o la forma
de ese tiempo que ahora sí le toca vivir
—no hay piedad para quien vive acumulando sus sueños
para quien resiste ante su memoria—

puede olvidar un sabor amargo o lejano
los sueños de entonces
la luz que cae con el día perdido
con esa sombra que lastima y a nadie pertenece

La cursilería no tiene cabida en esos once versos, que sin embargo, podrían ser una provincia del tango. «No hay piedad» dice el texto, y esas tres palabras establecen la necesaria distancia, entre otras cosas porque el tango tradicional es un cruce de piedades. Y por fin, ese último verso, «con esa sombra que lastima y a nadie pertenece», es de alguna manera un veredicto, una prudente condena, expresada con sobriedad y con firmeza, como quien propina un regaño a un ser querido.

En «Carta abierta», que además de excelente poema es casi

un tango-ensayo-biografía, el lector halla de pronto unos versos de estricto cuño tanguero: «nunca / podré perdonarte el daño que me has hecho», pero enseguida el texto agrega: «que has dejado hacer», dándole así una dimensión poética y hasta psicológica que excede y transforma la morbidez primera, para luego redondear el juicio: «aquello que nunca llegaste a conformar: una sombra merodeando / cada fisura, buscando deslizarse y tomar vida y permanecer». El tango es entonces iluminado por la poesía, y el deslinde se justifica en el verso que sigue: «Ya dije que no era esto una confesión, sino un ajuste, una memoria».

Años después escribe los *Poemas póstumos* (1970-1972) y en el titulado (imposible ser más tanguero) «Adioses», hace un inventario, entre nostalgioso y mordaz, de muertes varias (Oliverio, lugartenientes, gladiadores anónimos, Emilio, un corrector del diario, Beatriz, un bravo capoerista, Celia, Moisés Lebensohn, la tía Teodolinda, etc.), y en medio de ese matizado repertorio, suelta un dato confidencial: «Murió mi eternidad, pero nadie se ha dispuesto a velarla.» Ahí el tango se vuelve constancia autobiográfica, porque, claro, es su transformación ideológica la que ultima a la pobre eternidad.

En *La realidad y los papeles*, César Fernández Moreno cuenta que en una de las reuniones orales de la revista *Zona* (en cuya dirección figuraron Urondo y el propio Fernández Moreno) al reivindicar el uso del lenguaje popular, el voseo y el lunfardo, se admitió: «Preferimos el manoseo a la solemnidad.»[2] Nadie más lejos que Urondo de la solemnidad, pero justo es reconocer que nunca cayó en el manoseo, casi sinónimo de populismo. Si alguien tuvo bien claro que el populismo no era un camino revolucionario, ése fue Paco. Su lenguaje poético es probablemente uno de los más claros de la generación del 50 (aun el notable Gelman tiene zonas de ardua comprensión). Y semejante claridad no vino por azar, sino que figura en sus propósitos, en su intención primaria. Cuan-

---

[2] *La realidad y los papeles*, Madrid, Aguilar S. A. de Ediciones, 1967, pág. 402.

do se trata de formular algunas ideas sobre la poesía, responde en el primer número de *Zona* (1963):

Hablar de poesía es una tentación. A lo mejor, una necesidad. De todas formas, confieso que para mí no es tarea fácil explicar sistemáticamente la manera en que se forma: cómo acuden a vincularse y a construir una entidad nueva la lucidez, la memoria y los sueños. Cómo esta entidad desencadena un nuevo tipo de experiencia humana tan diferente de otras. Y, además de las contingencias de la creación y de los sucesos que provocan el hecho creador, está la vasta materia poética, común a todos los hombres, pero que suele comprometer la intimidad de alguien que a su vez debe seleccionarla para construir inexorablemente un poema, para que esa materia tome forma. También están las palabras, esas tiernas cosas al decir de Sherwood Anderson, las palabras que cambiarán de sentido, según Apollinaire, las palabras tal vez forzadas para decir algo más, pero también para nombrar permanentemente los mismos conflictos a través del tiempo o de los nuevos conflictos que el tiempo impone; las palabras exigidas en el poema para donar una riqueza más al lenguaje, a la comunicación más completa y profunda de los hombres.

La comunicación más completa y profunda de los hombres: preocupación que siempre fue cardinal en la poesía de Urondo. Y su proeza es mayor porque su lenguaje sencillo y claro no conspiró contra la profundidad, ni viceversa. El, que como ser humano dio la máxima prueba de heroísmo, nunca hizo gárgaras con el coraje; más bien trató de calar hondo en el miedo legítimo, inexorable. Desde uno de sus incanjeables poemas de amor («Sonia») en que confiesa: «Querida mía: tengo miedo de sufrir. Mejor dicho: no quiero / que se den cuenta», hasta en «Del otro lado» donde acepta: «no sabemos qué hacer con el miedo.» Sabemos que está pensando en sí mismo cuando dice de su abuela española: «pero ella tenía miedo y creía en su miedo» («Los nietos y sus designios»). En *Son memorias* (1965-69) hay un poema, «Acaudalar», donde también comparece el miedo a vencer: «No tengo / vida interior: afuera / está todo lo que amo y todo / lo que acobarda.» Una de las pocas veces, si no la única, en que hace referencia a su propio coraje, se apresura a efectuarle un descuento: «¿Qué será esto de tener coraje y estar inseguro?» («Más o menos»).

Tendrá que aproximarse expuestamente a su desenlace, para citar con sabor propio, con premonición de sacrificio, la frase de Martí: «Osar morir da vida», y agrega:

Cuando se considera la vida una propiedad privada, sólo el heroísmo, con su carga de posteridad o, en el mejor de los casos, de búsqueda de inmortalidad, permite la osadía de ponerla en riesgo. Pero el sentido de la osadía que propone Martí no es individualista, sino que responde a una concepción ideológicamente más generosa. Porque la vida no es una propiedad privada, sino el producto del esfuerzo de muchos. Así la muerte es algo que uno no solamente no define, que no sólo no define el enemigo ni el azar, que tampoco puede ponerse en juego por una determinación privada, ya que no se tiene derecho sobre ella: es el pueblo, una vez más, quien determina la suerte de la vida y de la muerte de sus hijos. Y la osadía de morir, de dar, y, consecuentemente, ganar esa vida, es un derecho que debe obtenerse inexcusablemente[3].

Pocas veces una decisión suprema ha sido dicha con tanta austeridad, con tan poco escándalo. De ahora en adelante, cuando se diga que el poeta no debe escribir *para* sino *desde* el pueblo, será inevitable pensar en Francisco Urondo. No es fácil encontrar en la actual poesía latinoamericana voces que ensamblen tan exactamente con esa acepción. Por eso escapará siempre al populismo: porque al populismo apelan quienes residen fuera del pueblo. Y Paco, en cambio, siempre fue pueblo. Quizá por eso tuvo un candor muy particular para decir su malicia; quizá por eso fue un especialista en lo que alguna vez calificó de «implacable bondad». Sus libros, como sus actitudes, siempre fueron formas y métodos de reclutamiento para su profesión de fundada alegría. La tristeza ajena le era tan insoportable como la propia, y era inconfundible su forma de dar consuelo y ánimo con los labios casi cerrados, como si sus palabras sintieran el recato de ser bálsamo, o como si no tomara en serio su rara capacidad de confortación. No sólo

---

[3] En *Crisis*, Buenos Aires, núm. 17, septiembre de 1974, pág. 37.

fue un constructor de su propio optimismo sino que ayudó a construir los optimismos del prójimo.

Fue un testigo participante, un conjurador de soledades, incluida la propia, claro, pero nunca excluida la del semejante, la del compañero. Su concepción del amor fue una búsqueda, y su apuesta estuvo siempre a favor de la felicidad y no de la ruptura, o la frustración. Sus poemas están llenos de referencias a amores del pasado, pero es fácil intuir en ellos que nunca dejaba de amar, ya que una y otra vez volvía a barajar ese sistema de seducciones recíprocas que forjan un amor, a veces en largos años, y otras, en un parpadeo. Aun en un poema tan sufrido como «Carta abierta», quizá el punto más alto de esta obra singular; aun en ese poema donde un transido verso: «Querida mía: soy un hombre que te pierde», incluye una transparente ansiedad, sólo comparable a la del célebre «Francisca Sánchez, acompáña-me!»; aun en ese poema de un desamor perpetrado en incontables alarmas y desencuentros, aun así, el poeta abre la carta como una puerta, como un modesto vaticinio: «Así, esta carta puede ser muy bien una despedida / o una invitación para que abras ese calor que he conocido / a tu lado; esa promesa; ese amago.»

Su optimismo era incurable, pues: «Nada hay más hermoso que vivir, aunque sea perdiendo» («Los gatos»). Y tenía razón. Quede el pesimismo para los esclavos de su propia pesadilla, para los que sobrevuelan como buitres su catástrofe privada. Sólo quien alcance un colmo de optimismo, tendrá fuerzas para ofrendar la vida. Seguramente habrá quien halle absurdo hablar de realizado optimismo en relación con alguien que cayó en la lucha y por consiguiente no llegó a la victoria, pero Paco (y ahí están sus textos para refrendarlo) jamás hizo cálculos en términos personales, egoístas, sino en dimensión revolucionaria, en espacio de historia. Y es ahí que tenía, y sigue teniendo, razón.

Y la historia de la alegría no será
privativa, sino de toda la pendencia
de la tierra y su aire, su espalda y su perfil,
su tos y su risa. Ya no soy

203

de aquí; apenas me siento una memoria
de paso. Mi confianza se apoya en el profundo desprecio
por este mundo desgraciado. Le daré
la vida para que nada siga como está.

La dio el 17 de junio de 1976. Y con esa suprema muestra
de confianza en su pueblo, de certeza en el cambio, de apuesta a la justicia, puso el último y costoso ladrillo en la pirámide de su optimismo revolucionario.

(1977)

Fernández Retamar: poesía desde el cráter

Si aun en los mercados mejor organizados y más aptos para el consumo del producto literario, la poesía es un género de escasos lectores, en América Latina suele ser, además, un género de circulación poco menos que clandestina. Salvadas las excepciones de un Pablo Neruda, un Nicolás Guillén o un Octavio Paz (para nombrar tres poetas vivos), es improbable que un libro de poemas se reedite. Hoy en día, ya es bastante difícil encontrar en Santiago un ejemplar de *Cancionero sin nombre*, de Nicanor Parra; o en México, uno de *Horal*, de Jaime Sabines; o en Buenos Aires, uno de *Violín y otras cuestiones*, de Juan Gelman. Pero juntarse con cualquiera de esos títulos en otro país que no sea el del poeta respectivo, es algo sencillamente imposible. Ello impide, no sólo al lector, sino también al crítico, llegar a calibrar por sí mismos la obra total de un determinado autor. Si bien ello se remedia a veces con las antologías, lo cierto es que la estatura humana de un poeta no sólo se forma con sus momentos cumbres, sino también con sus desfallecimientos, sus vacilaciones, sus corazonadas, sus fracasos. Como lector, siempre me ha apasionado buscar el verdadero rostro del escritor, y éste sólo es reconocible en las obras completas, no en las antologías, que por lo general son una serie de instantáneas selectas, y en consecuencia proporcionan un enfoque algo rígido o artificial de aquel rostro verdadero. (¿Qué antología podría dar la calidad humana que trasmiten las *Poesías completas* de Antonio Machado?)

Por eso me parece que la reciente aparición de *Poesía reunida* (que incluye ocho libros, escritos entre 1948 y 1965), del cubano Roberto Fernández Retamar, tiene sobre todo el valor de proporcionarnos la imagen íntegra del poeta. Por supuesto que las trescientas y tantas páginas del volumen incluyen poemas menores, temas desperdiciados, callejones sin salida, pero ellos también se inscriben en la trayectoria total, y, en el peor de los casos, cumplen una función de contraste o de relieve. En unas palabras liminares, el autor habla de «la verdad de experiencia, el latido humano, que son lo único que desde el principio quise dar». Pues bien, esa verdad de experiencia, ese latido humano, están presentes en el libro de la primera a la última página.

Roberto Fernández Retamar nació en La Habana, en 1930. Profesor, traductor, poeta, crítico, ensayista, Fernández Retamar es una de las personalidades más dinámicas e irradiantes de la Cuba revolucionaria, y bajo su dirección la revista *Casa de las Américas* se ha convertido en la mejor publicación periódica que producen las letras de habla hispana. A diferencia de tantos escritores latinoamericanos, militantes de izquierda, que se imponen un mensaje político (seguramente compartible) y avanzan con él sin importarles que su ruta no pase por el arte, Fernández Retamar, que muchas veces se introduce en el coto político, es consciente de que, para asumir tan arduo compromiso, debe partir de una previa validez poética. En la segunda mitad del volumen, que es donde mejor se reconoce esa actitud, figuran poemas como «El otro», «Con las mismas manos», y sobre todo ese notable «Usted tenía razón, Tallet; somos hombres de transición», tres demostraciones de que la lección de Vallejo y de Neruda (ambos han escrito poemas políticos que valen como poesía y como política) no ha sido desperdiciada.

Fernández Retamar es uno de esos hombres de transición que se levantan «entre una clase a la que no pertenecimos, porque no podíamos ir a sus colegios ni llegamos a creer en sus dioses» «y otra clase en la cual pedimos un lugar, pero no tenemos del todo sus memorias ni tenemos del todo las mismas humillaciones»; «entre creer un montón de cosas, de la tierra, del cielo y del infierno, / y no creer absolutamente nada, ni siquiera que el incrédulo exista de veras». Aunque sólo en el penúltimo poema del libro Fernández Retamar encuentra el más certero modo poético de expresar su actitud, es indudable que mucho del atractivo de esta *Poesía reunida* viene de la franqueza, a la vez humilde y orgullosa, a la vez convicta y desconcertada, con que el poeta asume, en nombre de una insegura promoción, de una clase alarmada, su inconfortable función transitiva, su condición de inestable, casi improvisado puente entre dos épocas pugnantes, hostiles.

Aunque en la obra de Fernández Retamar hay sólo dos poemas que llevan el título «Arte poética», en realidad son varias las *artes poéticas* distribuidas a lo largo y a lo ancho de su itinerario creador. En algunas de esas aproximaciones a la razón de su trabajo, Fernández Retamar ironiza a expensas de sí mismo. Por ejemplo, en «Explicación»:

Siempre quise escribir un poema
Tan breve
Como aquel de Machado:
«Hoy es siempre todavía»;
O incluso
Como aquel de Ungaretti:
«M'illumino
d'immenso»;
Pero ya ven:
Me pierdo en explicaciones.

Hay otro poema de la misma época, «En el fondo de ese pomo de tinta», donde el arte poética se transforma en tierna y burlona clase práctica, al enumerar todas las posibilidades literarias («hay el final de un ensayo / sobre crítica y revolución»), nostálgicas («Y la ternura que quise decir y no encontré, una tarde, hace casi veinte años, en Santa Fe») o meramente rutinarias («Hay muchas veces el absurdo garabato de mi firma») que aguardan en el fondo del pomo de tinta, pero el final es un pedido de disculpas al lector, un guiño cómplice: «Y hay también estoy seguro de eso / una manera mejor de terminar este poema». Pero es precisamente en el poema titulado «Arte poética» donde Fernández Retamar maneja mejor el lado humorístico de los estados de ánimo, la inoportunidad de estar en vena.

Sin embargo, el lector tiene la impresión de que no es en esos chispazos donde el poeta realmente se confiesa. El humor es allí una socapa, una tregua de la permanente indagación. La verdadera cuenta hay que sacarla en los enfoques serios, decididos, como el que consta en «Por otro rey»:

Largos, infinitos poemas vienen: yo los rechazo;
Vuelven como en oleadas insistentes, en paños,
En aguas vastas y golpeantes: yo los empujo
Contra su propio fragor, yo los hundo
Unos en otros; regresan otra vez, van a los ojos,
Van al rostro, buscan la boca, el cuerpo:
Yo los resisto, los alejo, vuelven, siempre vuelven.
Multitud espesa de letras
Está ya en marcha, y es inútil el rechazo.

Esto es poco menos que una mecánica de los procederes poéticos. Ese empujar los poemas contra su propio fragor, ese hundirlos unos en otros, explica en cierto modo la recurrencia de temas, la iteración de algunos tópicos que vuelven con rasgos adicionales, con deformaciones, o complementos, o apéndices, o culminaciones, que les dan un rostro y un sentido diversos, pero que no tienen por qué estorbar al anterior. Más bien lo enriquecen, le otorgan una dimensión nueva. La tesis es que todos los poemas son uno solo, o, tal como se expresa en «El poema de hoy»,

El solo poema que una mano
Traza sin cansarse y alegre
Sobre un papel que vuela vasto,
Y en donde pone cielos,
Astros, ígneas llamadas
Que a la tarde regresarán
A conversar con nosotros.

Sin embargo, donde el poeta aprehende mejor el secreto de su propia creación, es en dos tentativas («Uno escribe un poema»; «La poesía, la piadosa») por cierto muy dispares, tanto en su contexto como en sus propósitos. Una refiere la conmoción reveladora de un instante, el mero enfrentamiento con «un árbol solo con flor rosada»; el poeta se limita a registrar como imposibles la solitaria perfección del árbol y su propia, aislada alegría. «Entonces, / uno escribe un poema». O sea que el poema asciende directamente, sin intermediarios, de una experiencia vital; es un lazo insospechado, una hipóstasis provisional. La segunda tentativa supone a la poesía como apegada torpemente a las cosas «para que se le queden a su lado»:

Hijos que van creciendo y que una noche
Salen cantando, aullando salen, salen
Hacia las imperiosas servidumbres.
Y tras ellos va, fiel, la poesía,
La piadosa, la lenta, recreando
Sus rasgos, su manera de ser ciertos
En aquella mañana de aquel día.

Esa lenta, piadosa, recreadora poesía, asume distintas y sucesivas maneras en los dieciocho años de producción que abarca este volumen recopilador. Desde el comienzo hay ironía y efectistas contrastes verbales. El primer poema incluido («Le digo a mi corazón») empieza así:

¿Acaso crees, corazón,
Que la rosa es el abogado de la espina,
Y que un plantel de excusas se acumula en sus pétalos,
Y una lluvia parada de voces es su tallo?

Pero también hay un excesivo dejarse ir hasta salirse del sentido, hasta estirar (en algunos casos, con desmesura) la metáfora. El entusiasmo retórico (reconocible sobre todo en «Dulce y compacta tierra, isla»), el alarde meramente experimental (por ejemplo, el cultivo de la décima en eneasílabos), no se prolongan más allá del desorden juvenil; incluso podría decirse que el poeta los usa como ocasiones de replegarse y tomar impulso. No obstante, desde los inicios, y sin que ello sea en ese entonces un rasgo determinante, la imagen da repetidas veces en el blanco: «Todos los dedos de que me descuelgo, / todos los ayes tristes de que salgo, / todas las claras letras donde vivo». Luego, a medida que se interne en su tiempo, el poeta irá perfeccionando su siempre bien orquestada imaginería. No sólo los estados de ánimo se vuelven imágenes («pero se cae una risa, un miedo, / una sorpresa, caen, se agigantan / como vasos de plata en la noche»), sino que las cosas, al ser convertidas en imágenes, al ser prestigiadas y sensibilizadas por la mirada del hombre, también esplenden en estados de ánimo y hasta adquieren un dinamismo potencial que es muy característico de este poeta:

Las fornidas ceibas siempre me ha parecido
Que soportaban con magnífica mansedumbre nuestro cielo:
Son poderosas cariátides de severo y puro rostro
Que adelantan una pierna y se detienen y confían.

La humanización de las cosas y de la naturaleza, es, en esta poesía, una forma casi militante de asumir la realidad, ese «vivo río de todo», que preocupa, conmueve, mortifica y complace a Fernández Retamar. Aun en los casos de más recóndita indagación, la realidad está presente como el diapasón que da el tono para el acorde subjetivo, interior. El autor adquiere su rigurosa vigencia cuando se vuelca en los demás; esta poesía de brazos abiertos se corresponde fielmente con el cálido ser humano que es Fernández Retamar, y está bien que así sea. Los amigos lo llaman como temas; son, en verdad, temas. La presente recopilación rebosa de lo que el autor, en una nota explicativa, llama poesía de circunstancias, y que incorpora a su mundo el detalle, la anécdota, la alegoría de la amistad. Sin embargo, no es poesía «de ocasión», en el mal sentido de la palabra. El poeta se dirige a sus amigos como si hablara con una parte de sí mismo: sin énfasis, con recuerdos, con confianza. Algunos de los mejores momentos de esta lectura completa, están, curiosamente, en esos poemas con nombre y apellido. El más hondo y certero me parece el dedicado a Ezequiel Martínez Estrada, con motivo de su muerte. Entremezclada con el afecto y el respeto que le inspira el singular escritor argentino (que vivió en Cuba en la etapa posterior al triunfo de la revolución), hay una severa interrogación del poeta a sus propios temores, a sus propias esperanzas, a sus propios fantasmas:

Si el Universo fuera limitado en sus combinaciones,
Cabría alguna esperanza. Pero no hay ninguna.
Por eso le digo esta especie de adiós,
Asegurándole que en el río de mis azares,
Y en los de muchos como yo,
Hay uno que fue usted,
Y que ésa es la única inmortalidad posible:
Que ya yo no pueda ser como era
Antes de haberlo conocido y querido mucho.
Todo no es más que un soplo:
Usted, yo, el universo, pero
Puesto que ha habido gente como usted,
Es probable, bastante probable,
Que todo esto tenga algún sentido.
Por lo pronto, ya sé: no bajar la cabeza.
Gracias, y adiós.

En los libros anteriores a la revolución, la poesía de Fernández Retamar trasmite una desalentada necesidad de fe; hasta ese advenimiento removedor, el amor es el único sucedáneo. El poeta se lanza al amor con todas sus nociones del mundo, con toda su expectativa vital, con todo su equipaje de palabras. El resultado son algunos poemas tan tersos y tan tiernos como «Esta tarde y su lluvia», «Palacio cotidiano» o «Que ya no son palabras». A esa primera instancia del tema, Fernández Retamar concurre con una clara armonía verbal, con una emoción fresca y decidida, con cierta inocente tenacidad destinada a eclipsar de algún modo el sinsentido del contorno con el generoso sentido del amor.

Entonces llega la revolución, y el acontecimiento sacude, entre otras cosas, la vida familiar y hasta la vida interior de cada cubano. Son palabras (ahora en prosa) del propio Fernández Retamar: «Una revolución no es un paseo por un jardín: es un cataclismo, con desgarramientos hasta el fondo. Pero es sobre todo la deslumbrante posibilidad de "cambiar de vida"»[1]. El poeta siente, como todos, la tremenda conmoción y la registra en su poesía, denominándola significativamente *Vuelta de la antigua esperanza*, y fechando en 1.º de enero de 1959 un breve poema, «El otro», que es uno de los frutos literarios más nobles, más auténticos, de ese repentino acceso a un destino nacional. En rigor, es la dolorosa conciencia de convertirse en imprevisto beneficiario de la tortura ajena, de la agonía ajena, de la muerte ajena. Fernández Retamar transcribe ese sentimiento con ejemplar honestidad, con un lenguaje despojado que reduce la enorme interrogante a sus términos escuetos, perentorios. Creo que vale la pena transcribirlo en su integridad.

Nosotros, los sobrevivientes,
¿A quién debemos la sobrevida?
¿Quién se murió por mí en la ergástula,
Quién recibió la bala mía,
La para mí, en su corazón?
¿Sobre qué muerto estoy yo vivo,
Sus huesos quedando en los míos,
Los ojos que le arrancaron, viendo
Por la mirada de mi cara,
Y la mano que no es su mano,
Que no es ya tampoco la mía,
Escribiendo palabras rotas
Donde él no está, en la sobrevida?

Un elemento que antes había aparecido esporádicamente en la obra de Fernández Retamar, se convierte desde 1959 en un rasgo definidor. Me refiero a la posibilidad francamente comunicativa que en sus más recientes tramos adquiere esta poesía. No se trata de populismo. César López ha señalado que

---

[1] «Hacia una intelectualidad revolucionaria en Cuba», en revista *Casa de las Américas*, Núm. 40, La Habana, enero-febrero de 1967.

«la poesía de Retamar en cuanto comunicativa quiere provocar la duda como vehículo o motor del pensamiento»[2]. Yo podría suscribir esa opinión si me dejaran quitar la palabra quiere; creo que esta poesía provoca la duda como vehículo o motor del pensamiento, pero ello me parece más un movimiento natural que una intención deliberada. Quiero decir que la inserción vital del poeta en los contenidos —mejor todavía que en las formas— de la revolución, hace que su poesía provenga, no de un hombre monolítico sino de un ser complejo; no de un ente empobrecido de fracasos, sino de alguien enriquecido por una nueva y asequible aptitud para problematizar la realidad. El hecho de que en Cuba se haya comprendido (mucho antes que en la mayor parte de los países socialistas europeos) que las dos vanguardias, la política y la estética, no sólo pueden sino que deben «fertilizarse mutuamente»[3], ha contribuido sin duda a ennoblecer la coyuntura artística en ese ámbito revolucionario, y también a depurar el quehacer poético de Fernández Retamar.

Vanguardia no es dificultad gratuita, sino sobre todo subversión frente a actitudes y modelos caducos, perimidos. «Lo coloquial —ha escrito el poeta salvadoreño Roque Dalton—, como modo de expresión perfectamente dominado, esto es, trascendentalmente eficaz en la medida en que la sencillez expresa un contenido rico en complejidades, es otra de las conquistas más de todo el proceso de Poesía reunida»[4]. Ese uso de la sencillez es precisamente, en el mejor sentido de la palabra, subversivo. Para hallar un antecedente de esta actitud, habría quizá que retroceder hasta Antonio Machado, cuya sencillez era (cualquiera de sus fidelísimos lectores puede atestiguarlo) un modo peculiar y eficacísimo de meterse en honduras, y de traernos, desde ellas, sus convicciones más lúcidas

---

[2] «Atisbos en la poesía de Cuba», en *Unión*, revista de la Unión de Escritores y Artistas de Cuba, año IV, Núm. 3, julio-septiembre de 1965, La Habana.

[3] Roberto Fernández Retamar, art. cit. en nota 1.

[4] «Sobre Poesía reunida», en revista *Casa de las Américas*, Núm. 41, La Habana, marzo-abril de 1967.

y conmovedoras. La comunicación, palabra clave de la más reciente poesía de Fernández Retamar, no atañe aquí a llanezas sentimentales, a blandos lugares comunes, a rutinarios comunicados sobre las condiciones climáticas de la propia y zarandeada soledad. La comunicación aquí es abanico de problemas, dignificación del prójimo como interlocutor válido, confrontación revolucionaria de las distintas interpretaciones o formas o actitudes, del ser y el estar revolucionarios.

En el libro *Sí a la Revolución*, que reúne buena parte de los poemas escritos por Fernández Retamar como corolario de esa acción catalizadora, figura además la serie «Un miliciano habla a su miliciana». Con su nueva fe, con su responsabilidad humana por fin recuperada, el poeta vuelve a tomar el tema del amor, y, como si con ello llevara a cabo una operación largamente codiciada, lo inserta en el contexto revolucionario. Son cinco poemas. La antigua armonía, la antigua inocencia, el antiguo irrealismo, han cedido paso a una profunda asunción de la realidad, a una arraigada (aunque recién adquirida) convicción de que el sentido generoso del amor puede en cualquier momento ser barrido por el sinsentido del contorno, si el ser social no toma sus medidas rigurosas, urgentes, implacables. Creo que donde mejor se conjuga el *doble* sentido de esta poesía tan singular, es en el poema «Con las mismas manos», que, al atender a sus dos funciones, convierte a ambas espontáneamente en actos de amor. El poeta lanza una mirada, retrospectiva y madura, a su antigua versión: «¡Qué lejos estábamos de las cosas verdaderas, / amor, qué lejos —como uno de otro!» Las manos actuales se inscriben en una inédita actitud, y a la vez sirven para comunicar la recién adquirida dimensión, el recién adquirido fervor: «No hay momento / en que no piense en ti. / Hoy quizás más, / y mientras ayude a construir esta escuela / con las mismas manos de acariciarte».

El poeta parece haber necesitado la espléndida sacudida para llevar a cabo otra operación de amor: ver por primera vez La Habana, «única ciudad que me es de veras», con ojos limpios, esperanzados; verla como el alegre, reconquistado hogar que antes no era, no podía ser. (Me refiero, como es

213

obvio, al poema «Adiós a La Habana».) Tengo la impresión de que en la obra de Fernández Retamar (como en la de otros poetas cubanos, incluso entre los más jóvenes), la revolución aceleró una madurez que acaso sólo hubiera llegado con muchos años más de esa incolora frustración que tan bien conocemos en el resto de América Latina. Lo mejor de la producción de Fernández Retamar, no sólo desde un punto de vista *comunicativo*, sino sobre todo desde un punto de vista artístico, es posterior a 1959. El último centenar de páginas incluye poemas excelentes, de todo tipo: militantes, líricos, humorísticos, nostálgicos. Cualquier antología de la poesía latinoamericana se enorgullecería de albergar poemas como «Felices los normales», «Oyendo un disco de Benny Moré», «Sonata para pasar esos días y piano», «Para el amor», «Le preguntaron por los persas», y por supuesto, los ya citados, «*In memoriam* Ezequiel Martínez Estrada» y «Usted tenía razón, Tallet: somos hombres de transición». La revolución no siempre está presente con todas sus letras; sí está presente en la cosmovisión del poeta; en la preocupación moral con que éste asume ahora su realidad; en la conciencia del doble privilegio que le toca vivir; ser efectivamente un hombre de transición y verlo con los ojos bien abiertos.

Alguna vez he escrito sobre el estilo joven de la revolución cubana[5]. Creo que un claro síntoma de esa incanjeable juventud es su alerta sensibilidad humanística, aun en medio del constante riesgo de agresión, aun con la vida nacional (y la de cada individuo) pendientes de un hilo. El enemigo no deja de recordarnos que Cuba es el volcán revolucionario de América Latina. A la vista está, sin embargo, que ese volcán, al menos, no es sólo fuego y lava; la *Poesía reunida* de Fernández Retamar es una muestra genuina de la poesía que asciende de su cráter.

(1967)

---

[5] «El estilo joven de una revolución» en *Cuadernos de Marcha*, Núm. 3, Montevideo, julio de 1967.

Las turbadoras preguntas de Juan Gelman

Ante todo debe reconocerse que Juan Gelman (Buenos Aires, 1930) comenzó a interrogar y a interrogarse desde sus primeros libros: *Violín y otras cuestiones* (1956), y *El juego en que andamos* (1959). Baste recordar poemas como «Oración del desocupado» (donde el interpelado era nada menos que Dios), en la primera de esas obras, o «Poemas con el hijo» y «Límites», en la segunda. Luego, el primigenio *Cólera buey*, 1965 (hubo en 1971 una nueva edición considerablemente aumentada) incluye «Preguntas»; y más tarde, «Otras preguntas» figura en *Poemas*, antología publicada en 1968 por la Casa de las Américas, de La Habana.

Existe no obstante una apreciable diferencia entre aquel interrogador, y el que luego indaga en *Hechos y relaciones*, primer libro de Gelman que se publicó en España, en 1980 (seguido casi de inmediato por *Si dulcemente*, del mismo año, y *Citas y comentarios*, 1982), con una conmovedora y penetrante introducción de Eduardo Galeano. Antes, la pregunta era poco más que un legítimo recurso poético («¿por qué bajo la gloria de este sol / tristeo como un buey?», o también: «¿a quién debería encontrar yo en el país del vino?») mientras que ahora posee una fuerza casi conminatoria, atribuible tal vez a que el primer interrogado es el propio poeta. Este, a través de enriquecedoras series de preguntas, cada vez más turbadoras, más desgarrantes, va cateando en profundidad, como un método poco menos que infalible para llegar a la frugal y verídica conciencia.

De pregunta en pregunta va subiendo también el tono poético: generalmente empieza con un motivo o una incitación realistas, pero la segunda instancia es siempre más imaginativa que la primera, y la tercera más que la segunda, y así sucesivamente, pero lo curioso, lo verdaderamente original en ese *crescendo* de ofertas, es que la interrogación última, por metafórica que resulte, siempre se vuelve comprensible y diáfana debido a que la primera por lo común da la clave, la contraseña de esa espiral. Una muestra: «¿y quién la va a velar? ¿quién hará el duelo de esa sangre? / ¿quién le retira amor?

¿quién le da olvido? / ¿no está ella como astro brillando amurada a la noche? / ¿no suelta acaso resplandores de ejército mudo bajo la noche del país?» («Glorias»). Y otra más: «¿por qué hay tantos hombres y tantas mujeres tristes en el país? / ¿por qué a cierta hora del día parece que un oleaje de tristeza fuera a arrasar la ciudad? / ¿por qué tanta gente sale por sus ojos así o saca por sus ojos tristeza? / ¿por qué esa tristeza golpea de noche las ventanas?» («Cambios»).

Por otra parte, en «Gracias» hace sonar inicialmente una cadena de afirmaciones que se sintetizan en que «todos los miembros del cuerpo siendo muchos / son / un solo cuerpo», para luego desenvolver una sucesión de interrogantes que atraviesan los presupuestos de las afirmaciones previas, y el conjunto pasa a ser una manera poética y despojada de sembrar dudas y cosechar certidumbres. En otro poema, «Belleza», arremete contra algunos colegas: Octavio Paz, Alberto Girri, Lezama Lima «y demás obsedidos por la inmortalidad creyendo / que la vida como belleza es estática e imperfecto el movimiento e impuro», pero entonces la destreza interrogativa le permite suavizar la agresividad y hasta modularla en un tono casi fraternal: «y el deseo de Octavio Alberto José ¿no es movimiento acaso / y movimiento su ser cuando atrapan la palabra justa o injusta? / ¿no debe correr mucho quien quiera bañarse dos veces en el mismo río? / ¿no debe amar mucho quien quiera amarse dos veces en el mismo amor?», y por fin: «¿por qué se afilian como viejos a la vejez? / ¿por qué se pierden en detalles como la muerte personal?»

La maña pesquisidora de este poeta es probablemente una de sus características formales más singulares. Le sirve tanto para sacudir casi blasfematoriamente el sobrentendido carácter masculino del conservador del universo («¿y si Dios fuese una mujer?... ¿y si Dios moviera sus pechos dulcemente?») como para recordar los niveles y desniveles de la lucha de clases. En las minas de La Carolina, de donde se extrae wolfram, los mineros escriben mensajes en las paredes de cada socavón, y el poeta vuelve a preguntar: «pero arriba ¿se puede leer? / ¿hay quien lee los mensajes que escriben los mineros abajo?».

La pregunta, como recurso formal, suele auxiliarle además para descomponer el miedo en todos sus elementos y también para verificar los alertas («esos pasos ¿lo buscan a él? / ese coche ¿para en su puerta? / esos hombres en la calle ¿acechan?»); le ayuda sobre todo para llevar a una tensión casi insoportable la ausencia de Paco (o sea Francisco Urondo, el excelente poeta, su amigo y compañero, que hace diez años muriera en combate): «¿avisaste / que te ibas a morir? [...] ¿acaso querías caer? / ¿no me ibas a esperar acaso / ¿no esperábamos juntos la tormenta mejor / la borracha violeta / tigre / orilla / de que partías a luchar?», y entonces la pregunta simple y sobrecogedora: «¿te acordás / de la vida?», para concluir con otro cuestionario, de taladrante pena, en que Gelman sobrevuela, descalabrado pero invencible, todas las trampas del desconsuelo:

[...] descansá en guerra / ¿descansan
tus huesitos? / ¿en guerra? /
¿en paz? / ¿agüita? / ¿nunca?

Si Gelman sólo hubiera escrito, además de este poema excepcional, otro que hace dieciocho años incluyera en *Gotán*, y que concluía: «Ni irse ni a quedarse, / a resistir, / aunque es seguro / que habrá más penas y olvido», ya tendría bien ganado su derecho a esa modesta pero infrecuente gloria que es lograr, las más de las veces sin quererlo, meter el corazón del lector en un puño, y luego abrirlo, despacito, para que el mundo vuelva a latir. Pero además de esa muestra de lo que Mario Trejo llamó alguna vez el «blindaje moral» de Gelman, éste lleva publicados, desde 1956 hasta hoy, una docena de libros que probablemente constituyan el repertorio más coherente y también el más osado, el más participante (pese a sus inevitables pozos de soledad) y en definitiva el más ceñido a la posibilidad de su contorno, que puede mostrar hoy por hoy la poesía argentina, donde tantas palabras en pena todavía siguen girando alrededor de tedios prestigiosos.

En julio de 1971, cuando Gelman todavía podía residir en su Buenos Aires, le hice un reportaje que luego incluí en *Poe-*

tas comunicantes (1972), y en ese entonces el entrevistado expresó algunas ideas que hoy pueden ser útiles para acotar este comentario: «Si me preguntás si me quiero comunicar te contesto que sí; si me preguntás si estoy dispuesto a sacrificar algo para comunicarme, te digo que también. Pero lo que estoy dispuesto a sacrificar para esa comunicación no es cuestión poética, sino cuestión de vida. Y en la medida en que vitalmente eso se resuelva, pienso que se va a resolver en mi poesía. Pero de ninguna manera pienso renunciar a lo que aparentemente pueda ser difícil de entender [...]. Me gustaría que mi poesía fuera cada vez más honda en cuanto a reflejar la realidad, y lo maravilloso que la realidad tiene».

Desde aquella entrevista de 1971 a este comentario ha corrido mucha sangre bajo los puentes, y la muerte ha tocado a Juan en zonas (para usar uno de sus términos) de la «másvida», que es como decir del «másamor». Pero el poeta, como bien señala Galeano, «desde el exacto centro de la muerte, celebra la vida». Y ésta es acaso una de las comprobaciones más asombrosas que esperan al lector de *Hechos y relaciones*. Consciente, como nunca antes, de quién es y dónde está el enemigo de su pueblo, confiado en que «la revolución es así / se critica todo el tiempo a sí misma / se para / a cada rato / vuelve sobre lo que empezó para empezarlo otra vez»; sabedor de que la poesía «puede nacer al pie de los sentenciados por el poder / al pie de los torturados los fusilados»; poseedor de toda esa dramática e imprescindible sabiduría, Gelman, frente al acorralamiento autoritario, al absurdo de ciertas imputaciones, al cercano aletazo de la muerte, a toda esa andanada de malevolencia y crueldad, no responde con un odio ciego, indiscriminado. Por el contrario, sabe «donde se templa el odio o el desprecio que / echó la guerra sobre nuestra vida», y es ese odio templado, sereno, inexpugnable, el que permite que el caudal efectivo del poeta (presente desde sus primeros libros) no se agote ni se estanque, sino más bien fluya como verdad continua, inacabable.

De ahí que el amor no sea ya el compartimiento estanco, la cartuja inviolable pero mezquina que nos legara el romanticismo; ahora los hacedores del amor están «rodeados de rostros como el sol que / cubre de sol la ciudad». Por eso «es enorme la tristeza que un hombre y una mujer pueden hacerse entre sí», porque definitivamente no están solos sino rodeados de corajes, de miedos, de soportes, de sueños, de muchos otros que trabajan, viven, combaten, se arriesgan y mueren por su derecho a amar. Pero la tristeza puede no ser una maldición sino un venero, todo depende de la lucidez y la voluntad del triste. Y hay abrazos de tristeza que pueden consolidar el amor más aún que los de alegría: «consolación / memoria / triste tal vez / pero ya no tristeza / dolor / tal vez / pero memoria consolación / abrigo».

En varios sentidos, la poesía de Gelman es ejemplar, y a pesar de su modestia («no conozco a nadie tan ajeno a la autopropaganda y al afán de prestigio», dice Galeano) constituye una apreciable lección para los poetas jóvenes. En primer término, no es una versión llorosa del exilio y la lucha, del dolor y la muerte, sino una respuesta entera y viril, lúcida y despojada, sin triunfalismos ni autoderrotas. Y en segundo término, no es una versión panfletaria, y esto es algo esencial, en momentos en que tantos jóvenes del amplio espectro latinoamericano trasladan literalmente al verso o a la canción sus muy justos y primarios rencores e indignaciones, sin reclamarse previamente a sí mismos el rigor y la exigencia del arte y del oficio.

En la poesía de Gelman (aun en los poemas de amor o de penuria), lo político y lo social están presentes como una atmósfera inevitable, pero es gracias al extraordinario nivel poético, gracias a su vuelo y a su palpitación, que esos hechos y relaciones se proyectan hacia el lector y lo aluden, transformándolo. Pocas veces se ha visto en la poesía latinoamericana una conjunción tan impecable de texto y contexto, de política y arte.

En aquella entrevista de 1971, Gelman dijo también que «la única manera de comunicarse con la gente, es vivir con ella». Y aunque siempre haya cumplido con ese postulado, uno tiene la impresión de que en estos últimos años Gelman no sólo ha vivido con la gente sino que también ha muerto (o se ha sentido morir, que es casi lo mismo) con los que murieron. Y esta singular comunicación ya no es letal sino vital, porque gracias a ella renacen Paco, Bustos, Diana, Haroldo, y tantos otros, y sobre todo el hijo al que por fin se resigna a dar de baja («un fulgor en la noche de los verdugos / es tu rostro hijo mío un fulgor / y por él vivo y muero en estos días»).

No obstante, y pese a todos los naufragios y devastaciones, pese a todos los asolamientos y las pérdidas, la poesía de Gelman no es un círculo vicioso, ni virtuoso; sencillamente, no es un círculo. Por algo el penúltimo poema («Héroes») concluye afirmando y reafirmando: «vida y vida», y el último de todos, que precisamente propone un arte poética, acaba con las palabras: «morir y nacer / como un martillo». Quizá en estos dos finales encuentre el lector las respuestas que el mismo Gelman brinda a sus propias preguntas.

(1987)

El humor poético de Roque Dalton

Cuando un poeta llega a dar su vida en las luchas políticas, la inmediata posteridad suele explicablemente dramatizar el holocausto, poniendo el acento en la zona más grave y riesgosa de su compromiso, y a veces (pero no siempre) en el nivel más profundo de su indagación artística. En España fue el caso de Miguel Hernández y García Lorca: en América Latina, el de Otro René Castillo, Ibero Gutiérrez, Javier Heraud, Ricardo Morales, Leonel Rugama, Francisco Urondo y también Roque Dalton, el notable poeta salvadoreño, asesinado en su país en mayo de 1975 (había nacido cuarenta años antes, en otro mayo), cuando participaba en la lucha política como el revolucionario que siempre fue. Sin embargo, ese justo rescate de una actitud coherente y valerosa, corre el riesgo, en su caso, de opacar otro rasgo primordial, por cierto no tan frecuente en la nueva poesía latinoamericana: el ejercicio del humor.

Quizá Efrain Huerta, Samuel Feijoo, Aquiles Nazoa y Jorge Enrique Adoum, entre los mayores, y Antonio Cisneros entre los (ya no tan) jóvenes, sean los otros cultores destacados del humor en poesía. (Está también Nicanor Parra, pero sólo hasta *Versos de salón*, ya que a partir de los controvertidos *Artefactos* su humor se hace excesivamente ríspido y pierde la mejor parte de su gracia.)

Sin embargo, en el caso de Roque Dalton, más que hablar de *humor en poesía*, habría que hablar de *humor poético*. En poetas como Huerta o Nazoa es dable detectar el humor casi en estado de pureza, y debe reconocerse que esa limpidez consolida su eficacia y ayuda grandemente a que el lector asimile o adivine el contexto poético que rodea aquel chispazo. Roque en cambio elabora *poéticamente* el humor; lo convierte en poesía antes de soltarlo sobre la página.

Desde su primer libro, *La ventana en el rostro*, habla de «los pobres locos que hasta la risa confundimos / y a quienes la alegría se nos llena de lágrimas». Y allí también admite: «Está uno y su cara. Uno y su cara / de santón farsante.» Este poeta, que en el trato personal era un fabuloso narrador de chistes (los coleccionaba, casi como un filatélico), nunca llevó a su poesía la broma en bruto, sino la metáfora humorística, que por cierto no siempre era sencilla o fácilmente asimilable, ya que por lo común estaba rodeada de resonancias culturales. Cuando menciona, por ejemplo, que «las hojas se secaron entre las obras de Kipling» o en el brevísimo «Después de la bomba atómica», cuando se pregunta: «Polvo serán, mas ¿polvo enamorado?», el humor se da en un ámbito de cultura, sin el cual perdería su efecto.

Aun reconociendo la puntería humorística de Roque, hay que señalar que no todo su humor es festejable. A veces nos propina un fustazo de ironía y la sorpresa no nos deja espacio para la risa. En más de una ocasión (incluso en un largo reportaje que le hice en 1969) Roque ha reconocido sus lazos con el fútbol, el tango, el lunfardo y el humor rioplatenses. Fundamentalmente éste último ha dejado indudable huella en sus poemas. El sesgo irónico de *Taberna* y los libros subsiguientes no es por cierto demasiado centroamericano y más bien entronca con Macedonio Fernández y hasta con Bustos Domecq; también, a través de ellos, con el sutil humor inglés, una de las pocas cosas buenas que nos dejó en la región el colonialismo británico. Un rasgo notorio de esa gracia heredada es que la burla puede ser también un signo de amor. Y así Roque la emplea a veces para querer a su castigado país: «Deberían dar premios de resistencia por ser salvadoreño»; «...por expatriado yo / tú eres ex patria»; «¿a quién no tienes harto con tu diminutez?»; «un día te arrastraré hasta mi país, / el cosmos cómico, / el microcosmos anacrónico / donde aún se dan puntapiés bajo la mesa / Caín y Abel». Aquí la burla es casi una autocrítica, una búsqueda afanosa del secreto, de la clave para desentrañar el sentido de las grandes derrotas y las verosímiles victorias. Es en última instancia una indagación (nada solemne, pero penetrante y aguda) en la propia identidad.

Cuando lo incorpora a una referencia política, el poeta salvadoreño usa el humor de un modo oblicuo, indirecto, y así le otorga un valor fundamental, ya que le sirve de fijador ideológico. En cierta época en que Cuba sufría una verdadera escasez, ésta era usada por la propaganda norteamericana como un síntoma de fracaso de la revolución y no como la inevitable consecuencia del bloqueo. Es entonces que Roque escribe su poema «Lo que falta», que concluye así: «Lo que verdaderamente falta en Cuba / eres tú». Probablemente no encontró un medio más eficaz para minimizar la injusta crítica, y de reducir, a través de una ironía tierna, la «escasez» a sus términos reales. Y el epígrafe es de Marx: «...la otra persona, como persona, se ha convertido en una necesidad para él».

No es demasiado distinto el recurso empleado en «Guerra»: «Mi verdadero conflicto / hondureño-salvadoreño / fue con una muchacha». En «Guatemala feliz» Roque se refiere, sin decirlo, a su *ex* admirado Miguel Ángel Asturias, y los dardos de alguna manera aciertan en su propia y profunda decepción, motivadas por las actitudes políticas del famoso novelista: «Cada país tiene / el Premio Nobel que se merece».

En «El general Martínez», otro poema brevísimo, sabe retomar un emblema de la propaganda del dictador para desenmascarar un rasgo aparentemente positivo: «Dicen que fue un buen Presidente / porque repartió casas baratas / a los sobrevivientes.» Sin embargo, es bueno destacar que en esos casos Roque no construye su humor a partir de una invención sino de una verdad estricta. La viñeta humorística se convierte así en toda una síntesis histórica.

Eso es también lo que ocurre en algunos de los poemas que, poco antes de su muerte, escribe con seudónimo y en la clandestinidad. Sirva uno de ellos como muestra. El título, más largo que el poema, es: «Consejo que ya no es necesario en ninguna parte del mundo pero que en El Salvador», y el poema dice así: «No olvides nunca / que los menos fascistas / de entre los fascistas / también son / fascistas.» Todo un pronóstico de lo que para él no pudo ser futuro mediato y que en cambio es dramático presente para el sufrido pueblo salvadoreño.

A veces el humor de Roque no apela a la ironía sino a la mera alegría de vivir, pero curiosamente se advierte en tales ocasiones un sabor surrealista. Por ejemplo cuando deja constancia, con simulada objetividad, de este deslumbre: «La rosa ciega a los campeones de tiro». (Pocas veces habrá construido el viejo Ramón una greguería tan luminosa.) O cuando se conduele: «Los poetas comen mucho ángel en mal estado.» Es una metáfora de repetición, de la que se desprenden sugerencias sin límite. O cuando comenta: «Es que los escrúpulos son ahora aburridísimos». Ahí la gracia no reside tanto en el recién descubierto tedio como en la sorpresa que aportan las entrelíneas: que el poeta sienta nostalgia de los divertidos escrúpulos de antaño. ¿Acaso no es un modo de añorarse a sí mismo, de sentir nostalgia de su infancia o de su adolescencia? Quizá por eso pueda escribir: «Pienso seguir siendo un muchacho por treinta años más». Y si bien el crimen cortó abrupta y absurdamente esa cifra, lo cierto es que murió siendo un muchacho, probablemente fiel a uno de sus versos más antiguos: «Bajo las sábanas me río.»

Es claro que el humor es sólo un aspecto (aunque fundamental) de la poesía de Roque. Junto a poemas impagables y jubilosos como «Buscándome líos» (dulce testimonio de su primera reunión de célula) o «Sobre dolores de cabeza» (tal vez el más difundido), aparecen otros textos de profunda recordación («La mañana que conocí a mi padre»), de conmovedora vislumbre («Cuando sepas que he muerto») o de un lirismo despojado (como el temprano «Atado al mar»).

No obstante, en el primero de sus libros hay un poema, «Hora de la ceniza», donde anuncia: «Cuando yo muera, / sólo recordarán mi júbilo matutino y palpable, / mi bandera sin derecho a cansarse, / la concreta verdad que repetí desde el fuego, / el puño que hice unánime / con el clamor de piedra que exigió la esperanza».

Roque acierta en la nómina, y sobre todo en la prioridad de los rasgos a evocar. La verdad es que ahora, a ocho años de su muerte, recordamos su bandera, su verdad, su puño y su esperanza, pero en primer término recordamos su humor, que es también una síntesis de su temple vital. Ese júbilo matutino y palpable.

(1981)

Vargas Llosa y su fértil escándalo

«Yo no admiro a los novelistas que tienen a distancia al lector.» Esta opinión de Mario Vargas Llosa, vertida en La Habana en enero de 1965 (durante una mesa redonda sobre La ciudad y los perros), es algo más que una buena salida; casi diría que es una introducción a su arte narratoria. Vargas Llosa no sólo no mantiene a distancia a su lector sino que lo introduce en su mundo poco menos que violentamente. En La ciudad y los perros es fácil entrar; en La casa verde es algo más arduo; pero lo cierto es que de ambas novelas es difícil salir. Curiosamente, uno de los basamentos de ese atributo retentivo es la imparcialidad con que el autor cuenta sus historias, la libertad en que deja a los personajes para que elijan su destino.

Mario Vargas Llosa nació en Arequipa, Perú, en 1936. Obtuvo la licenciatura en letras en la Universidad de San Marcos, Lima, y el doctorado en la de Madrid. Su tesis doctoral se denominó *Bases para una interpretación de Rubén Darío* (1958). Ha ejercido activamente el periodismo en Europa y América y durante varios años residió en París, donde trabajó en las emisiones que la ORTF dedica a América Latina. A los 31 años, ha publicado cuatro libros: *Los jefes* (1959), *La ciudad y los perros* (1963), *La casa verde* (1966) y *Los cachorros* (1967), y ha obtenido con sus novelas dos de los premios más codiciados en la narrativa hispanoamericana: el Biblioteca Breve, en 1962, y el Rómulo Gallegos en 1967.

Cuando publicó *Los jefes*, Vargas Llosa tenía 22 años. Es un libro de cierto interés, aunque decididamente menor, y si hoy ha merecido varias ediciones es sobre todo por su valor como antecedente. Ahora resulta fácil decretar que el cuento titulado «Los jefes» constituye un anticipo temático de *La ciudad y los perros*, o que las estructuras verbales en otro de los relatos del mismo libro, «Día domingo», anuncian las empleadas años más tarde por Carlos Fuentes o Julio Cortázar. Pero no cabe reprochar a los críticos peruanos que no hayan sabido ver en *Los jefes* la inconfundible marca de un narrador mayor, ya que, con excepción de «Día domingo» (cuyos personajes tienen realmente carnadura), los cuentos de este primer libro no consiguen crear el clima adecuado a sus criaturas y quedan como un irregular muestrario de temas desperdiciados. Ocasionalmente, claro (algún diálogo en «Los jefes»; el eficaz desenlace de «Un visitante»), se hace presente lo que luego será uno de los rasgos más característicos de Vargas Llosa: su capacidad para redoblar la tensión natural de una peripecia.

La novela premiada en 1962, se llamó inicialmente *La morada del héroe*, luego *Los impostores*, para finalmente titularse *La ciudad y los perros*. La anécdota tiene como centro el Colegio Militar Leoncio Prado, de Lima. Este no es exactamente una escuela militar sino de enseñanza media, pero es dirigida por oficiales del ejército, y los alumnos (por lo general, muchachos reputados como rebeldes y confinados allí por sus padres «para que se hagan hombres») pertenecen a la burguesía limeña o a familias de terratenientes serranos, aunque también suele haber cholos y negros.

La primera parte es de un realismo casi pintoresquista, pero en la página 167 el autor instala un hecho trágico (durante unas maniobras de rutina, un cadete es herido de muerte) que cambia totalmente el clima. La posterior investigación acerca de esa muerte, le sirve a Vargas Llosa para reflejar en el ambiente del colegio muchas de sus evidentes y personales preocupaciones acerca del Perú y de los peruanos.

Su condición de testigo, y hasta de moralista, le lleva a crear enfoques múltiples y reveladores, pero no a formular un mensaje demasiado explícito. Es como si el compromiso más significativo quedara reservado al lector. Vargas Llosa muestra hechos, ilumina intenciones, pero no se pronuncia; el lector será en definitiva quien decida. De esto no cabe deducir, empero, que *La ciudad y los perros* sea una novela fría y distante; por el contrario, es uno de los libros más apasionantes de la nueva literatura hispanoamericana. Quizá, para ser más preciso, habría que decir que es una novela comprometida, pero no militante. Es decir: Vargas Llosa se resiste a hacer de ella un alegato; prefiere acentuar su condición testimonial, y, en consecuencia, comprometerse en un sentido más hondo, menos superficial. De ahí que los personajes no se dividan en *buenos y malos*; al igual que en los estratos de la realidad, las virtudes y los defectos se entrelazan, se mezclan, se confunden.

Uno de los epígrafes es una frase del *Kean* de Sartre: «Se hacen papeles de héroe porque es uno cobarde, y papeles de santo porque es un malvado; se hace de asesino porque se muere uno de ganas de matar al prójimo; se representa porque es uno embustero de nacimiento». La primera parte de la novela es en cierto modo un desarrollo de tales actitudes sustitutivas. Esos adolescentes que comparten una vida confinada; que sufren el primer ramalazo de la sugestión colectiva; que se escinden paulatina y fatalmente en víctimas y victimarios; que, a partir de los implacables y sádicos ritos de iniciación, se muestran capaces de engendrar un odio sin fisuras, monolítico; que, para defenderse del rigor disciplinario, inventan todo un ritual de transgresiones; que pierden el pudor del vicio privado y llegan a ostentarlo, a exhibirlo, a difundirlo; que, en aparente contradicción con esa parodia de franqueza, hacen un culto del disimulo, y mienten con fanática coherencia, sin asomos de contrición, con patético egoísmo; esos adolescentes hacen de ese modo sus primeras armas en el ejercicio de hipocresía que después, cuando ya no sean rebeldes o inadaptados, sino adaptados y obsecuentes, habrá de exigirles el mundo de afuera, el de los padres, el de los jefes, en fin, el de los embusteros adultos y normales.

En el juicio de José María Valverde que oficia de prólogo a la edición, se dice: «En el polo opuesto del optimismo de Rousseau, aquí es el hombre quien corrompe las instituciones». Es cierto; pero una vez que las instituciones son corrompidas, ellas a su turno se bastan y se sobran para corromper a los nuevos hombres, o aspirantes a hombres, que van entrando en su zona de influencia. El Colegio Militar no inventa corrupciones: cada oficial, cada cadete, proviene de algún sitio, de una familia, de una clase, de un medio social. Cada individuo viene con su propio bacilo de corrupción, con su propio pasado a cuestas. Por eso Vargas Llosa intercala constantemente imágenes que pertenecen a cada uno de esos pasados individuales, como si quisiera dar a entender que la corrupción viene de lejos: de un padre que mintió, de un hermano que roba, de una madre que aborrece mientras ora, de una timidez curada a golpes, de una pobre imagen de mujer pervertida. El Colegio junta en sus patios y en sus *cuadras* a esos productos promediales de un mundo exterior; los junta y los enfrenta, arroja a cada uno en brazos de todos, pero no para que se comprendan o estimen, sino para que se destruyan y perviertan. Los viejos odios y desprecios (como el que los limeños sienten por los serranos), los grandes abismos sociales (como el que media entre un negro y un *niño bien* de Miraflores), el heredado código del machismo, todo eso tiene en el Colegio su reproducción en miniatura. Así como el argentino Julio Cortázar imaginó —en *Los premios*— una excursión transatlántica a fin de que el barco le sirviera para confinar y enfrentar, en un espacio y un tiempo reducidos, a re-

227

presentantes de diversos niveles, procedencias y generaciones de su país, así también Vargas Llosa apela en su novela al enclaustramiento del Colegio Militar para brindar un muestreo de las virtudes y los defectos del Perú y de su gente.

Desde el punto de vista de la eficacia narrativa, el confinamiento de los personajes implica una ventaja innegable. La obligada convivencia, primero embota y fatiga, después enardece. Nadie puede huir de nadie; la obligada presencia del prójimo puede convertirse en tortura. Es entonces que la crueldad más o menos gratuita, o la venganza considerada como una de las bellas artes, pasan a constituir el único estímulo de una existencia que, en sus términos estrictos, sólo es tedio, presión, intimidad violada. Los adolescentes de *La ciudad y los perros* son especialistas en crueldad. Padres, tutores, oficiales, todos parecen estar de acuerdo en que «hacerlos hombres» es apenas un eufemismo para designar la verdadera graduación, el formidable cometido de la Escuela: hacerlos crueles.

Conviene aclarar ahora algunos rasgos de ese aprendizaje. Por lo pronto, hay en los cadetes del Colegio Leoncio Prado una actitud gregaria que sin embargo tiene poco que ver con la camaradería o la fraternidad; más bien se trata de una promiscuidad de soledades. Para esos adolescentes existe un bajo deleite en compartir y exhibir lo peor de sí mismos; poco a poco el Colegio va creando en cada cadete una horrible vergüenza de ser manso, de ser bueno, de caer alguna vez en la execrable debilidad de conmoverse. Para el que no entra en ese juego, para quien no admite el código, el ambiente reserva el desprecio, la burla, el castigo, y aun (como la novela se encarga de testimoniarlo) la muerte. Es la superstición del machismo, elevada a una imprevista y máxima potencia. No obstante, frente a los miedos confesos del cadete Ricardo Arana, también llamado el Esclavo, frente a su inicial imposibilidad de mezclarse con la abyección, Vargas Llosa consigue que el lector vislumbre algo: en esa aparente astenia moral puede haber más valor, más decisión, que en el compacto y publicitado ímpetu de los otros. También se precisa coraje para no simular valentía, para asumir los bochornos del propio miedo.

Pero el autor consigue también que el ambiente contamine y pervierta a ese sincero; claro que lo pervierte en un sentido extraño, ya que lo obliga a rebajarse, no frente a los demás, sino frente a sí mismo. Lo convierte en tramposo, en consciente delator.

Aparentemente, nadie puede salvarse. Ni siquiera Alberto, también llamado el Poeta, o sea el cadete que, después de la muerte de su compañero, intenta descubrir la verdad y juega para ello todas sus cartas (él también delata) menos una; cuando el coronel lo chantajea, amenazándolo con la expulsión («por vicioso, por taras espirituales») si no retira sus acusaciones, Alberto cede, piensa en su carrera, claudica para siempre. El categórico y justiciero epílogo lo muestra reintegrado a su clase, a su lujoso Miraflores, a la hipocresía, en fin. El exsensible ha aprendido definitivamente la lección de crueldad; pese a los últimos estertores de su decencia, la corrupción se ha instalado confortablemente en su alma, y también, por supuesto, en su mimético futuro de casa con piscina, auto convertible, sábado en el Grill Bolívar, título de ingeniero, esposa de su propia clase, queridas a granel, viajes a Europa. Cuando piensa: «Dentro de algunos años ni me acordaré que estuve en el Leoncio Prado», más que una esperanza, está emitiendo una decisión.

Paradójicamente, el único que se salva, aunque sólo a medias, es el Jaguar, cadete acaparador de culpas y crueldades. Cuando llega al Colegio, viene de una módica ignominia (por lo menos ha sido ratero y ha convertido en cornudo a su padrino y protector), pero al egresar no vuelve a las andadas. Ya en la despiadada ceremonia de bautizo, la crueldad no lo toma de sorpresa; por el contrario, la hace jugar a su favor, se beneficia de ella, la aprovecha para fundar su fama. A diferencia de sus compañeros, que van adquiriendo un sentido de la sevicia como quien cumple una obligación, en el Jaguar la crueldad no es un emplasto, un agregado, sino una experiencia viva. El no es la víctima de un código, sino el inventor de una ley propia y secreta, cuyos rigores a nadie confía y cuyos dictados no ponen jamás en peligro la trabazón y la firmeza de su soledad. En un mundo de crueles, es aparentemente el más cruel, pero también, en el fondo, el menos corrompido. Trae al Colegio una moral del hampa («yo no soy un soplón ni converso con soplones») y, tres años después, la extrae intacta. Es cierto que en el lapso intermedio ocurre una muerte, pero la hipócrita moral del Colegio no lo ha contaminado. Por sí mismo, él se ha hecho mejor; por sí mismo, ha aprendido a ver claro en los otros y en su propia conciencia, y las últimas palabras que pronuncia en la novela («Yo soy tu amigo. Avísame si puedo ayudarte en algo») no van destinadas a sus camaradas de jauría sino al antiguo compinche de robos y escapadas. En esa última página, el Jaguar ya es, aparentemente, un hombre recuperado, afirmado en la vida. Después de toda una historia en que lo inhumano aparece a cada vuelta de hoja, este desenlace (que no es un *happy end* sino una mera posibilidad abierta) es uno de los pocos rasgos esperanzados de la novela. En cierto modo, resulta esclarecedor que Vargas Llosa, frente a la posibilidad de *rescatar* a uno de sus personajes, se haya decidido por el Jaguar, alguien que no proviene de Miraflores sino de la delincuencia, de un pobre sedimento social. Para este muchacho terco y fuerte, que al fin de cuentas ha cometido sus barbaridades de Colegio por bienintencionadas y primitivas razones («Todo lo hice por la sección», le dice al teniente Gamboa, y el hálito de sinceridad llega hasta el lector), el autor reserva una salvación que en definitiva niega a los otros: a los que se entrenan para la crueldad, los que delatan, los que reniegan de sí mismos.

En la ceremonia de bautizo, los nuevos ingresados al Colegio son obligados por los cadetes mayores a andar en cuatro patas, a ladrar como «perros» y a morderse furiosamente entre sí, además de beber orines, lamer el piso, recibir puntapiés y otros rituales no menos humillantes. Durante ese primer período en el Colegio se les llama los «perros». Pero ese sádico ceremonial, que dura ocho horas, marca para siempre la vida de todo el Colegio, ya que provoca, por un lado, el odio hacia los cadetes mayores, y, por otro, una solidaridad claustral, mantenida gracias a una detallada programación de venganza que ha de extenderse a toda la permanencia de los cadetes en la institución. De modo que todos son, o fueron alguna vez, «perros». Por otro lado está el mundo exterior, o sea «la ciudad». Estos dos términos figuran en la alusión del título, que viene así a juntar dos mundos, uno enorme y otro reducido, pero que en realidad se prestan recíproco servicio y existen en mutua dependencia. El mundo exterior dicta la ley para el Colegio. Los oficiales, intérpretes de esa ley, mantienen una fanática y paralizadora lealtad a las apariencias: en tanto que las formas sean respetadas, no importa que el fondo huela a deshechos, a podredumbre. De ahí que, cuando el cadete Alberto tiene un arranque de honestidad, e intenta aclarar algo muy sucio, encuentre un solo oficial dispuesto a dar trámite a su pedido, con la consecuencia adicional de que ese mismo teniente es finalmente trasladado, humillado, arruinado en su carrera.

Sí, la *ciudad* dicta su ley a los *perros*: pero éstos, a su vez, se reincorporan a aquélla y pasan a constituir su clase dominante, su élite de poder. Por supuesto, no todos se transforman en militares, pero la mayoría participa de esa tácita aprobación del cuartelazo que ha lacerado la vida comunitaria en América Latina y ha venido postergando una definitiva toma de conciencia. Entenados o hijos del rigor, todos aplauden el rigor. Pero la novela de Vargas Llosa sirve para desenmascarar la infamia que yace oculta bajo ese mismo rigor. En el instante en que más se lo precisa, exactamente cuando, en unas maniobras, un cadete mata a otro, los jerarcas aprietan filas para ocultar la verdad, para olvidar la «escandalosa historia». Ante el Coronel, autoridad máxima, la deshonra para el Colegio no es el crimen, sino el afán de investigar.

Las más estimables virtudes de *La ciudad y los perros* tienen que ver con su ritmo indeclinable, su estilo ceñido, su estructura impecable, pero sobre todo con la creación de un clima singular. José María Velarde ha señalado certeramente la incorporación, en la obra de Vargas Llosa, «de todas las experiencias de la novela de *vanguardia* a un sentido *clásico* del relato: clásico en los dos puntos básicos del arte de novelar: que hay que contar una experiencia profunda que nos emocione al vivirla imaginativamente; y que hay que contarla con arte». Quizá el síntoma más seguro de que el crítico español está en lo cierto, sea reconocido por el lector cuando, al concluir el libro, experimente la sensación de que repentinamente lo han dejado fuera de un mundo que lo había fascinado.

No toda la novela mantiene el mismo nivel de calidad ni todas las situaciones han sido resueltas a la perfección. Por ejemplo: si bien es narrativamente irreprochable que dos cadetes, Alberto y el Esclavo, traben relación con Teresa, parece en cambio una coincidencia superflua que un tercer cadete, el Jaguar, por otro conducto y en distinta época, también haya frecuentado a la misma muchacha. La crítica ha sido virtualmente unánime en señalar este defecto. En junio de 1964, al hacerle en París un reportaje a Vargas Llosa, requerí su opinión sobre el particular, y él no defendió sino que explicó sus intenciones:

No hay un solo caso novelístico en que el tema en sí mismo sea inverosímil. Siempre es el creador el que falla, el que hace que el episodio resulte inaceptable. En mi novela los personajes reaccionan frente a un estímulo determinado que es siempre el mismo. Mi propósito era hacer la confrontación de los distintos caracteres: frente al problema del sexo, frente a la disciplina, frente al compromiso. También quise hacerlo en el plano sentimental, frente a una muchacha de clase media. Alberto era de una clase superior a ella, el Esclavo era de su misma clase, el Jaguar pertenecía a una clase inferior. En realidad, la verosimilitud depende de la expresión formal, del grado de pasión presente en el estilo. Y eso es quizá lo que ha fallado.

En realidad, cada vez que la novela sale del recinto del Colegio, la intensidad decae y el estilo parece desfibrarse; en cambio, cuando transcurre intramuros, salen constantemente al encuentro del lector páginas de alto vuelo narrativo y a veces hasta de increíble impulso poético. El velatorio del cadete (páginas 220 a 226) es quizás el pasaje donde el autor ensambla con mayor habilidad esa doble eficacia. Una absorbente magia verbal justifica y dignifica algunos pasajes de una crudeza insólita, prácticamente desconocida en la narrativa hispanoamericana. Magistralmente escrita, vigorosa de forma y rica de fondo, con personajes atrozmente vivos, con denuncias no vociferadas pero patentes, *La ciudad y los perros* es una ejemplar respuesta latinoamericana al desafío intelectual que, en el panorama de las letras actuales, representan ciertas formas raquíticas, tediosas y excesivamente retóricas, de la nueva novela.

«Yo estoy convencido de que la literatura es intrínsecamente escandalosa», declaró Vargas Llosa en la mesa redonda antes mencionada. No creo que esa convicción pueda ejemplificarse en episodios como el de la masturbación colectiva o la escena de la gallina. Eso puede ser escándalo para los militares peruanos (por ejemplo, para el general Felipe de la Barra, quien calificó el lenguaje de *La ciudad y los perros* como de «procaz y nauseabundo») o para algún lector de *La estafeta literaria* (Madrid, febrero de 1964) que en carta al director dice que la novela es «tan puerca como poética». Por el contrario, no constituye escándalo para el autor: éste, se lo haya o no propuesto, le hace allí una buena zancadilla a la ficta dignidad burguesa.

No obstante, se me ocurre que la condición de escándalo que Vargas Llosa reclama para la literatura, está mejor ejemplificada en su segunda novela, *La casa verde*. Mucho menos agresiva en sus connotaciones eróticas, en sus descripciones sexuales, *La casa verde* es, por otras razones, un fértil y ejemplar escándalo. Lo es, para empezar, en el plano de las convenciones sintácticas. El narrador cambia de tiempo a mitad de frase, mezcla (sin el mínimo signo de advertencia) frases del pasado y del presente, hace trizas las reglas de puntuación, desarticula los tiempos. Pero también es un escándalo verbal. No porque a veces suelte un exabrupto sino porque a menudo las palabras se salen de cauce, operan por sí mismas, se introducen compulsivamente en un significado que no era el suyo, expresan mucho más de lo que el cuitado diccionario les permite. Un escándalo anti retórico, anti académico. Pero además un escándalo sencillamente nacional. Porque si el Perú que subyacía en *La ciudad y los perros* estaba ya bastante lejos de la edulcorada versión oficial, éste de *La casa verde* toca raíces mucho más profundas, ya que la novela es en sí misma una tentativa tentacular y plenaria, no limitada a un coto tan estrecho como el Colegio Leoncio Prado.

No dudo que la novela proponga alegorías varias. Quede esa entretenida indagación para los rabdomantes de símbolos. Yo mismo estaría dispuesto a relevarlos si el libro no me atrapara tan briosamente con su mágica galería de personajes, con sus magistrales juegos con el tiempo, con su destreza para hacer creíbles los diálogos más volanderos, las conversaciones menos rutinarias. Creo que entre *La ciudad y los perros* y *La casa verde* hay un evidente proceso de maduración; se nota en el dominio de los recursos estilísticos, estructurales; en la espontánea complejidad de las figuras; en la sensibilidad (casi agregaría: acústica) de las descripciones, que a veces pormenorizan el paisaje o el hombre con una sobriedad pareja a la de García Márquez, y ya es decir bastante.

Entre el prostíbulo de Piura, llamado «La casa verde», y esa otra gran casa verde que es la selva, Vargas Llosa hace circular el tiempo (*su* tiempo novelístico) como una gran corriente de aire, como un enloquecido viento que cambia caprichosamente de dirección, y por ende de beneficiarios y de víctimas. Cuando el tiempo sopla en un rumbo determinado, hay personajes que parecen purificarse; cuando sopla en otro sentido, esas mismas criaturas se deterioran y corrompen. Quizá por eso hay personajes como giraldas, que cambian de nombres según sople el tiempo; así Bonifacia se transforma en la Selvática, y el Sargento se vuelve Lituma.

En esta novela resulta mucho más evidente que en la anterior cierta influencia que han tenido en Vargas Llosa algunos recursos del *nouveau roman*. Aunque no he leído ninguna declaración del novelista en este sentido, tengo la impresión de que su mayor deuda es con Michel Butor, no el de las últimas trivialidades, sino el más creador: el de *L'emploi du temps* y *La modification*. Luis Loayza (en la revista *Amaru*, Núm. 1, Lima) ha visto claramente que en *La casa verde* «asistimos a los efectos de un hecho antes de conocer, muchas páginas después, el hecho mismo». La diferencia fundamental con el procedimiento de Butor en *L'emploi du temps*, es que el novelista francés elude el *hecho* durante todo el relato, en tanto que Vargas Llosa, lo posterga, pero termina por entregar al lector esa clave. También las historias de Bonifacia-Selvática y del Sargento-Lituma vienen a ser, cada una de ellas, la doble dimensión de una vida, y el recurso tiene evidente parentesco con el doble viaje de *La modification*, donde se cruzan un pasado y un presente de los mismos personajes. Sin embargo, también aquí Vargas Llosa introduce su aporte original, ya que, a diferencia de *La modification*, en *La casa verde* sólo los personajes saben que aquel pasado es el suyo; durante buena parte de la novela, y a menos que tenga muy aguzadas sus antenas intuitivas, el lector cree que Bonifacia y la Selvática son dos criaturas distintas; sólo más tarde se le revela que, en realidad, son apenas dos épocas dispares del mismo personaje.

O sea que la relación de Vargas Llosa con el *nouveau roman* no es de ningún modo la de un acólito sino la de alguien que usa ciertos mecanismos cuando convienen a sus fines, y nunca con una actitud de sujeción a esa nueva retórica que tan frustránea ha resultado para sus propios paladines, inventores e ideólogos. En rigor, Vargas Llosa (como en alguna medida lo han hecho también Cortázar, Fuentes y García Márquez) descongela las fórmulas del *nouveau roman* y las introduce en su novela parcialmente, es decir, como simples recursos de estructura o de estilo, y no como la fanática ley que se aplica en ciertos témpanos de la narrativa francesa, ya se llamen *Le voyeur* o *La jalousie*.

Una parte de la crítica ha reprochado precisamente a Vargas Llosa ese escamoteo de datos (sobre todo en lo que tiene que ver con Bonifacia-Selvática), ese régimen elusivo que puede ser reputado como una trampa al lector. Creo que el reproche tendría validez si Vargas Llosa quisiera hacer novelas policiales (en la ya citada mesa redonda sobre *La ciudad y los perros*, el novelista declaró: «En realidad, me sorprendió mucho oír que mi novela podía ser una novela policial»), ya que en ese género no puede escamotearse un dato fundamental. Pero (en *La casa verde* mucho más que en *La ciudad y los perros*) Vargas Llosa está escribiendo una novela de caballería del siglo XX, y quizá valga la pena recordar que el régimen elusivo es un normal expediente de la fantasía épica, la peripecia fabulosa, las transformaciones mágicas, que constituyen la sal del remoto género. Confieso que, al leer *La casa verde*, noté por supuesto la estratagema, pero no me molestó en absoluto, ya que, pese a que el Perú en que transcurre es tan tangible, tan verificable en sus datos étnicos y geográficos, el clima de la novela es legendario (¿qué es, después de todo, el viejo prostíbulo sino una leyenda que renace? ¿qué el arpista Anselmo sino una suerte de rapsoda?) e insensiblemente lo va introduciendo a uno en su sistema de fabulaciones.

A diferencia de *La ciudad y los perros*, donde por lo menos en la triple vinculación amorosa de Teresa, el autor no consigue hacer creíble esa celada, aquí el ardid narrativo se integra sin violencia en el régimen que la novela crea para sí misma. Vargas Llosa no apela, como García Márquez en *Cien años de soledad*, a recursos mágicos. Pero sus escamoteos son algo así como sucedáneos de esa magia. De pronto abrimos una página, como quien abre un inextricable arcano, y Bonifacia queda convertida en la Selvática, el Sargento en Lituma, y toda la relación piurana de ambos personajes se enriquece retroactivamente al ser conectada con la escena de posesión y su peleada ternura. Vargas Llosa parece decirnos que si rebarajáramos los datos de la realidad, o simplemente retuviéramos provisionalmente algunas cartas del mazo, lo verosímil se transformaría en mágico, lo regular se volvería sorpresivo, lo vulgar se convertiría en fabuloso.

Tanto Carlos Martínez Moreno como Angel Rama, han destacado que *La casa verde* es un libro frenado, contenido, y es verdad que en la obra hay materiales y situaciones como para colmar todo un ciclo novelesco. Vargas Llosa abandona personajes cuando éstos estaban a mitad de su probable desarrollo, suspende anécdotas cuando evidentemente era posible extraerles mucho más jugo, y, por si eso fuera poco, reduce las ochocientas páginas de la versión inicial de la novela a las cuatrocientas de su edición definitiva. Lo que sucede es que Vargas Llosa aspira (y por cierto con bastante fundamento) a escribir la novela total. «Grandes novelas», le ha confesado a Luis Harss (*Los nuestros*, Buenos Aires, 1966) «son las que, hasta cierto punto, se acercan a esa novela de las novelas imposibles». En esa gran orquestación, hay algo que importa más que las historias aisladas y es el entrecruzamiento de las mismas. En *La casa verde* parece cada vez más claro que la peripecia central, totalizadora, cosmóvora, es algo así como una veta que pasa por todas las historias menores. Las atraviesa cuando así conviene a su itinerario, pero no tiene por qué insistir en ellas cuando la dinámica propia de cada situación o de cada personaje, los aleja del surco cardinal.

Este novelista no introduce compulsivamente a los personajes en el contexto que él ha elegido, pero tampoco se siente obligado a seguirlos hasta sus últimas consecuencias. «Todos los personajes son libres», ha escrito agudamente Loayza sobre las criaturas de *La casa verde*. También el autor lo es. La novela es el cruce de la libertad de Vargas Llosa con la de sus personajes; después de este encuentro, que puede ser simplemente instantáneo, cada uno prosigue su rumbo. Personajes como Fushía, Anselmo, la cieguita Antonia, agotan su destino en la novela, pero ése no es por cierto el caso de la Selvática, Lituma o Lalita; ni siquiera de la Chunga o el Padre García.

La casa verde es novela de ardua lectura. Sus dificultades técnicas significan una valla, especialmente en los primeros capítulos; pero una vez que se supera ese obstáculo, una vez que uno se familiariza con las claves que rigen el armado, el montaje, ya es posible afirmarse vitalmente en su suelo, uno de los más firmes y terrestres que ha dado la novela en América Latina. Pero ni siquiera a partir de esa seguridad la obra se vuelve de lectura fácil. La trama sigue siendo compleja, muchas de las alusiones mantienen su misterio, en cada diálogo hay siempre algún interlocutor que sin previo aviso adviene de otro sitio, de otra época; siempre hay episodios que parecen recién descolgados de la nada, personajes que irrumpen y desaparecen sin dejar rastro. Difícil sí, pero nunca ininteligible. La dificultad es algo así como un filtro. «Sólo seguirán», dice Angel Rama, «aquellos capaces de una lectura donde no sólo se recorra una historia sino que se la desentrañe lentamente, reordenando línea a línea la realidad aludida, volviendo atrás una y cien veces para corroborar los datos, revisando la información y deslindando los elementos componentes».

La dificultad es también un modo de comprometer al lector. Una vez que éste vence el escollo, o por lo menos se integra en la búsqueda de un enigma cualquiera, su conexión con la novela se vuelve indestructible. Siente que integra (con otros lectores cuya complicidad intuye, y por supuesto con el propio autor) una cuadrilla exploradora, y el cometido que le toca en la pesquisa acaba por estimularlo. Vargas Llosa ha declarado que lo que siempre se propone es «contar una historia, hacerla vivir para que desaparezca la frigidez, la inmovilidad de esa experiencia convertida en palabras». Este creador singular construye para el lector su espectáculo objetivo, pero a la vez su realidad transfigurada; el lector avanza entonces como puede entre esos seres cercanísimos, que no huelen a literatura sino a selva, a sudor, a cuerpo, a mal aliento, pero que a la vez, al acezar sus angustias, sus nostalgias, sus goces instantáneos, se convierten en seres limpios y lejanísimos, casi desconocidos.

Luis Harss dice que un personaje como Anselmo, el arpista, es uno de los más débiles del libro, tiene poca consistencia; Martínez Moreno cree en cambio que es el mejor de la novela. Es posible que ambos tengan razón, porque el libro que ha leído Harss evidentemente no es el mismo que ha leído Martínez Moreno. Mientras éste hizo amistad, se comunicó con el arpista, aquél en cambio no pudo acceder a su confianza, permaneció distante. «En cuanto se despeja la prosa, en esta sección», dice el crítico chileno, «tienden a desinflarse los personajes». Pero la prosa no se despeja; permanece compacta, rica, sin fisuras; los personajes no se desinflan, sencillamente porque nunca fueron inflados; tienen su dimensión natural, esencial, y (en términos de arte) verdadera. Existen, pues. Y el novelista es simplemente un transitorio testigo de esa existencia, una mirada y un oído que pasan y a veces repasan. Fushía, por ejemplo, ese dinámico baldado por la viruela negra, sin duda uno de los personajes más impresionantes del libro, es enfocado por Vargas Llosa sin odio ni amor. Fushía queda librado a sus propias fuerzas, que flaquean. Este inescrupuloso carece totalmente de autocrítica; la culpa de su desgracia es siempre de los otros. Admira a Reátegui que como él no tiene escrúpulos, pero en cambio no carece de suerte. En su interminable conversación con Aquilino, Fushía abre con franqueza su abanico de posibilidades incumplidas, se solaza en sus triunfos hace mucho deteriorados; con inocente desparpajo dice su biografía, que es la abyección en estado de pureza. Fushía es una suerte de malaventurado tenaz, casi un santo del asco. Es tan repugnante que el lector no puede consustanciarse con su decadencia, con su olor a podrido, pero sí con la paciencia sobrehumana de su *partenaire*, ese viejo Aquilino de las admiraciones, de los consejos, de las preguntas, de la comprensible huida final. Fushía desciende de su talla criminal a un fracasado, desguarnecido cuerpo sin sexo, sin dedos, con llagas, carcomido; se convierte en un «montoncito de carne viva y sangrienta». Pero nadie ni nada puede obligarlo a no esperar, puede impedirle la confianza. Desde sus tocones, desde su lepra, insiste en esperar. Sin embargo, en su última, turbadora aparición, cuando Aquilino se va y Fushía queda inmóvil a lo lejos, uno percibe que, a partir de ese instante, también la capacidad de espera se desprenderá de ese cuerpo como un miembro inútil, también será sustituida por un estéril, último muñón. Una de las mayores proezas de Vargas Llosa es lograr del lector (porque lo logra, aunque parezca increíble) una mínima dosis de simpatía por ese despojo. No es piedad, ni compunción, ni siquiera clemencia. Quizá una onerosa comprensión, ya que esa piltrafa es de algún modo nuestro congénito egoísmo, nuestra lepra. También Fushía forma parte de la «literatura intrínsecamente escandalosa», pero ahora el escándalo ocurre en la conciencia del lector.

Claro, son demasiadas posibilidades, demasiadas implicancias, demasiadas apetencias, como para que Vargas Llosa no pierda pie en alguno de sus impulsos, o sus materiales en alguna ocasión no lo desborden, o sus inquietantes recursos no caigan a veces en lo mecánico, o alguna tregua de la tensión no llegue a desequilibrar la coyuntura literaria. Exigir lo contrario sería casi inhumano. Sin embargo, me resisto a suscribir un lugar común que se está convirtiendo en una suerte de estribillo crítico: este intento es sin duda un buen anticipo de

239

lo que será *algún día* la gran novela latinoamericana. Sencillamente, me niego. Creo que la gran novela latinoamericana
ya está escrita. ¿Qué literatura puede exhibir hoy un conjunto de equivalente calidad a *Los pasos perdidos, Pedro Páramo,
El astillero, La muerte de Artemio Cruz, Hijo de hombre, Sobre héroes y tumbas, Rayuela, La casa verde* y *Cien años de
soledad*? ¿Qué literatura puede exhibir el caso de un creador
que, sobrepasados apenas los treinta años, haya escrito una
novela tan adulta, tan rica, tan madura, tan incrustada en su
territorio, tan pródiga en invención, como *La casa verde*?

Y Vargas Llosa no nos deja repiro. Mientras elabora (como
siempre: metódica, tenaz, implacablemente) el gran borrador
de su nueva novela, que, según sus palabras «es la historia de
un guardaespaldas» (hace algunos meses me dijo en Londres
que cree que va a ser más extensa aún que *La casa verde*), una
editorial barcelonesa publica *Los cachorros*, una *nouvelle* de
un centenar de páginas (notablemente ilustrada por las fotografías de Xavier Miserachs) que, dentro de los límites del género, es uno de los relatos más intensos y pujantes que se han
escrito en América Latina. Vargas Llosa retoma aquí el tema
de la pandilla juvenil que ya había tratado en *Los jefes* y en
La ciudad y los perros. La distancia artística, y hasta diría profesional, que media entre *Los jefes* y *Los cachorros*, es enorme: es la que va de un tímido croquis a una obra maestra.
Pero aun si se lo compara con un libro tan espléndido como
La ciudad y los perros, y habida cuenta de sus distintas dimensiones, ambiciones y admitidas fronteras, *Los cachorros*
sale favorecido. Porque aquí no hay baches esporádicos, ni
concesiones itinerantes. Aquí no sobra ni falta nada.

La historia arranca de un accidente en un colegio religioso
de Lima. El protagonista, Pichula Cuéllar, entonces un niño,
es atacado en los baños por Judas, el perro danés del colegio,
que lo emascula con sus mordeduras. El relato no se queda
en el ámbito del colegio, sino que acompaña la vida de Cuéllar y sus relaciones con el compacto grupo de amigos. El narrador dosifica sabiamente el proceso. Al comienzo la castra-
ción es un detalle, sólo un pretexto para el mote (en la zona
del Pacífico, el término *pichula* designa el pene de los niños),

casi una broma. Mientras dura la infancia, la horrible merma se transforma en una ventaja, un privilegio: en el colegio, los Hermanos le toleran todo, le ponen buenas notas aunque no estudie; en la familia, le hacen todos los gustos, le compran patines, bicicletas, motos. Pero pronto se acaba ese nirvana. Aparecen las muchachas, despierta el sexo, la pandilla se ennovia, casi podría decirse que en forma colectiva. Ahí empieza Pichula Cuéllar a transitar su destino penitente, su soledad incurable. Su tragedia deriva, más que de las dentelladas del danés, de la ley hipócrita en que los demás (y él mismo, llevado y traído por los distintos modos de presión exterior) inscriben su impotencia. El implícito consejo colectivo que le brinda la banda de amigos, es el descarado ejercicio del disimulo, o sea: cortejar a las chicas, declarársele a Teresita (y aquí sobreviene la franqueza esencial del torturado: «pero ¿y después?») y luego largarla, claro. Los sucesivos desajustes de Cuéllar, sus deliberadas e infructuosas inserciones en la violencia, su patética búsqueda de sucedáneos (el deporte, la agresividad gratuita, el vértigo automovilístico) de ese imposible aval de machismo que el medio de algún modo le empuja a obtener, acaban por derrotar su voluntad, por destruir sus nervios, por volverle para siempre amargo el gusto de la vida. Las mordeduras del perro acabaron con su virilidad, es cierto, antes de que ella naciera; pero son las dentelladas del prójimo las que acaban con su vida.

Para narrar esa historia, Vargas Llosa escribe el más duro e implacable de sus libros. Martínez Moreno ha señalado que Vargas Llosa, como todo escritor de raza, tiene

el escabroso privilegio de crear la ilusión de la inevitabilidad para su versión del tema que aborda: a medida que (aun presabiendo el desenlace) nos adentramos en el suspenso tirante de *Los cachorros*, nos va costando imaginativamente más y más trabajo dar con la alternativa factible de otro tratamiento para el asunto que el novelista nos refiere. Y sin embargo, bastaría pensarlo previamente, en su desnudo diagrama de hechos, para que tales maneras pululasen. Podría esbozar aquí cuatro o cinco, igualmente inútiles frente al instinto infalible de narrador con que Vargas Llosa ha optado y nos ha impuesto la suya. El autor ha tenido tal vez ante sí varios de esos pla-

nes y ha elegido uno; su secreto consiste en convencernos precoz-
mente de la fatalidad del camino que ha escogido. Su éxito cabal se
cifra en borrar, casi desde las primeras frases, toda otra pista de posibilidades dispares y encontradas, en plegarnos a su falso determinismo, en endosarnos su versión como única, como central y verdadera.

Sí, es probable que, en el trance de elegir un tratamiento,
un destino, un desenlace, Vargas Llosa haya elegido el más feroz, y desde el inicio haya tratado de convencernos de su fatalidad; pero es igualmente factible que, para lo que el autor
quería en definitiva decirnos, para su cruzada subliminal contra los tabúes y la hipocresía, no hubiera más que un solo camino a recorrer. O sea: puede suceder que el tema mismo, la
peripecia (real o inventada, no importa demasiado), le impon-
gan al narrador su fatalidad mucho antes de que a éste se le
ocurra imponérnosla.

Para esta versión implacable de un orbe de prejuicios, de
eso que el impagable absurdo de los lugares comunes denomina conflictivamente *espíritu de cuerpo*, Vargas Llosa ha inventado un sistema, merced al cual lleva aquí también su inmersión (más que su compromiso) social hasta la gramática,
a la que hace estallar en varios órdenes, quizá más trascendentes que los que ya estallaron en *La casa verde*. En *Los cachorros* sólo Cuéllar es visto desde el exterior. Los otros, los
«amigos», son un gran personaje colectivo que a veces es aludido en tercera persona y a veces habla en primera del plural.
Pero el cambio, para operarse, no precisa de un nuevo párrafo, ni de guiones, ni siquiera de punto y seguido. En una suerte de nervioso y constante *switch*, el autor nos va entregando
esa doble dimensión de la historia, quizá como el modo de
recrear una responsabilidad colectiva, o también —y esto me
parece más probable— como una manera de instalar a su lector en esa culpa tribal, de hacerle sentir de alguna manera un
escozor de prójimo. Por eso creo que ni en las novísimas pau-
tas de *La casa verde*, ni en este experimento de *Los cachorros*,
Vargas Llosa puede ser considerado como un malabarista que
lanza caprichosa y espectacularmente al aire sus inventos, ni

menos aún un anticonvencional que empieza a fabricarse su nueva retórica. La necesidad del procedimiento parece preceder siempre al hallazgo, y eso ya es de por sí una buena garantía. Tal comprobación, además, parece decisiva para definir las intenciones de Vargas Llosa. En cuanto a adopción de técnicas, su actitud de creador es fundamentalmente flexible, abierta. Pese a sus descubrimientos, pese a la punta de lanza que en esa materia representan sus dos últimos libros, hay que reconocer que la renovación formal no es la *vedette* de sus relatos; más bien está al modesto servicio de la historia que se narra. «Todas las técnicas», sostenía Vargas Llosa en 1965, «deben proponerse anular la distancia entre el lector y lo narrado, no permitir que el lector, en el momento de la lectura, pueda ser juez y testigo, lograr que la narración lo absorba de tal manera que la vida del lector sea la vida de la narración y que, entonces, el lector viva la narración como una experiencia más». A esta altura de la carrera literaria de Vargas Llosa, creo que una de las más significativas razones de su creciente éxito, sea su tenacidad en ser consecuente consigo mismo. Por las dudas aclaro que con esto no quiero decir, ni mucho menos, que sus relatos y novelas sean autobiográficos (aunque *La ciudad y los perros*, por ejemplo, llegue a serlo en un nivel de información pero no de anécdota al menudeo) sino que en ellos Vargas Llosa sigue siendo fiel a su definida actitud frente al hecho literario, y esa actitud se corresponde con su persona, con su cosmovisión, con el orden interno y externo de su vida personal, con su preocupación por la injusticia y su rechazo de todos los dogmas.

En esa limpia correspondencia se inscriben, por ejemplo, su adhesión a la revolución cubana, su actitud frente al proceso a los escritores Daniel y Siniavski, o su discurso pronunciado en Caracas al recibir el premio Rómulo Gallegos. Pese al rotundo éxito, a los suculentos premios, a la bien ganada fama, Vargas Llosa se ha resistido (en su obra, en su vida) a integrarse en ese voraz proceso de frivolización que tan a menudo suele darse en los escritores latinoamericanos que eligen el exilio europeo; se ha resistido asimismo a inscribir su actitud en eso que ahora llaman, con cerrazón de mala conciencia, «desligadura de lo intersubjetivo» y que no es otra cosa que dar la espalda a la responsabilidad social. Esa esencia humana, vital, es después de todo (para usar, aunque en otro sentido, una terminología grata a Carlos Fuentes) la verdadera *zona sagrada* del escritor latinoamericano, ésa que no es posible resignar sin trivializarse, sin menoscabar en algo la fuerza creadora. Si una demostración faltaba para establecer la importancia de semejante correlación, aquí está la producción literaria de Vargas Llosa (nunca panfletaria, siempre desvelada por la realidad) que apuntala su valor de obra de arte con una sobria, legítima asunción de su ser latinoamericano*.

(1967)

Las mayúsculas de Antonio Cisneros

Además de estupendo poeta, Antonio Cisneros (Lima, 1942) es un movilizador cultural de primer orden. Cada vez que se ausenta del Perú (ha residido largas temporadas en Gran Bretaña, Francia, Estados Unidos, Hungría) el ambiente cultural limeño baja de tono; cada vez que regresa, en cambio, surgen como por encanto revistas, suplementos culturales, empresas editoras, etc. Ya en 1964 había sacudido el cotarro literario de Lima con *Comentarios reales* (era su tercer libro y ganó el Premio Nacional de Poesía: sólo tenía 22 años). Cuatro años después movió el ambiente literario, esta vez a escala continental, ganando el Premio Casa de las Américas con su *Canto ceremonial contra un oso hormiguero*. Y siguió propinando sacudones varios: al Rey Lear, a los gerentes, a los elefantes, al Ministro de Fomento y Obras Públicas, a la sagrada historia del Perú.

---

* Este último párrafo, absolutamente válido en 1967, cuando fue escrito, reclamaría en 1987 importantes ajustes, ya que, a partir de 1971, Vargas Llosa dio un radical viraje político, que, entre otras cosas, lo ha convertido en un crítico implacable de la revolución cubana, y tal vez en el intelectual más relevante de la derecha latinoamericana.

Sus títulos, tanto de libros como de poemas, suelen ser misteriosos y largos: *Como higuera en un campo de golf* (1972), *El libro de Dios y de los húngaros* (1978), «En el 62 las aves marinas hambrientas llegaron hasta el centro de Lima», «Un soneto donde digo que mi hijo está muy lejos hace ya más de un año».

Otro rasgo distintivo es el uso de mayúsculas. Seguramente no hay en la poesía latinoamericana (sólo Ernesto Cardenal sería equiparable) versos con tantas mayúsculas como los de Cisneros. Hace tiempo que buena parte de los poetas latinoamericanos las han tirado por la borda; no obstante debo reconocer que en Cisneros las mayúsculas son poco menos que indispensables. Le sirven, es cierto, para destacar, para asombrar, para respetar, pero también para ridiculizar y (oh paradoja) para minimizar. Cisneros huronea de continuo en la historia, mejor dicho en la Historia, y ésta rebosa de mayúsculas. Rescata instantes de esa Historia, casi diría que los aísla, los ilumina, y de pronto descubre dónde y cómo se convierten en poesía. La operación que Eduardo Galeano está llevando a cabo, pero en prosa, en su notable *Memoria del fuego*, Cisneros la viene cumpliendo en su poesía (es claro que en un andarivel más estrecho), por lo menos desde sus *Comentarios reales*.

Cisneros nació el mismo año que Javier Heraud, el poeta asesinado por la soldadesca en 1963 en las márgenes del río Madre de Dios; y, como todos los escritores peruanos de esta generación, fue tocado hondamente por esa muerte. No obstante, lo que para otros fue frustración, o tal vez absurda mala conciencia, para Cisneros fue acicate, incitación vital. En algún reportaje de 1969, «el poeta de la sombra larga» (así lo llama el periodista, habida cuenta de su metro ochentaitantos de estatura) ha dicho que sus poemas son «ensayos frustrados», y agregaba: «en el buen sentido de la palabra». ¿Cuál es el buen sentido? ¿Será el que deriva del origen etimológico: *frustrar* viene del latín *frustrari*, engañar? Quizá. En verdad son ensayos engañosos: aunque la terminología suele ser ensayística, la situación es siempre poética. También ha confesado que oscila «entre la depresión y la euforia»; pero lo cierto es que la oscilación, el péndulo poético, desmistifica en cada trazo su propio vaivén, ya que el humor, la ironía particularmente aguda, no pierde de vista el equilibrio.

Cisneros se acerca a la historia ajena (británica, francesa, húngara) con una mirada desembozadamente peruana, y a la historia peruana con un distanciamiento que de alguna manera respalda su juicio; un juicio del que por cierto no se excluye. Se ha dicho que es un poeta conceptual, y quizá lo sea, pero qué selva de objetos, de acontecimientos, de geografías, es atravesada por cada concepto. Por otra parte, su raigal optimismo lo lleva a insertarse en las calamidades, en los descalabros, en las desventuras, a fin de buscar aun allí una tímida razón de vida.

El poeta limeño recurre frontalmente a su memoria («la memoria es el santo y seña de la poesía cuidadosa, culta de Antonio Cisneros», escribió en 1969 un poeta cubano de su misma generación, Luis Rogelio Nogueras), pero cuando se introduce en los vericuetos y los arrabales de la historia que *fue* antes que él, entonces no se inhibe y sencillamente inventa una memoria, o se la inventa a un personaje, como ocurre precisamente en su último libro, *Monólogo de la casta Susana y otros poemas*, adoptando así un procedimiento que es casi privativo de los narradores. Por otra parte, Cisneros es todo un maestro del contraste. Sólo una muestra: el poema «Denuncia de los elefantes (demasiado bien considerados en los últimos tiempos)», incluye citas textuales de Edgar Rice Bourroughs (sobre Tarzán, claro) y del catálogo *Kenia* de American Express, y tras esa hábil antología de documentadas fruslerías, llega el verso final, escalofriante: «No hay túmulo para Lumumba, ni señal». Aun en la circunstancia del amor, el poeta echa mano del contraste: «Te beso en la orejita, / te beso. Mas no me comprometas con la quinta república / —y menos con la sexta que se viene» (del poema «En un rinconcito del Panteón»).

Esta poesía, más que de tropos, es de situaciones. En todo caso practica (y con éxito) la *situación* como *metáfora*. Creo que Cisneros es no sólo el poeta peruano más importante de su promoción, sino uno de los mejores a nivel continental. El hecho de que en muchos países de América Latina, se le conozca escasamente, tan sólo sirve para confirmar el mutuo aislamiento cultural en que vivimos o nos hacen vivir. Aparte de Perú, apenas México y Cuba han publicado algunos de sus libros. Y sin embargo entiendo que sería muy útil que su poesía fuera ampliamente conocida entre nosotros, ya que tras el reciente y largo período de incomunicación, de desaliento, de marginación y de censura, una poesía provocativa (en la mejor acepción), ágil, sugerente, experimental y sin embargo rigurosa, nada sectaria y bienhumorada como la de Antonio Cisneros, siempre será una buena y confortante compañía.

(1986)

William Faulkner, novelista de la fatalidad

1

Faulkner es todavía un novelista oculto. De ahí que sea riesgoso vaticinar cuánto demorará y revelará el desentrañamiento cabal de su estilo cerrado, implicativo, de su saga de ambiente irrespirable, de sus criaturas dilaceradas por la fatalidad.

Es preciso que el crítico de Faulkner aprenda a contradecir sus impresiones, porque éstas suelen basarse —en rigor se basan casi siempre— en anécdotas parciales que fácilmente pueden tomarse por el total de la intriga, en actitudes aisladas de un personaje que a menudo pueden no responder a su *actitud* general. Por atentamente que se lea esa virtual crónica de Jefferson que constituye la mayor y la mejor parte de su obra, siempre existirá algo más: en la veta subterránea de la narración, en otro libro publicado diez años atrás, en una biografía apócrifa de sus personajes, en dondequiera que se sepa, que se pueda buscar. El mundo faulkneriano es para el crítico una perversa red regional, con su historia, su geografía, sus generaciones y sus fatalismos, dispuestos a modo de estratos geológicos, de diversas eras interpenetradas.

Arduo resulta descifrar a Faulkner, arribar al complejo sentido de su arte, pero lo más insufrible, lo más exasperante de su actitud como artista, es su total indiferencia por el lector, que a veces llega a creerse víctima de una tortura premeditada. Malcolm Cowley atribuye esa actitud a una «desconfianza nerviosa» y a la «simple inconsciencia de la existencia del público»[1]. Sin embargo parecería que esta última conjetura, de hecho la más creíble, bastara para eliminar la primera. Faulkner ha visto claramente cuál debía ser el rumbo de su arte y cuáles los medios formales más adecuados a su expresión. Naturalmente, no admite concesiones; escribe en primera y última instancia para sí y es esa regla precisa de egoísmo la que resguarda su talento. Gracias a ella, Faulkner ha escrito las novelas de más complicada y posiblemente de más perfecta organización interna de toda la literatura norteamericana. Obras como *El sonido y la furia*, *Las palmeras salvajes* y sobre todo *¡Absalón, Absalón!*, constituyen verdaderos prodigios de estructura narrativa, en la que han sido tenidos en cuenta hasta las menores correspondencias, hasta los más sutiles detalles de disciplina formal, que por cierto no pueden vigilarse tan objetivamente cuando el autor piensa demasiado en su público[2]. Faulkner ni lo busca ni —como algunos sostienen— tampoco lo desprecia; simplemente, prescinde de él.

---

[1] «Mantiene hacia el público una curiosa actitud que parece de olímpica indiferencia [...] pero que en realidad no pasa de ser una mezcla de desconfianza nerviosa y simple inconsciencia de la existencia del público» (Introducción a *The Portable Faulkner*, Nueva York, 1946, p. 4). Una de las pocas veces que Faulkner se preocupa de su público, no significará para éste un aliciente. En su opinión, *Santuario* «era una idea barata [...] concebida deliberadamente para ganar dinero» (cit. por Malcolm Cowley).

[2] Varios críticos han señalado ya algunas contradicciones en que incurre Faulkner: la mujer de Henry Armstid en uno de sus libros se llama Lula y en otro Martha; un jefe indio llamado Doom aparece unas veces como padre de Issetibeha y otras como su nieto; la casa de Sutpen, que al principio de *¡Absalón, Absalón!* está construida de ladrillos, al final de la novela es de madera y se incendia. Malcolm Cowley juzga «que la mayoría de ellas son reelaboraciones más que inadvertencias» *[«that most of them are after-thoughts rather than oversights»]* (*op. cit.*, p. 8).

Esta actitud literaria puede no ser la más legítima ni la más conveniente en la mayoría de los casos. Pero en el caso de Faulkner resulta la *única* actitud posible. El trabajo de horadación temporal que realiza, exige esa abundancia de referencias, de noticias yuxtapuestas, que a modo de círculos concéntricos rodean los diversos estadios de una anécdota única.

En *¡Absalón, Absalón!* —acaso la más hermética, pero también la mejor construida de sus obras— Faulkner perfora el tiempo a partir de una peripecia que se nos da desde el comienzo. Toda la novela consiste en una inmersión en el pasado —en los distintos pasados de cada personaje— gracias a la cual la anécdota se ilumina, adquiere sentido, recorre su propia fatalidad. Al promediar la narración, al lector le parece increíble que el novelista pueda extraer doscientas páginas más del mismo acontecimiento crucial, pero Faulkner lo sigue recorriendo incansablemente, observándolo y haciéndolo observar desde imprevistos ángulos, repitiéndolo una y otra vez con otros agregados, con nuevos antecedentes aclaratorios. Esta exhaustiva búsqueda del nudo verdadero de la acción, de las capas psicológicas de un destino, termina por fascinar al lector, por exigirle el máximo esfuerzo a fin de superar la barrera de imposibilidades que estorban aún su conocimiento cabal de la peripecia. Quiere enterarse, enterarse más, y sobreviene entonces la particular situación de que un novelista, que desde las primeras páginas nos entera del desenlace de su trama, nos interese sin embargo a tal punto, a tal punto provoque nuestra curiosidad.

El hecho de que Faulkner empiece a menudo una novela por su desenlace, parecía demostrar que sólo quiere transmitir los antecedentes de algo fatal, pretendiendo sin duda que también el lector lo considere como algo irremediable, como ya sucedido. Y éste es quizá el aspecto más definidamente mítico en la obra de este novelista.

Como anota Claude-Edmonde Magny, todos los personajes de Faulkner han sido hechizados por el destino [3]. Al igual

---

[3] Claude-Edmonde Magny, *L'âge du roman américain*, París, 1948, p. 232.

que en la literatura precristiana y particularmente en el mundo trágico de Sófocles, estos seres míticos no cometen pecado sino que obedecen a una fatalidad ineludible[4]. Marchan hacia su destino (como el prófugo —en «El Viejo»— a su vida de cárcel; como Sutpen —en ¡Absalón, Absalón!— que provoca su propia muerte al ofender premeditadamente el módico honor de Wash) o lo esperan inermes, con la negra Nancy —en «El sol de la tarde»— consciente de que nada podrá evitar que su marido la asesine. De ahí que no valga el Acto como motivo de interés, y se nos dé —aunque sólo en su aspecto exterior— desde el comienzo; lo que importa son los antecedentes y los resultados, porque el Acto está preestablecido, se lo admite como fatal. Al igual que los oyentes de Homero o los espectadores de Esquilo, los lectores de Faulkner conocemos la peripecia desde el comienzo. Claro que Faulkner se ve obligado a relatarla, por la simple circunstancia de que él ha creado su mitología, con tipos legendarios y un Olimpo propio, es decir, su Condado de Yoknapatawpha, en tanto que los griegos reelaboran un material protegido y tamizado por la tradición. Hoy nos parece casi increíble que aquello ingenuos pudieran emocionarse con cada muerte de Casandra, apasionarse con cada parricidio de Orestes; no obstante, ahora nos conmueve este hombre de Faulkner, —ce grand animal divin et sans Dieu, perdu dès la naissance et acharné à se perdre—[5] porque siempre nos atañe la obsesión de lo fatal y no podemos eludir cierto placer doloroso en la contemplación de los pasos marcados del hombre, de su inconsciente medrar hacia la muerte. Por eso, Quentin y Shreve no necesitan de modo imprescindible las aseveraciones de otro testigo para completar hasta en detalles insignificantes la saga de Sutpen. Simplemente, se lanzan a imaginar.

Ambos creaban, juntos, de cabos sueltos y fragmentos de viejas historias y habladurías, gentes que quizá nunca existieron en lugar

---

[4] Según el conocido dictamen de Malraux, Santuario significa la irrupción de la tragedia griega en la novela policial.

[5] «Ese gran animal divino y sin Dios, perdido desde el nacimiento y empeñado en perderse...» Jean-Paul Sartre, Situations I, París, 1948, p. 7.

alguno, sombras que no eran sombras de carne y hueso que vivieron y murieron; sino sombras de lo que (para uno de ellos, al menos, para Shreve) eran otras tantas sombras, silenciosas como el visible murmullo de su aliento convertido en nubecilla de vapor.

Quentin y Shreve pueden imaginar, porque lo irremediable no admite variantes ni elusiones. Podrían inclusive predecir la muerte de Charles Bon, la de Sutpen o la de Wash, del mismo modo que Casandra anunciaba la de Agamemnón, la de Clitemnestra o la suya propia. Quentin y Shreve, que juegan a ser testigos, podrían jugar también a ser profetas.

2

Sartre denuncia el carácter arbitrario y parcial de esta impresión faulkneriana del hombre y del mundo: el hombre que nos presenta Faulkner es *un Introuvable; on ne peut pas le saisir ni par ses gestes, qui sont une façade, ni par ces histoires, qui sont fausses, ni par ses actes, fulgurations indescriptibles*[6] y agrega: *Les créatures de Faulkner sont envoûtées [...] Et c'est ce que j'appelais déloyauté: ces envoûtements ne sont pas possibles. Ni même concevables*[7]. Es natural que Sartre combata este aspecto de Faulkner, desde que opugna su actitud filosófica. Así como el hombre faulkneriano se ve absorbido por el destino, el de Sartre se halla fascinado por la libertad y por ella consigue justificarse. Son dos posiciones que recíprocamente se descartan, ya que nacen de criterios cosmogónicos totalmente dispares. De ahí que no resulte muy justo tomar como crítica literaria lo que en verdad significa una crítica de actitudes, una censura personal ante determinada posición del hombre frente al Universo. Lo cierto es que tanto Sartre como Faulkner se mantienen en su obra literaria fieles

[6] «Un inencontrable; no se le puede captar ni por sus gestos, que son una fachada; ni por sus relatos, que son falsos; ni por sus actos, fulguraciones indescriptibles» Jean-Paul Sartre, *Situations I*, p. 11.
[7] «Las criaturas de Faulkner están embrujadas [...] Y a eso es a lo que yo llamo deslealtad: esos embrujamientos no son posibles. Ni siquiera concebibles» *Op. cit.*, p. 12.

a su metafísica y ello alcanza para garantir la legitimidad de sus mensajes respectivos.

Por otra parte, es evidente que Faulkner no es un realista, en el sentido lato de la expresión, ni tampoco un narrador meramente objetivo. En alguna de sus obras, quien transmite la historia o asiste a ella es una especie de *testigo*[8] alejado e indemne, mas al cabo de algunas decenas de páginas el *testigo* se convierte en *alguien*. Más adelante ya no será *alguien* sino Faulkner quien —a expensas del narrador imaginario— desenvolverá el argumento y anotará sus reflexiones.

En *¡Absalón, Absalón!*, precisamente, se pone de manifiesto una especie de *subjetivismo a partir del objeto*. La historia que rodea insistentemente un tríptico incestuoso, es relatada por Quentin Compson, estudiante de Harvard. Considerando esta novela por separado, poco importa el nombre del narrador, pero si se la vincula a *El sonido y la furia*, donde sabemos que el mismo Quentin recurre al suicidio impulsado por una equívoca inclinación hacia su hermana, entonces el papel del narrador y la narración misma revelan otros móviles, otras conexiones. Aquí interviene —o mejor dicho, hacemos que intervenga *a posteriori*— una intención subjetiva de parte del relator, que es, a final de cuentas, y aunque resulte paradójico, del más puro objetivismo. Quentin, el trasmisor de la anécdota, la grava con cavilaciones y aquiescencias personales, con implícitas referencias a su propia actitud. Pero justamente debido a esta notoria carga del sujeto, el papel de Quentin pasa a ser, visto desde el ángulo del autor, definidamente objetivo. Cuanto más rehínche de sujeto su relato, tanto más objetivamente es considerado el relator por el novelista.

Existe sin embargo un fragmento de la obra de Faulkner —el capítulo I de *El sonido y la furia*— en que el testigo, en este caso un idiota, es testigo y nada más, sin que lo subjetivo se inmiscuya en su monólogo interior, salvo cuando denuncia la especie de enamoramiento olfativo que experimenta por Caddy. Los acontecimientos desfilan por su pantalla mental,

---

[8] Véase al respecto, Claude-Edmonde Magny, *op. cit.*, pp. 212-213.

sin orden lógico ni cronológico, como entreveradas secuencias de un mismo *film* en el que los temas estallaran, desaparecieran y regresaran siempre en forma caótica, sin solución de continuidad. Es éste un testigo ajeno, trivial hasta la idiotez, ordinario, simple, pero rigurosa, superficialmente fiel al hecho en su acepción más basta, el acto puro sin complicaciones ni secuelas de pensamiento.

No obstante, este monólogo interior —como todos los de Faulkner— carece en cierto modo de verosimilitud. No se trata aquí del caos a la manera de Joyce, en donde el desorden y la inconsecuencia invaden no sólo los pensamientos sino también el estilo y hasta la ortografía. Los monólogos interiores de los personajes faulknerianos no pierden su calidad estilística, y allí donde Mrs. Marion Tweedy Bloom —la Penélope joyceana— discurre entreveradamente en sus nocturnas meditaciones: *«brought it on too damn it damn it and they always want to see a stain on the bed to know youre a virgin for them all thats troubling them theyre such fools too you could be a widow or divorced 40 times over a daub of red ink would do or blackberry juice no thats too purply O Jamesy let me up out of this pooh sweets of sin»*[9], etc., el Quentin de Faulkner cavila en más coherente estilo: *«And Father said it's because you are a virgin: dont you see? Women are never virgins. Purity is a negative state and therefore contrary to nature»*[10]. No corresponde, sin embargo, exigir a Faulkner una estricta verosimilitud. Está claro que nadie *redacta* así sus pensamientos y el procedimiento de Joyce queda como el más fiel. Pero Faulkner no pretende lograr, como el autor de *Ulysses*, una imagen exacta e instantánea, no pretende exhibir una

---

[9] «Lo hizo venir también maldito maldito y ellos quieren ver siempre alguna mancha en la cama para comprobar que una es virgen eso es todo lo que les preocupa a ellos son tan pavos una podría ser viuda o divorciada 40 veces y una mancha de tinta roja bastaría o jugo de zarzamora no eso es demasiado purpúreo oh Jamesy déjame salir de esto ufa dulzuras del pecado», etc. (Versión de J. Salas Subirat.)

[10] «Y papá dijo eso es porque tú eres virgen: ¿No te das cuenta? Las mujeres no son nunca vírgenes. La pureza es un estado negativo y por lo tanto contrario a la naturaleza» (Versión de Floreal Mazía).

rebanada de vida pensante, sino reelaborar literariamente la desordenada materia prima, el caos verídico. Una reconstrucción semejante, mediante recursos nítidamente artísticos, de un estado abisal de la conciencia, permite destacar su cualidad tónica. Acrecentando una angustia, clarificando una reflexión, haciendo más patentes los términos de una duda, Faulkner esquiva una verosimilitud demasiado prolija, pero aumenta notablemente la credibilidad general de su anécdota.

Como en Kafka, también en Faulkner siempre hay algo más detrás del gesto o de la palabra, debajo de la acción. Como en Kafka, también aquí existe un símbolo tangencial, una forma de mensaje incoherente (no deliberado, como en el desapacible Hesse de *El lobo estepario*, sino segregado naturalmente de una personal concepción acerca de la trama misma del universo), pero en cambio difieren en lo fundamental las respectivas actitudes del hombre frente al Tiempo. La evolución del ente kafkiano traza una espiral infinita; la del ser faulkneriano, sólo una línea recta. El hombre de Kafka busca sin religión, horriblemente solo, a un Dios que es aplazamiento, postergación sin término. El hombre de Faulkner es, por el contrario, esencialmente religioso, casi un puritano[11], con todos los prejuicios del hombre de religión, menos uno solo: aunque posee una exacerbada noción de lo fatal, carece en cambio del prejuicio de Dios. De modo que mientras en Kafka la conciencia se angustia perpetuamente en la certeza de que *nunca* alcanzará su culminación, en Faulkner tiende en forma directa a su destino, a hundirse improrrogablemente en él. Cuando —en *Santuario*— Lee Goodwin se niega a denunciar la presencia de Popeye en el sitio y el instante del asesinato de Tommy, no parece obedecer a razones de estricta lealtad tanto como a una actitud típicamente faulkneriana: *la seguridad de que es imposible luchar contra el destino.*

---

[11] Maurice E. Coindreau, en *Apercus de Litérature américaine* (París, 1946), atribuye la incurable actitud pesimista de Faulkner a su *puritanismo*. A pesar de los temas de literatura negra que prefiere, Faulkner experimenta una invencible repugnancia por el amor carnal, considerándolo fuente de bestialidad para el hombre y de duplicidad para la mujer (Citado por Jean Simon, *Le roman américain au XXe. siècle*. París, 1950).

Es preciso admitir que en Faulkner, como en Joyce, como en Virginia Woolf, la visión de la humanidad resulta limitada y fragmentaria. Aunque se ha señalado que los héroes de Faulkner podrían representar los instintos culpables del hombre[12], aunque en cada personaje es posible hallar los crímenes, las desviaciones y las violencias que, a modo de una peste latente, arrastran una fuerza potencial como para inficionar una familia, una colectividad o una nación, no es posible generalizar una actitud que desaloja del futuro humano toda probable decencia, toda esperanza de amor normal. La tragicidad de Faulkner, de filiación netamente clásica, se beneficia empero con esa visión fragmentaria de la existencia. Probablemente no se trata, para emplear la distinción formulada por T. S. Eliot, de un clásico *relativo* sino *absoluto* (pese a su aparente localismo, pese a sus frecuentes negros, linchamientos y gangsters), ya que sus exageraciones, aunque verticales y por tanto faltas de amplitud, guardan en cambio la *universalidad* imprescindible. La violación de Temple —en *Santuario*— bajo la mirada informe de Popeye, la interminable travesía de *Mientras agonizo*, el monstruoso secreto de «Una rosa para Emilia» o el linchamiento de Christmas en *Luz de agosto*, dependen de ritos morbosos e increíbles, sostenidos empero por tendencias latentes en el hombre. Shakespeare no echó mano a otro método, a fin de crear algunas de las principales figuras de su mundo trágico: Macbeth o Lear, Sutpen o Popeye, son, antes que símbolos, exageraciones. Por eso se vuelven tan dramáticas sus progresiones hacia la muerte, porque se trata de desarrollos *posibles*; pueden no existir hombres símbolos, pero siempre habrá frenéticos y poseídos.

Tanto el espíritu como las reacciones de los seres faulknerianos no son de tipo regional, por más que usufructúen un ambiente preciso para establecerse y se refieran sostenidamente a él. Es en este aspecto que Faulkner difiere fundamentalmente de otros novelistas de su país —como Dreisser, Stein-

---

[12] Véase Jean Simon, *op. cit.*, p. 128.

beck o Sinclair Lewis, cuya pintura es acentuadamente loca-
lista y cuyas intenciones son a menudo sociales o militantes—
y el que a su vez hace posible que mantenga ciertas afinidades
con un Sherwood Anderson, cuyo *Winesburg, Ohio* parecería anunciar algunos temas de *Estos trece*[13].

Sartre ha notado ya que el suicidio de Quentin no es una
empresa sino una fatalidad[14]. Ello podría aplicarse en general
a la obra de Faulkner. El autor siente la obsesión de sus personajes, parece convencerse de su existencia, pero no puede
separarse de ellos. Ni en su vida real[15] ni en sus novelas, se
aleja de su tierra natal o del imaginario Condado de Yoknapatawpha, del cual es *«William Faulkner, sole owner and pro-
prietor»**, como él mismo inscribe en un mapa de su Condado. Los Snopes y los Sartoris, que simbolizan los dos clanes
en que se divide el Sur faulkneriano, aparecen en la mayor parte de sus obras. Pero no sólo personajes colectivos, sino también individuos claramente determinados pasan de una a otra
novela y hasta siguen viviendo fuera de ellas.

Esto podrá parecer insólito. Sin embargo, cuando Malcolm
Cowley, encargado de organizar y prologar *The Portable
Faulkner*, requirió el asesoramiento del propio novelista para
algunos aspectos de su trabajo, Faulkner decidió enviarle una
biografía de los Compson, la destrozada familia de *El sonido
y la furia*, cuyo rumbo abandonáramos en 1928; en dicha biografía «aclaratoria» el estilo es en general tan intrincado como
en la novela y posee frases interminables entre paréntesis[16],

---

[13] Antes de que Faulkner publicara su primera novela, en una época en
que, increíblemente, escribía versos al parecer insoportables, Sherwood Anderson apreció su talento y tuvo sobre el futuro novelista un ascendiente decisivo. Lo más curioso es que *Beyond Desire*, novela de Anderson publicada
en 1932, soporta una evidente influencia de su antiguo discípulo.

[14] Jean-Paul Sartre, *Situations I*, p. 78.

[15] Con excepción de algunas visitas a Hollywood, Faulkner ha vivido
siempre en el Sur, a menos de cuarenta millas del lugar de su nacimiento.

* «William Faulkner, único dueño y propietario.»

[16] Esto ya no sorprende en Faulkner. En «El Oso», la más extensa y para
muchos la mejor de sus *stories*, hay una oración que ocupa seis páginas, de
las cuales *dos* figuran entre paréntesis.

pero lo verdaderamente inesperado es que la trayectoria de los Compson va más allá de la novela y alcanza hasta el presente. Así nos enteramos de que Benjamín ha sido definitivamente internado en el asilo de Jackson y Mrs. Compson ha muerto, de que Jason se ha establecido en Jefferson por su cuenta y Caddy ha sido fotografiada en Europa, a la edad de cincuenta, junto a un apuesto general alemán.

No resulta difícil admitir que un laberinto semejante de supervivencias, de fatalismos, de encadenamientos, estorba una inmediata comprensión de la obra de Faulkner. No obstante, como anota Claude-Edmonde Magny, *«[il] n'est jamais plus inimitable, plus inexorablement fidèle à soi-même que là où il fait le moins de concessions, où il ose être au maximum obscur ou ennuyeux»*[17]. Por otra parte, es inevitable que el lector recién llegado a la tierra faulkneriana, a esa región imaginaria del testigo, demore en acostumbrarse a las sombras antirrománticas y ensimismadas que la pueblan. Aquellos, empero, que consiguen asistir a su mito y recorren su fatalidad, se ven amenazados por la particular obsesión, por el hechizo ineludible de ese mundo sin Dios, sin libertad y sin efugios. Y —lo que es más asombroso— también sucumben a su encantamiento.

(1950)

---

[17] «...jamás es más inimitable, más inexorablemente fiel a sí mismo que cuando hace menos concesiones, cuando osa ser oscuro o molesto en grado máximo» (*Op. cit.*, p. 196).

EL MUNDO

Italo Svevo y su mundo creíble y vital

Italo Svevo llega a nuestro idioma con un retraso de treinta años[1]. El contacto con su nombre y su fama tardía se había establecido a través de la enumeración circunstancial de algún tratadista, de estudios sobre influencias, de citas, de fragmentos. Esto no es demasiado asombroso. Ni siquiera en su propia lengua ha sido profusamente editado. A diferencia de otros grandes novelistas de la conciencia —Dostoievsky, Joyce, Proust— la obra de Svevo no ha disfrutado mayormente de la publicidad crítica. La mayoría de las historias de la literatura italiana, que citan a Moravia, Levi, Piovene, parecen complacerse en ignorar a este notable escritor, cuyas criaturas son por cierto más creíbles, más humanas y conmovedoras que las de los actuales narradores de la Península.

Sin duda, la crítica italiana no puede olvidar (ni perdonarse) la pasmosa falla que significó el haber ignorado el talento

---

[1] Italo Svevo, *La conciencia del señor Zeno*. Traducción de Atilio Dabini, Buenos Aires, 1953.

de Svevo. El oscuro autor de *Una vita y Senilità* fue prácticamente descubierto por James Joyce y lanzado al mercado por la crítica francesa. Svevo representa el ejemplo típico de escritor autónomo, de vida independiente, al margen de las camarillas y la política literarias. Aunque indudablemente herido por la conspiración de silencio que acogió sus primeras obras, jamás descendió a recabar el elogio de la crítica ni se fijó la tarea de convencer a los demás de la talla presumible de su propio talento. Los veinticinco años que separan *Senilità* (1898) de *La coscienza di Zeno* (1923) no representan un asentimiento del autor al apático dictamen de la opinión pública. Este escritor se conoce a sí mismo tan minuciosamente como Zeno distingue su conciencia. El largo silencio es sólo un reproche, la actitud resentida y, si se quiere, altiva, de quien tiene algo vital que comunicar y es escrupulosamente evitado por el destinatario.

Si, después de la aparición de *Senilità*, hubiera seguido Svevo produciendo novelas, no hay motivos para conjeturar que *La coscienza di Zeno* no habría culminado, de todos modos, un ascendente proceso. No obstante, esos veinticinco años, transcurridos en medio de una activa vida comercial, su culto privado del violín, las pensadas lecturas y una modesta pero inflexible militancia política, constituyen el lapso necesario para que su modo de observación, de por sí arduo y moroso, madurara convenientemente, fijara sus convicciones y hallara las adecuadas proporciones literarias para integrar su verdadero sentido.

Desde los comienzos de su intermitente celebridad, el nombre de Svevo ha sido asociado al de Proust y al de Joyce, con quienes los críticos han aprendido a formar su terna ideal de novelistas psicólogos. Sin que signifique desconocer ni desvirtuar el invalorable aporte de Proust y Joyce a la narrativa contemporánea, parecería injusto limitar el papel de Svevo a una suerte de segundón de aquellos grandes. En primer término, porque, en cierto sentido, Svevo los precedió en el ejercicio de la introspección psicológica (*Una vita y Senilità* aparecieron, respectivamente, en los años 1892 y 1898, y en ambas había usado Svevo, quizá de un modo primario, elemental, los métodos de intenso autoanálisis que, más tarde, ya en plena madurez creadora, emplearía en *La coscienza de Zeno*); y luego, porque la obra de Svevo es lo bastante personal y característica como para escapar, por sus propios méritos, de la riesgosa sombra que proyecta una vecindad monumental.

Es inevitable que en Proust y Joyce nos impresione su actitud estética, su modo analítico de reflejar el pasado, de revisar hasta el cansancio el orden y el desorden de los pensamientos. También es inevitable que la gran habilidad técnica y el dominio del idioma que uno y otro poseen, al elaborar minuciosamente la exteriorización de ese análisis, nos aleje en forma imperceptible del mundo que describen. Entre el lector y el protagonista media una lente de aumento. La exageración mnemónica de Proust nos produce la misma impresión de vértigo que un abismo sin fondo; el caos joyceano nos parece abrumadora y premeditadamente organizado; pero ni aquella memoria ni este caos tienen demasiado contacto con nuestra realidad más cauta, más sencilla, menos vertiginosa.

He aquí lo que mejor distingue a Svevo de esos creadores. Ya los críticos de principios de siglo vieron que el estilo de Svevo no era brillante ni esmerado. En eso tuvieron razón; no la tuvieron empero, al ignorar que en esa opacidad estilística, residía buena parte de su eficacia como narrador. Los personajes de Svevo son, por lo general, seres mediocres, más o menos custodiados (no agobiados) por su conciencia. El narrador sólo quiere brindar una versión directa de esa mediocridad y usa para ello las formas manidas del lenguaje coloquial; los hechos oscuros, insignificantes, de la cotidianidad. Todo aparece en su justa proporción, en las mismas dimensiones que las palabras y los hechos poseen en la vida, corriente y poco célebre, del lector. El análisis de Svevo se realiza sin lupa; en largos pasajes, no parece la obra de un novelista sino la deposición de un testigo —no importa demasiado si de defensa o de cargo.

La influencia de Flaubert, que se había hecho sentir en Svevo desde su primera novela, *Una vita*, cuya trama recuerda insistentemente la de *L'éducation sentimentale*, se prolonga hasta el absorbente personaje de Zeno, un viejo inteligente y sensible, abúlico y apocado, que inducido por un psicoanalista, consiente en escribir sus memorias, aunque no pueda sustraerse a la tentación de analizarlas a su manera, no demasiado científica, pero de todos modos veraz y apasionante.

En sendos capítulos, el narrador explora sus tentativas para dejar el tabaco, la muerte de su padre, su noviazgo y casamiento con Augusta, sus relaciones extramatrimoniales con Carla y la asociación comercial con Guido, su concuñado. No se trata, pues, de un relato en línea recta, sin solución de continuidad. Zeno semeja un autobiógrafo que eligiera tan sólo los pasajes más representativos de su vida, las etapas e imágenes que pueden erigirse más adecuadamente en símbolos de sus perplejidades y afirmaciones. Quiere decir la verdad acerca de sí mismo y, por añadidura, acerca de los demás; aquí y allá se engaña con frecuencia, pero cada capítulo es un nuevo modo de encarar esa misma verdad, un asedio por otro de sus sectores. Hay una sensible diferencia entre una novela común, escrita en primera persona (tales como *L'étranger* o *Journal de Salavin*) y *La coscienza di Zeno*. El héroe de Camus o el de Duhamel cuentan *su novela*; los mejores efectos siempre tienen lugar dentro de lo literario y, paulatinamente, van dando forma a un mensaje, nada trivial por cierto, pero de índole rigurosamente intelectual. El protagonista de Svevo, por el contrario, no tiene pasta de héroe literario; con la imprescindible dosis de humor y de desdicha, que no excede la de su lector corriente, Zeno no refiere *su novela* sino *su autobiografía*. Ahora bien, ¿esta autobiografía carece de mensaje? No me atrevería a asegurarlo. Como crítico, tal vez no me resigne fácilmente y, a falta de un gran mensaje explícito (tipo Rilke o Lawrence o Unamuno), me conforme con un buen sucedáneo, por ejemplo, el que figura en la página 86: «La muerte es la verdadera organizadora de la vida», o el de la página 439: «A diferencia de otras enfermedades, la vida es siempre mortal. No tolera curas. Sería como querer tapar los orificios que tenemos en el cuerpo considerándolos como heridas. Moriríamos en cuanto estuviésemos curados».

Acaso sea ésta la enseñanza que se desprende de este largo

relato. Pero, en definitiva, creo que no importa demasiado. La vitalidad de la obra supera con creces el presunto mensaje, más aún, se convierte en el único posible. De ahí que el relato sea, sobre todo, verosímil. El tiempo enseña a no embarcarse en afirmaciones categóricas, pero aun así me atrevería a afirmar que *La coscienza di Zeno* es una de las novelas contemporáneas de más creíble sustancia. Me parece estar oyendo al lector enterado, a aquel que sabe, por ejemplo, que la historia no es literatura: «Bien, de acuerdo, ¿pero y lo literario? Muy creíble, muy verosímil, mucha realidad y pan cotidiano, ¿pero y lo literario?» Se me ocurre que lo literario puede, paradojalmente, evadirse del linotipo, de la escritura propiamente dicha, para refugiarse en una actitud, en una intención.

En Svevo, el estilo es vulgar, coloquial, sin relieve; en su actitud reside la única pretensión de su arte. La autobiografía de Zeno es, evidentemente, tan creíble, que el lector puede suponer que Zeno y Svevo sean la misma persona. Sin embargo, los datos biográficos de Ettore Schmitz (verdadero nombre bajo el seudónimo literario) autorizan la conjetura de que el escritor (activo hombre de negocios, socio y gerente de importantes plantas industriales) no tiene demasiado contacto con el irresoluto señor Zeno Cosini, frenado constantemente por sus tímidos análisis introspectivos. Hay, naturalmente, detalles que son comunes a Zeno y a Schmitz (la actividad comercial, el ejercicio del violín, la afición por el psicoanálisis), pero la esencia, el carácter del hombre, están expresados en otra dimensión. Al contrario de lo que acontece comúnmente en el ejercicio literario, aquí el autor parece ser la criatura que el protagonista ambicionara ser. Es más que probable que el señor Zeno hubiera querido poseer la energía y la resolución necesarias para convertirse en el señor Schmitz. Después de todo, la fórmula es bastante novedosa.

He aquí donde el novelista hace literatura: crea un ente ficticio, tan humano, tan vulgar, tan normalmente inteligente, divertido y medroso, que el lector tiende a olvidar su origen, pero ese origen es, naturalmente, literario; ese personaje es, naturalmente, una ficción, y el hecho simple de que así acontezca, convierte a este testimonio, aparentemente opaco, en un tierno homenaje al hombre promedio, al ser que no piensa con excesiva brillantez, que no se siente excesivamente cretino, y que no siempre se halla al día con su precaria, ineludible conciencia.

Que Svevo no se distinga especialmente por el esmero de su estilo, por los rebuscados vericuetos de la trama, por la estructura perfecta y complicada, no significa que haya descuidado el aspecto formal. Hay algunas exquisiteces técnicas que alcanzan para defender la obra de Svevo de las recriminaciones con que el periódico italiano *La Fiera Letteraria*, en ocasión de los primeros elogios de Cremieux, defendiera la miopía de la crítica italiana, negando importancia a Svevo y afirmando que no por desconocimiento, sino por guardada proporción, no era exaltado en Italia a figura de primer orden[2].

No precisa ahondar mucho para rescatar esas bondades. El capítulo II de la novela («El tabaco») es una verdadera lección de arte narrativo. Enumera, simplemente, las tentativas del narrador para abandonar el cigarrillo. El motivo es trivial, como casi todos los motivos de Svevo, pero sus posibilidades son prácticamente agotadas por el novelista. Una especie de *leitmotiv* («El cigarrillo tiene un sabor especial y más intenso cuando es el último»), restituye, después de cada anécdota, el tono irónico, la burla de sí mismo con que el protagonista encara sus recuerdos. «Sigo pasando del cigarrillo a los propósitos y de los propósitos al cigarrillo.» A medida que se entera de esas desalentadoras confidencias, el lector cifra menos esperanzas en que Zeno consiga alguna vez desprenderse radicalmente de su vicio, pero eso mismo establece una suerte de complicidad, de intimidad secreta entre el protagonista y el destinatario ocasional del relato. Es como si ambos, al chancear a propósito de un vicio menor, se burlaran asimismo del lado más infernal de la existencia, tal vez en el problemático intento de quitarle entidad.

A menudo parece como si Svevo conspirara contra la expectativa. Zeno siempre está anunciando lo que va a ocurrir

---

[2] Véase Juan Chabás, «Italo Svevo», *Revista de Occidente*, año V, Núm. LIII, pp. 25-55.

algunas páginas más allá. El lector sabe desde el comienzo del capítulo IV que el personaje terminará por casarse con Augusta. Sin embargo, Zeno lo convence de que ésa es la más absurda de las soluciones; Ada y Alberta se hallan considerablemente más cerca de su simpatía y de sus apetitos. De modo que la espera del lector se tiende en otro sentido. La incógnita ya no se centra en el desenlace, sino en el proceso que va a precederlo. Además, es importante no perder de vista, como bien lo ha notado Silvio Benco, que el relato siempre se vincula a un presente psicológico[3]. Las idas y venidas, los avances y retrocesos son gobernados desde un presente fijo (los cincuenta y siete años confesados de Zeno) y ese presente es el que otorga a toda la narración el humor levemente farsesco y la sencilla sabiduría, representativos de una madurez a punto de verterse en la vejez, con que el protagonista revisa su juventud. (Al igual que el protagonista de *Senilità*, Zeno comprende que su desventura está formada por la inercia de su propio destino.) No obstante, cuando una determinada peripecia lleva consigo un efecto que puede resultar eficaz desde el punto de vista narrativo, Zeno se abstiene de anunciarla. El suicidio de Guido, por ejemplo, no ha sido anticipado por el narrador. Svevo realiza ahí una maniobra muy hábil para que este acto no resulte chocante. Indudablemente, el narrador había brindado suficientes datos acerca del carácter de Guido (un fanfarrón irresponsable, un jactancioso y un embustero); de modo que el lector admitiría con grandes reservas la posibilidad de un suicidio dentro del cuadro temperamental de ese personaje. Pero, a la vez, Zeno ha ido sembrando aquí y allá gérmenes de la gran equivocación que conducirá a Guido hasta su propia muerte. Los datos que pide una y otra vez a su concuñado acerca del veronal, son asimismo antecedentes que, sin proponérselo especialmente, también va recogiendo la memoria del lector. Este espera, como es natural, una nueva simulación de suicidio. Guido, claro, espera lo mismo; pero se equivoca y paga caro el error. «El pobre Guido yacía abandonado, cubierto con una sábana, en el dormi-

---

[3] Prólogo a la edición italiana de *La coscienza di Zeno*, Milán, 1947.

torio. La rigidez ya avanzada de su cuerpo no expresaba sino una gran estupefacción por haber muerto sin habérselo propuesto.»

El humorismo, admirablemente dosificado, con que Svevo alivia el lado patético de su novela, también aquí resulta eficaz. Zeno se equivoca de entierro; acompaña el cortejo fúnebre de un presunto griego, y debe soportar luego el unánime reproche sobre su escandalosa ausencia. Pero el humorismo y la ironía acompañan siempre los pormenores de esta historia lenta y aparentemente trivial. En este sentido demuestra Svevo una particualar maestría. Su gracia no es un simple adorno del estilo, sino que integra vitalmente el relato; por lo común, no es demasiado agria ni superficial y a menudo ejemplifica una actitud. Se hace presente en el instante más oportuno, cuando la tensión de un estado espiritual, de una situación grave y problemática, amenaza con desembocar en la cursilería o en el melodrama. Cuando Zeno comienza a frecuentar la casa de los Malfenti, se entera de que las hijas se llaman: Ada, Augusta, Alberta y Anna. Para Giovanni, ello representaba una comodidad, «porque las cosas que llevaban esa inicial (la A) podían pasar de una a otra de sus hijas sin necesidad de modificación alguna». Pero a Zeno esa inicial le impresiona más de lo razonable. «Soñé con las cuatro doncellas, tan bien vinculadas entre sí por sus nombres. Parecían hechas para ser entregadas en ramillete, las cuatro juntas.» Estamos en la frontera misma de lo cursi, pero un leve desvío hacia la burla convierte todo lo anterior en un preparativo. «La inicial decía algo más. Yo me llamo Zeno, y por esto tenía la impresión de que estaba por casarme con una mujer de un país lejano.»

Por lo común Svevo se vale del toque humorístico para aliviar lo patético, pero, en ciertas ocasiones, lo usa precisamente para acentuar el patetismo. «Compuse algunas poesías para honrar la memoria» (dice el narrador refiriéndose a su madre), «cosa que nunca es lo mismo que llorar». En el capítulo III, Zeno sostiene una discusión con su padre en la que se toca el tema de la religión y de la muerte. Esa misma noche, el padre sufre un ataque que lo hiere de muerte. Entonces dice el narrador: «Pocas horas después él [el padre] se ponía en movimiento para ir a ver quién de los dos estaba en lo cierto».

Existe en esos comentarios insólitamente risueños un matiz de ternura que los defiende de su grosería potencial. No obstante, en aquellos pasajes en que el autor quiere verdaderamente conmover y usa él mismo un lenguaje conmovido, todo humorismo queda descartado. Con verdadera intuición de la eficacia narrativa, Svevo ha advertido que allí no había lugar para la burla o la ironía y lleva al máximo la tensión emocional del relato. Puede acaso reprochársele un exceso de simbolismo en el relato de la muerte del padre (en lo que me atañe, y después de varias relecturas, me sigue pareciendo impresionante esa última bofetada, ese solo gesto teatral capaz de contaminar todo el pasado y todo el futuro del protagonista) pero es delicioso, en su ritmo y en su intención, todo el diálogo de páginas 346 a 350, que Zeno mantiene con Ada, su antiguo tormento, ahora enferma y desengañada de Guido.

Es evidente que las confusas relaciones entre Zeno y Ada constituyen la médula de la obra. Los propósitos de Zeno tienden en un comienzo a la posesión de Ada. Rechazado por ésta, y también por Alberta, esa misma noche se compromete con Augusta. El acto precipitado y absurdo le confiere, sin embargo, con la ayuda del tiempo, una felicidad discreta y elemental. Zeno acaba por estimar de veras a su mujer, pero Ada sigue siendo el centro de su inconsciente devoción. Al concluir el relato de esa época, Zeno narra con pesadumbre y nostalgia la partida de Ada hacia Buenos Aires: «Su figurita elegante se dibujaba más neta según se alejaba. Mis ojos se ofuscaron al llenarse de lágrimas. Ada nos abandonaba y yo nunca más podría probarle mi inocencia.» Y ésa parece ser la verdadera frustración de su vida: no haberle podido probar a Ada su inocencia.

Las mujeres de Svevo son seres más maduros y resueltos que los hombres. No sólo las hermanas Malfenti, sino también Carla y Carmen, las respectivas queridas de Zeno y Guido, son seres decididos que saben lo que quieren. Zeno, que las ve pasar con admiración y desconcierto, no por eso deja de desearlas. Su deseo es también una especie de rito, de homenaje, que en las últimas páginas apunta a Teresina, casi una niña, y que en las primeras le había hecho expresar: «Tengo cincuenta y siete años y sé a ciencia cierta que si no dejo de fumar, o que si el psicoanálisis no me cura, la última mirada que echaré desde mi lecho de muerte será la expresión de deseo por mi enfermera, siempre que ésta no sea mi mujer, suponiendo que mi mujer permita que me asista una enfermera guapa».

No es corriente hallar en la atormentada literatura de este siglo una novela que ostente el aire familiar, la atmósfera de intimidad que distingue a *La coscienza di Zeno*. Eugène Marsan ha llamado a esa cualidad *la autoridad de la vida*, y, verdaderamente, Svevo trasmite con tal intensidad la penuria y el goce de lo cotidiano, que siempre ejerce sobre el lector una atracción irresistible. De ahí que esta novela singular pueda ser estimada como vulnerable e inacabada por quienes admiren, sobre todo, el alarde técnico (decididamente, no es una novela para críticos); pero parecerá conmovedora, incitante y certera a quienes alcance el desusado poder de convicción que su experiencia trascendente y vital siempre lleva consigo.

(1953)

Marcel Proust y el sentido de la culpa

1

Acaso pueda entenderse a Proust, en razón de su buceo introspectivo, menos difícilmente que a otros novelistas contemporáneos. No obstante, la imagen verosímil del escritor, la verdadera aproximación a esa zona virtual en que se confunden literatura y existencia, sólo tendrá lugar cuando comparemos las intenciones del protagonista con las del autor. A tal punto se encuentran involucrados en cada uno de ellos la sensibilidad y el carácter del otro. Proust, el autor, y Marcel, el protagonista, difieren en un aspecto de importancia relativa: el novelista hubiera acaso anhelado ser como Marcel, pero éste en cambio se evade de su creador y hasta ironiza a expensas de sus males. Marcel no sólo representa para Proust la descripción ideal de una conciencia, sino también la descripción de una conciencia ideal.

Al considerar su mundo particular con aparente rigor científico y volverse en ese menester increíblemente objetivo, Proust ha alcanzado la plenitud de su yoísmo. Cada circunstancia puede filtrarse así cómodamente de la realidad a la representación. Por otra parte, Proust lleva a cabo una trasposición que se inicia en el Narrador y produce, tal como acontece en un pantógrafo, el traslado correspondiente de aquellos otros personajes que tanto literaria como psicológicamente dependen del sujeto.

«Autobiography is only to be trusted», sostiene Orwell, «when it reveals something disgraceful. A man who gives a good account of himself is probably lying, since any life when viewed from the inside is simply a series of defeats»[1]. La Recherche, que en algún aspecto pertenece a ese tipo de revelaciones, no resulta empero muy de confiar. Proust ha sabido desacomodar las vergüenzas: revela como suyas las ajenas y tiene buen cuidado en distribuir las propias en una vasta serie de personajes. Por otra parte, aunque no tengamos el derecho de considerar esta obra como un memorial apócrifo, siempre será más lícito que estimarla como simple autobiografía. Acaso lo autobiográfico represente allí el subsuelo argumental, y la peripecia evidente y superflua sea por el contrario la parte imaginada. En Proust lo definido es la lección que busca extraer de su peculiar ordenamiento del tiempo. El resto es premeditada indefinición, sutil ardid para ocultar la índole anormalmente enfermiza y complicada de su yo.

Si se tienen en cuenta los numerosos testimonios acerca del carácter subjetivo de la Recherche, puede parecer infantil

---

[1] «La autobiografía sólo es de confiar cuando revela algo vergonzoso. El hombre que sale airoso probablemente está mintiendo, pues cualquier vida vista desde adentro no es más que una serie de derrotas» (Critical Essays, Londres 1946, p. 120).

semejante presunción. Pero los nuevos documentos aportados al estudio de Proust en los últimos años[2], al menos autorizan la conjetura acerca de un objetivismo paradójico. En Proust, el abusivo tratamiento de su yo literario, la exhibición inmoderada de las intermitencias de su corazón, constituyen en realidad una cortina de protección de su verdadera intimidad; son, en esencia, trampas que se le tienden al lector y en las que éste irremediablemente cae. Naturalmente todo depende del sobreentendido de que esta obra no sea verdaderamente una novela. A formarlo ha contribuido Proust, en primer término, con la manera intimista de su relato y más aún con el género de confidencias y promesas de confidencias con que seguidamente excita la curiosidad innata del lector. Proust explota, como nadie lo había hecho hasta entonces, el afán de detalles menudos y domésticos, ese lado verdaderamente acechante del ser humano.

Lo cierto es que cuando escribe Albertina por Alberto, no nos choca la trasposición, y si la revelación oral de Proust acerca de su propia inversión no apareciera lo suficientemente clara en el *Journal* de Gide[3], quizá dudáramos aún de semejante sustitución en las pasiones de su personaje. Puede creerse que Marcel es un ser inhibido para la plenitud física y moral del amor, un hipersensible que se acerca a la persona amada como Kafka se acerca a su Dios, es decir, *alejándose*, merced a un prodigioso dédalo de postergaciones ante los demás que sólo sirve para postergarle ante sí mismo. Puede admitirse que el protagonista Marcel sea un enfermo, un neurótico, un acorralado por sus vacilaciones, hasta un porfiado incorregible, un cobarde quizá, pero no un pederasta.

Partiendo exclusivamente de la obra literaria de Proust, siempre será posible defender su no demasiado evidente viri-

---

[2] El libro de André Maurois: *A la recherche de Marcel Proust* (París, 1949), aunque artificialmente ecléctico y bastante intrascendente, es sin embargo altamente valioso por los inéditos que exhuma.

[3] «Dice [Proust] no haber amado nunca a las mujeres más que espiritualmente y no haber conocido nunca el amor más que con hombres» (André Gide, *Journal*, 1889-1939, París, 1948, p. 692).

lidad sin necesidad de recurrir a expedientes forzados. Un relato tan desembozado como *Sodome et Gomorrhe* no contiene sin embargo la menor referencia que autorice la sospecha de una ambigüedad sexual del Narrador. Aun en carta a Luis de Robert, Proust ha llegado a manifestar: «*J'obéis á une vérité générale qui me défend autant de songer aux sympathiques qu'aux antipathiques; la faveur des sadiques m'affligera comme homme, mon livre paru; elle ne saurait modifier les conditions où j'expérimente la vérité et que mon caprice ne choisit point*»[4]. Pese a lo categórico de sus términos, esta carta aparece a la luz de otras revelaciones, sólo como una coartada tendiente a mantener las cualidades del personaje Marcel como sucedáneas de las propias. De ahí que la insistencia de Proust en zarandear y ventilar su yo ante los ojos ávidos del lector, constituye en realidad el modo más fácil de ocultarlo. El *moi* de la novela mantiene empero con el real una soterraña correspondencia, merced a la cual Proust consigue hacer verosímil su especulación acerca de la insuficiencia del amor, cuando en verdad es únicamente *su* amor particular el que halla en sus limitaciones la inevitable insuficiencia. Gracias a que Proust generaliza un problema personal, el lector acaba por confundirse. Es interesante observar que buena parte de su influencia trasmisible[5] —en modo principal la que se refiere a la zarandeada teoría del amor-enfermedad— se apoya precisamente en el supuesto de que Proust declara insuficiente el

---

[4] «Obedezco a una verdad general que me impide pensar tanto en los simpáticos como en los antipáticos; como hombre, el favor de los sádicos me afligirá una vez publicado mi libro, pero no podrá modificar las condiciones en que experimento la verdad y que de ningún modo son elegidas a capricho» (Cit. por Leon Pierre-Quint: *Marcel Proust, sa vie, son oeuvre*, París, 1946, p. 207).

[5] No existe sin duda en las letras contemporáneas una obra con mayor poder de impregnación que la de Proust. Su influencia no se limita a los devotos incondicionales; alcanza también a sus incondicionales refractarios y aun a quienes lo desconocen por completo. En general se tiene de su obra un concepto demasiado vago. Todos están enterados de que se ocupa de la infancia, el tiempo y los invertidos, pero pocos conocen que eso no pasa de ser una horrible síntesis.

amor normal y realizado, cuando en rigor es bastante más probable que se refiera allí a la penuria de su amor particular.

Hoy en día ya no resulta tan aventurado afirmar que Proust llevó tanta literatura a su vida como vida a su literatura. El testimonio de sus cartas y los recuerdos de sus coetáneos permiten afirmar que Proust intentó vivir —y vivió en parte— como un personaje de novela[6], de una novela seguramente más turbia que la de su criatura sucedánea, mas no por ello menos morosa y postergada. Se diría que Proust provoca a veces ciertos matices de su vida a fin de que ésta sea literalmente aprovechable. Vive y escribe en el mismo estilo, pero su literatura es una obra de mayor madurez que su existencia. A los ojos de la crítica, sin embargo, esa existencia tiene la importancia que adquieren los trabajos menores de un autor célebre gracias al auge de su obra maestra.

2

Considérese hasta qué punto se restringe Proust en sus fluctuaciones y titubeos, en sus interminables recorridos por los vericuetos de una conciencia parcialmente inventada, y no será difícil reconocer en esa voluntaria limitación un sentido exacerbado de la culpa. Este *Angst*, que desde Kierkegaard a Connolly ha inficionado las conquistas de la literatura moderna, tiene en Proust una acepción endiabladamente compleja. Será quizá pueril emparentar este sentido proustiano de la

---

[6] En un libro que prepara Charles Briand: *Le secret de Marcel Proust*, y del que *Les Temps Modernes* (Núm. 51, pp. 1169 a 1187) adelantó un excelente capítulo, se cita una carta de Proust a su madre, escrita a la edad de doce años, en la cual el niño se refiere a un relato sobre «la hora espantosa que pasó ayer» y le pide guardarlo, «y fijándote dónde lo guardas, pues aparecerá en mi novela». Más adelante Briand descubre nuevos síntomas de una intención literaria en la vida de Proust, y agrega: «Es evidente que para él la enfermedad no se cura, sino que se cuida, se cultiva. El la cultiva desde la niñez, como un medio de presión cruel, pero eficaz sobre sus padres, como la coartada de su abandono, de su ensimismamiento, de su apatía y además, como tema de novela, de la primera novela que haya concebido y que, finalmente, será la verdadera novela de su vida».

culpa con el más explícito *sentido del pecado* que aparece en algunos novelistas ingleses contemporáneos, como Greene[7] o Waugh. En éstos, el problema estriba fundamentalmente en el tipo de relaciones que resuelve establecer el hombre con su Dios. La conciencia refleja lo que el individuo acepta de antemano como el tácito consentimiento de Dios. En Proust, la conciencia no sólo rehúsa el asesoramiento divino, sino que admite su soledad. (*«La grande nuit impénétrée et décourageante de notre âme, que nous prenons pour du vide et du néant...»*). La culpa proustiana es, pues, una convicción más abstracta y solitaria que el pecado de origen religioso. Provoca el *Angst* debido a que ejerce una presión incómoda en la conciencia[8]. El ser intuye que sólo por sí mismo podrá saldar su deuda; ha decidido quedarse sin aptitudes para el perdón, sin la oportunidad del arrepentimiento, pero esa decisión le cuesta cara. De ahí su inmersión en el pasado, ya que en el pasado se halla la raíz de la culpa (no por cierto en el pasado de la especie, como en el caso del pecado adánico, sino en el pasado único, incanjeable, personal) y allí es preciso bucear para extraerla. Para Proust sólo es posible identificar la culpa

---

[7] En *El revés de la trama*, por ejemplo, el protagonista parece oscilar entre su conciencia religiosa, universal, que exige el amor a Dios, y su insignificante conciencia particular, superficial y efímera, a la que sólo empuja la compasión. El hecho de que la compasión por sus hermanos de existencia, prevalezca en Scobie sobre el amor a Dios, parece indicar, no la conformidad consigo mismo sino una imposibilidad temperamental de llegar a la solución opuesta.

[8] Kierkegaard sostiene que «el contenido más concreto que la conciencia puede tener, es la conciencia de sí misma, del individuo mismo, naturalmente; no la conciencia pura del yo, que es tan concreta que ningún escritor, ni siquiera el de léxico más rico, ni el que haya poseído la máxima fuerza de expresión plástica, ha logrado jamás describir una sola conciencia semejante, como ha podido hacerlo cada uno de los hombres» (*El concepto de la angustia*, Buenos Aires, 1943, p. 157). Es probable que una definición bastante aproximada de la obra de Proust quepa en la primera acepción: sería así la descripción de una conciencia que tiene conciencia de sí misma, aunque no la tenga cabalmente de su yo. La clave final del tiempo recuperado, por una parte y, por otra, el desacomodamiento deliberado entre el yo del autor y el del Narrador, parecerían abonar este concepto.

cuando se la rescata de la penumbra inconsciente[9], sólo es posible liberarse de ella cuando se la enfrenta. Por tanto, reencontrar el tiempo[10] significará llegar a descifrar los sucesivos presentes que se han atravesado. («Mucho se debe repasar —decía Rilke— para que paulatinamente se sienta un poco de eternidad.») Pero tales presentes se han ido agrupando en pasados lejanos y pasados cercanos. Estos, con toda su fresca presencia de alegría o de sufrimiento, dificultan la adecuada apreciación de aquéllos. El esfuerzo de Proust por revivir el *pasado lejano* se realiza por lo general mediante un proceder mnemónico tan sutil como sencillo. Del *pasado lejano* la memoria sólo conserva anécdotas aisladas, pequeñas cumbres que formó el sentimiento, hechos que tomaron a la mente de sorpresa. Proust los recoge como puntos de referencia; luego va agrupando a su alrededor la serie de hechos o circunstancias afines que la memoria consigue rescatar. Cada vez se acercan más los recuerdos que forman el suburbio de uno y otro punto. A menudo, Proust logra unirlos y hacer un todo uniforme. Cuando no lo logra, tiende un puente imaginario, mas como el ambiente es real y las personas han sido re-creadas, unas veces por la memoria voluntaria, otras por el recuerdo espontáneo, y otras, quizá las más, por una memoria imaginada, tales puentes ostentan una formidable verosimilitud.

---

[9] En el buceo introspectivo de Joyce, más profundo quizá, más verosímil, no existe empero una finalidad moral. De ahí también las diferencias formales. Joyce desenvuelve su monólogo interior con un sentido evidentemente más mecánico que moral; por eso le basta el balbuceo caótico. En Proust la búsqueda se realiza en el estilo más perfecto, más refinado posible, puesto que su moral es sobre todo estética y no concibe una verdad sin belleza.

[10] En otra ocasión he señalado (véase *Número*, Núm. 9, p. 449) algunas diferencias entre la evocación proustiana y la de George Moore. Aunque *Memoirs of my dead life* no intenta trasmitir una cabal recuperación del pasado, existe en Moore cierta nostalgia retrospectiva que aparentemente autoriza la comparación con el creador de Swann. En Proust, sin embargo, la memoria actúa a modo de rescate; sobre lo que ella recupera, el creador deduce la enseñanza del Tiempo. En Moore, por el contrario, la memoria oficia de actualizador; la lección —que es, por otra parte, menos trascendental y más amable— ha sido extraída en su oportunidad y es evocada como anexo del hecho. La enseñanza de Moore, pues, forma parte de la evocación, mientras que la de Proust sobreviene a partir de lo evocado.

Esa reconstrucción puede ser estimada como un acto simbólico. Todo Proust tiende a la conquista de la verosimilitud, todo Proust (el hombre tanto como el escritor) intenta desviar hacia lo que él *no es* la atención exasperada del lector, mientras que lo que *él es* se refugia a menudo, como el Fabien de Julien Green, en un alma ajena. De modo que el sentido de la culpa es aquí también un sentido de la fuga. En su vida y en su obra posee Proust un dejo huidizo, un cuidado en no ser descubierto y, a pesar de su tono confidencial, tal resistencia a decir quién *es* en realidad, que cuanto más se ocupa de su intimidad, cuanto más se regodea en la confidencia, mejor consigue esconderse detrás de sí mismo.

Incluso en su correspondencia sostiene la leyenda de un hipotético y desgraciado amor por Jeanne Pouquet, esposa de Gastón de Caillavet[11], y en carta a Georges de Lauris, expresa: «*Moi, je n'aime guère... que les jeunes filles, comme si la vie n'était déjà pas assez compliquée comme cela. Vous me direz qu'on a inventé pour cela le mariage, mais ce n'est plus une jeune fille, on n'a jamais une jeune fille qu'une fois. Je comprends Barbe-Blue; c'était un homme qui aimait les jeunes filles*»[12]. El recurso es hábil; además, debía complacer particularmente a Proust esa imaginaria metamorfosis de simple homosexual en Barbazul.

Lo cierto es que mientras vivieron sus padres, Proust no entró realmente en la literatura. De antemano sabía cuál iba a ser su tema y hasta qué punto éste hubiera herido la severa dignidad de los suyos. Podía luchar, con relativo éxito, contra sí mismo, pero sin duda no hubiera hallado fuerzas para presenciar el chasco de su madre. Sólo cuando desaparece ese único juez, a quien amaba más que a Dios y temía más que a su conciencia, recién entonces trae a la literatura su testimo-

---

[11] Véase André Maurois, *op. cit.*, pp. 114-115.

[12] «Yo apenas si amo... a las doncellas, y ya la vida así es bastante complicada. Usted me dirá que para eso se ha inventado el matrimonio; pero en éste ya no se trata de una doncella, una doncella sólo se posee una vez. Comprendo a Barba Azul: era un hombre que amaba a las doncellas» (Georges de Lauris: *A un ami, Correspondence inédite de Marcel Proust*, 1903-1922, París, 1948, p. 139).

nio de *Sodome et Gomorrhe*. Pero se trata de un testimonio sesgo, de una presencia oblicua. En su manejo de la inversión sexual como asunto literario —tema, por otra parte, casi virgen, pues hasta ese entonces sólo Balzac lo había encarado con dignidad— Proust efectúa varias trasposiciones parciales que en cierto modo constituyen la clave del equilibrio psicológico de sus a veces oscuros y enrevesados personajes.

En el caso del Narrador y aun en el de Swann, Proust se aferra al tema de los celos, porque después de todo ésa es su experiencia y sólo de ella podrá extraer el calor vital indispensable para que la realidad se solidarice con el arte. Sin embargo, en tanto que los celos que afligen a Swann y al Narrador ante los enigmas de Odette y de Albertine, son las consecuencia más o menos exagerada del amor corriente, los de Proust, en cambio, se producen a partir de una desviación. Acostumbrado a sacar provecho literario de ciertas zonas de la realidad, el novelista ha visto claramente que los celos constituían el único punto de contacto entre su mundo sentimental y el que intentaba armar para sus criaturas. De este modo, el relato de los estados afectivos es en la novela algo más que una notación pasiva de las intermitencias amorosas de Swann o del Narrador; es, en realidad, el único aprovechamiento posible —dentro de sus premeditados límites— que de sus propias sospechas y presunsiones podía realizar el escritor.

Aparentemente el sentido proustiano de la culpa no es ni demasiado trágico ni demasiado inconfesable, pero arrastra consigo un extraño misticismo que le impide vencer sus tabús o realizar un propósito moralmente higiénico.

A fin de crear los personajes de Swann o del Narrador, Proust utiliza de la experiencia de su inversión solamente lo que atañe a los celos[13]. Es interesante observar, sin embargo,

---

[13] Refiriéndose a la obra de Proust, Sartre, en *Situations,* II, París, 1948, pp. 20 y 21, se niega a admitir que el amor de un invertido presente los mismos caracteres que el de un heterosexual. Sin embargo, si se examina la trasposición que lleva a cabo Proust en este sentido, se verá que éste no es exactamente su caso. Proust no ha trasladado de su vida a su obra el estado afectivo propiamente dicho, sino uno de sus anexos: los *celos,* que desenvolvién-

que para dar forma a Odette y a Albertine, es decir, las respectivas *partenaires* de sus héroes, decide hacerlas sexualmente invertidas o, por lo menos, con alguna sospecha de homosexualidad en su pasado. En la mayoría de los pares sentimentales de la novela, siempre hay alguien a quien alcanza el mal del pintoresco Charlus[14].

Puede resultar ilustrativo recordar aquí el pasaje de *Du côté de chez Swann* en que el Narrador evoca una desobediencia de su infancia y el estado de ánimo subsiguiente: *«La possibilité de telles heures ne renaîtra jamais pour moi. Mais depuis peu de temps, je recommence à très bien percevoir, si je prête l'oreille, les sanglots que j'eus la force de contenir devant mon père et qui n'éclaterent que quand je me retrouvai seul avec maman. En réalité ils n'ont jamais cessé...»*[15]. Más adelante agrega: *«Ainsi, pour la première fois, ma tristesse n'était plus considérée comme une faute punissable mais comme un mal involontaire qu'on venait de reconnaître officiellement, comme un état nerveux dont je n'était pas responsable; j'avais le soulagement de n'avoir plus à mêler de scrupules à l'amertume de mes larmes, je pouvais pleurer sans péché»*[16].

---

dose marginalmente a la afectación, consiente por eso mismo una mayor semejanza.

[14] En carta a André Gide, expresa Proust: «Gracias también por haber sido indulgente con Monsieur de Charlus. Traté de pintar al homosexual enamorado de la virilidad, pues él, sin saberlo, es una mujer. No pretendo que éste sea el único homosexual, pero es entre ellos un tipo muy interesante y que, creo, nunca ha sido descrito. Por otra parte, como todos los homosexuales es diferente del resto de los hombres, en algunas cosas peor, en muchas otras infinitamente mejor». (Marcel Proust: *Lettres à André Gide*, Neuchatel, 1949, p. 39.)

[15] «La posibilidad de tales horas no renacerá jamás para mí. Pero desde hace poco vuelvo a percibir muy bien, si aplico el oído, los sollozos que tuve la fuerza de contener ante mi padre y que solamente estallaron cuando me hallé solo con mamá. En realidad jamás cesaron...» (*Du coté de chez Swann*, I, p. 56. Cito por Ed. Gallimard).

[16] «Así, por primera vez, mi tristeza ya no era considerada como una falta punible, sino como un mal involontario que acababan de reconocer oficialmente, como un estado nervioso del que yo no era responsable; experimentaba el consuelo de no tener ya que mezclar escrúpulos a la amargura de mis lágrimas, podía llorar sin pecar» (*Du coté de chez Swann*, I, p. 56).

En cualquier circunstancia, desde el momento en que descubre que no se trata de una falta punible, Proust tiende siempre a considerar su culpa como un mal involuntario, del que no se le puede cabalmente responsabilizar. Si bien «estos sollozos no cesaron nunca», le cabe el consuelo de no mezclar ningún escrúpulo a la amargura de su llanto, de poder «llorar sin pecar». De manera que Proust no elude llorar su culpa; al contrario, ella le proporciona, desde el punto de vista literario, excelente materia. En cambio, intenta demostrar que él no es *culpable de su culpa*, que ésta es más bien un lastre inevitable. En realidad, esto parece una disculpa frente a la sanción siempre temible de su incómoda, obstinada conciencia, que busca siempre el matiz pecaminoso donde acaso nadie lo hallaría, y exige una mínima aprensión donde pocos se resuelven a sentirla. De ahí la inmersión en el limbo de su infancia; en rigor, ésta es la única escapatoria para que la falta se desprenda de su culpa. La búsqueda del tiempo perdido es, en uno de sus aspectos, la busca de las raíces de su culpa. El tiempo es hallado cuando se consigue traducir la lección del pasado («*ce passé qui descendait déjà si loin, et que je portais si douloureusement en moi*»)[17], cuando la infancia suministra los datos de esas alegrías esenciales, de esos esenciales sufrimientos, que van retocando el ser hasta otorgarle su forma aproximadamente verídica y, en algún sentido, definitiva. Resulta claro que si el origen de la culpa reside en la zona inmaculada de la infancia, de esa infancia inocente —o por lo menos innocua—, aunque la culpa no pierda su vigor, queda virtualmente anulada. Sin embargo, recordemos que ese Tiempo no es el de todos nosotros, ni siquiera el de Proust. En realidad, es el Tiempo del Narrador[18], es decir, una exageración, mer-

---

[17] «...ese pasado que ya se remontaba tan lejos y que yo llevaba tan dolorosamente en mí» (*Le temps retrouvé*, II, p. 229).

[18] Claude-Edmonde Magny, en su *Histoire de roman fraçais depuis 1918* (t. I, París, 1950), hace referencia a «la distinción propuesta por el señor Martin-Chauffier entre los cuatro protagonistas de la *Recherche*: Marcel el narrador, que dice yo; Marcel el héroe, que es yo; Proust el autor, que dirige todo el juego; y finalmente Marcel Proust, el hombre cuyas experiencias y

ced a la cual se despersonaliza, queda en pura abstracción, pero a la vez adquiere su universal vigencia.

Por eso mismo quizá no corresponda tomar al pie de la letra las confesiones literarias de Proust acerca de su culpa, desde el momento en que ésta (por lo menos en el aspecto que más le preocupaba: su incapacidad para el amor normal) es situada a menudo en personajes ajenos al Narrador. De ahí que las faltas del vacilante Marcel sean siempre tan disculpables como intrascendentes y en cierto modo la consecuencia más o menos indirecta de una sensibilidad demasiado alerta, y en cambio las de Charlus, Albertine o Jupien, aparezcan como harto profundas y poco menos que imperdonables. La actitud de Proust para consigo mismo se halla contaminada de una notoria ambigüedad. Su solución ideal consiste en acallar sus escrúpulos personales, mas sin herir por ello su nombre o su reputación.

Proust ha hallado el único recurso que, sin dejar de ser equívoco, satisface empero ambas exigencias: ha descubierto la ironía como última disculpa ante sí mismo. Al ironizar a expensas de los personajes que él mismo creó débiles y viciosos, pero cuyos atributos le pertenecen, Proust adopta una suerte de autoflagelación. Sorprende en los otros, castiga en ellos, los síntomas de su propia debilidad, pero —he ahí la clave— no aflige con eso su reputación ni expone su nombre al despreciativo reproche de su clase. Bien sabe que sus hermanos de burguesía perdonan cualquier vicio siempre que se tenga la virtud de no mostrarlo.

No obstante, el sentido proustiano de la culpa no quedará en esa excusa de mal pagador; seguirá girando sobre sí mismo hasta enfrentarse a un delito casi inverosímil. En 1921, es decir, casi al final de su vida, precisamente se reprocha esa actitud. Gide anota en su diario: «*Il [Proust] dit se reprocher cette "indécision" qui l'a fait, pour nourrir la partie hétérosexuelle de son livre, transposer'à l'ombre des jeunes filles tout ce*

biografía han suministrado el rico material que transfigurará su obra» (pp. 171-172).

que ses souvenirs homosexuels lui proposaient de gracieux, de tendre et de charmant, de sorte qu'il ne lui reste plus pour Sodome que du grotesque et de l'abject» [19]. Obsérvese que el pecado no está aquí en el origen de la culpa ni en la culpa en sí, sino simplemente en su ocultación; es, en rigor, un pecado de última sinceridad. Estas culpas encadenadas de Proust son en cierto modo como espejos enfrentados que se lanzan sus imágenes recíproca e infinitamente reflejadas. La culpa deja de ser así algo concreto, definido, para convertirse en algo inmaterial y sin sustancia, algo que fatalmente aparecerá, dentro de la moral o fuera de ella, como un estigma predeterminado que anula de antemano toda labor, toda sensación, todo pensamiento del hombre. Si el ser la reconoce y desde el instante en que carece de la menor posibilidad de redención, decide aplacar sus escrúpulos ocultándola y ocultándose en la apariencia ajena, la culpa toma la forma de ese reproche final al que Proust arriba por sí mismo: ha sido injusto con sus semejantes, en su caso particular, con sus hermanos de inversión. Podríamos tal vez preguntarnos: ¿y si no la hubiera ocultado?, pero quizá Proust habría entonces respondido que a la culpa primaria se agregaba el impudor.

Evidentemente, para Proust la culpabilidad del ser humano está en su idiosincrasia y, por tanto, de nada sirve el arrepentimiento. El hombre puede huir del pecado (o sea, la culpa anclada en una circunstancia) pero no de la culpa; puede hasta liberarse del pecado, pero no puede liberarse de su culpa, puesto que no es *culpable* de ella. El hombre de Proust tiene su culpa, como el Malte de Rilke posee su muerte. La virtud está precisamente en reducirla a su medida original, en no agregarle otras culpas eludibles y ajenas. Y para ello está la infancia, algo así como la culpa en estado de pureza.

---

[19] «El (Proust) dice reprocharse esta "indecisión" que lo ha llevado, para nutrir la parte heterosexual de su libro, a transponer "a la sombra de las muchachas" todo lo que sus recuerdos homosexuales le mostraban como gracioso, tierno, seductor, de manera que ya no le queda para Sodoma más que lo grotesco y abyecto» (*Op. cit.*, p. 694).

3

Para Eliot, la imaginación de Dante *«is visual in the sense that he lived in an age in which men still saw visions»*[20]. Pero las visiones han cesado, ya que el hombre ha perdido ingenuidad en grado suficiente como para cerrarse esa última escapatoria. La sensación ha reemplazado a la visión. Por eso mismo, el arte parece haber perdido altura poética y adquirido en cambio un vigor más directo: en otras palabras, la novela ha sustituido a la poesía como género representativo de una época, el testimonio al ensueño como medio más adecuado de expresión.

Sin embargo, en el caso especial de Proust, cuya imaginación es fundamentalmente sensual y cuyos hábitos psicológicos en cierto modo lo encadenan al testimonio de los sentidos, parecen haber perdurado ciertos indicios de la visión y en particular alguno de sus trances anímicos. Lo inesperado es que las visiones de Proust se realicen a partir de los sentidos, profundizando en ellos cada vez más, y no mediante una sublimación de las sensaciones como en el caso de los místicos. Por el ensueño Proust no halla a Dios; simplemente, reencuentra el pasado. Sus visiones no relegan el mundo; por el contrario, parten de los mismos sentidos que ensayan traducirlo, interpretarlo. Cuando Proust reconoce en algo o en alguien su esencia verdadera (que es, al decir de Santayana, «el carácter reconocible de cualquier objeto o sentimiento, todo lo que de él cabe efectivamente poseer en la sensación, o recuperar en la memoria, o transcribir en el arte, o comunicar a otro espíritu»[21] cuando se halla ante esa presencia inevitable, es uno de sus sentidos el que la deposita en su memoria, el que en primera instancia la traduce. La recuperación cabal sobrevendrá luego, cuando la sensación pasada se yuxtaponga a la presente y, recién entonces, la visión rodee a aquélla, de

---

[20] «...es visual en el sentido de que vivió en una edad durante la cual los hombres todavía tenían visiones» (*Selected Essays*, Londres, 1949, p. 243).

[21] Georges Santayana, «Proust y las esencias», incluido en *Diálogos en el limbo*, Buenos Aires, 1941, p. 98. Traducción de Raimundo Lida.

las antiguas circunstancias, del tiempo que aparentemente estaba muerto. «Todo lo que en el pasado fue intrínsecamente real puede así recobrarse», anota Santayana[22]. Así, pues, desde el momento en que sus visiones se apoyan en sus sensaciones, puede decirse que la imaginación de Proust es a la vez visual y sensitiva pero con una evidente predominancia de los sentidos, ya que son éstos los que provocan el esfuerzo mnemónico y en ellos se apoya la ulterior imaginería visual.

Resulta por otra parte evidente que la realidad es para Proust casi exclusivamente la *realidad sensual*[23]. En los últimos tramos de su obra, anota: «*Ce que nous appelons la réalité est un certain rapport entre ces sensations et ces souvenirs qui nous entourent simultanément*»[24], mas la verdad no empezará para el escritor hasta el momento en que «*en rapprochant une qualité commune à deux sensations il dégagera leur essence en les réunissant l'une et l'autre, pour les soustraire aux contingences du temps, dans une métaphore, et les enchaînera par le lien indescriptible d'une alliance de mots*»[25].

Proust caracteriza hábilmente sus sensaciones, y al referirse a los episodios de la taza de té, los campanarios de Martinville, los tres árboles, el pavimento desigual o la servilleta, los designa como entidades afectivas permanentes. Pero además cada nombre en particular le produce una sensación. Leo Spitzer ha señalado ya los valores afectivos que Proust extrae

---

[22] *Op. cit.*, p. 98.

[23] Esa realidad no está constituida por las cosas en sí, por el mundo objetivo en estado de pureza, sino por sus apariencias, es decir, ese mismo mundo pero ya afectado por la percepción del hombre. Claude-Edmonde Magny anota sagazmente: «No pudiendo llegar al fondo de las cosas [Proust], trata al menos de ir más allá de la superficie, se esfuerza por multiplicar las apariencias, como si la suma total de éstas pudiera equivaler a la realidad última» (*Op. cit.*, p. 185).

[24] «Lo que llamamos realidad es cierta relación entre estas sensaciones y estos recuerdos que nos rodean simultáneamente» (*Le temps retrouvé*, II, p. 35).

[25] «...al acercar una cualidad común a dos sensaciones, despejará su esencia, reuniendo la una a la otra, para sustraerlas a las contingencias del tiempo, en una metáfora, y las encadenará con el lazo indescriptible de una alianza de palabras» (*Le temps retrouvé*, II, p. 36).

de una serie de nombres de estaciones del ferrocarril Ouest-Etat[26]. Pero no es necesario buscar el detalle menor, para admitir, como señala Dandieu, que «el nombre está siempre adherido a la cosa, es decir, a la impresión afectiva»[27]. Los nombres de Swann y de Guermantes son palabras claves de la obra y representan algo más que los rumbos que encarnan. En cuanto símbolos sólo son relativos, porque en rigor constituyen direcciones opuestas en la infancia del héroe. Generalmente las palabras de Proust exceden su significado, mas no siempre para cambiar de valor ni para intentar decir algo sustancialmente diverso de la esencia. En su obra las palabras recuperan su original hondura y su máxima talla poética; se transforman, pero el cambio transcurre de un grado a otro dentro del mismo valor, casi diríamos de la misma acepción. Swann y Guermantes no representan —como nombres— nada extrínseco a lo que verdaderamente son, no constituyen exactamente símbolos, puesto que guardan su valor en sí mismos: en su sonido, en sus reminiscencias, en su pronunciación. Sin embargo, a medida que la obra transcurre, Swann y Guermantes se vuelven ricos en significaciones. En realidad, cada vez representan mejor su propia esencia, ya que jamás se apartan de sus dos imágenes primeras: Charles Swann y la Duquesa de Guermantes. Han crecido en hondura, en verosimilitud.

Lo cierto es que Proust ejerce como pocos el virtuosismo de la palabra. Lo inesperado es precisamente que su literatura consiga liberarse del riesgo verbalista. Proust utiliza la palabra para crear la imagen, la sucesión de imágenes, la metáfora; utiliza la metáfora para situar estados de ánimo, temperamentos, circunstancias. El estilo, que existe en Proust como algo subterráneo e inmaterial, se refugia precisamente en la metáfora. (Proust asegura que sólo la metáfora puede dar una especie de eternidad al estilo, aunque aclara que todo el estilo no consiste en ella.)[28] El autor de *Recherche* metaforiza con

---

[26] *La enumeración caótica en la poesía moderna*, Buenos Aires, 1945, p. 27.

[27] Arnaud Dandieu: «Marcel Proust». *Sur*, Núm. 26, p. 88.

[28] Véase al respecto, en *Chroniques*, el estudio sobre el estilo de Flaubert.

elementos geográficos, biológicos, fotográficos, pero aun con tales materiales empíricos crea imágenes lo suficientemente leves como para mitigar la aspereza de la experiencia física.

Cuando nos relata: «*Parfois dans le ciel de l'après-midi passait la lune blanche comme une nuée, furtive, sans éclat, comme une actrice dont ce n'est pas l'heure de jouer et qui, de la salle, en toilette de ville, regarde un moment ses camarades, s'effaçant, ne voulant pas qu'on fasse attention à elle*»[29], sin duda resulta admirable la descripción del instante, la adecuada imagen que se adjudica a la luna, pero más notable aún es la observación del carácter «furtivo, sin brillo» de esa actriz imaginaria que acaso sólo concurra allí como promedio objetivo de un ambiente cuyos dramas pequeños y ocultos ha absorbido el autor. Nos parece que la metáfora se anexa al concepto *luna* para darle carácter y sentido. Pero sucede que ésta es una metáfora recíproca. Y la luna sin brillo, cruzando el cielo de la tarde, da a su vez vida y significación al concepto *actriz*, casi independiente de la frase central, pero más permanente, más ligado al autor que el instante descrito.

Proust emplea los recursos más sutiles de su arte cuando se refiere al paisaje. No es común entre novelistas-psicólogos ese endiosamiento del paisaje. Stendhal y Dostoievsky lo olvidan casi totalmente para dedicarse a representar los vaivenes mentales del personaje. Ello significa que éste aparecerá en cierto modo aislado, como desprendido de la naturaleza y por ello viciado de cierta irrealidad. Proust, en cambio, no olvida que el paisaje llega de uno u otro modo al personaje, unas veces inspirando sus actos, otras interviniendo simplemente en su vida anímica. Para legitimar la autenticidad de la figura que crea, Proust trasmite generalmente la reacción del personaje ante el paisaje que enfrenta. Quizá se deba en modo principal a esta precaución el hecho de que las figuras proustianas jamás parezcan inverosímiles.

---

[29] «A veces por el cielo de la tarde pasaba la luna blanca como una nube, furtiva, sin brillo, como una actriz a quien no le toca actuar y que, desde la sala y en traje de calle, ocultándose, mira un momento a sus compañeras, no queriendo que se repare en ella» (*Du côté de chez Swann*, I, p. 199).

Los mejores aciertos que logra Proust en el manejo de las imágenes podrían acaso reunirse en una categoría en cierto modo independiente, a la que llamaremos semimetáfora. En la semimetáfora[30] el sentido no se transporta de un vocablo a otro a través de una simple comparación, como acontece en la metáfora común, sino que la traslación es menos directa y más sutil.

En el célebre pasaje de la taza de té, por ejemplo, puede observarse que el bizcocho de magdalena no tiene inicialmente un contenido metafórico. La metáfora, que siempre se basa en la semejanza, aún no tiene lugar cuando Marcel se siente invadido por una extraña alegría al probar el primer bocado. Tampoco se trata de lo que en jerga preceptiva suele llamarse metáfora encadenada, pues si bien llegaremos finalmente a una semejanza indirecta, ésta no se realiza a través de otras semejanzas previas, sino simplemente por intermedio del esfuerzo mnemónico. El bizcocho de magdalena es una metáfora a medias, pues a pesar de haberse construido el ambiente que conviene a una metáfora común, la semejanza se convierte en autosemejanza, desde que el bizcocho de magdalena sólo es semejante a sí mismo, es decir, a su antepasado en la memoria del Narrador.

Lo que llamamos semimetáfora constituye una zona problemática. En rigor tiene dos caras: una que implica la pura semejanza, otra el recuerdo puro. Por la primera se abre el camino a la metáfora total, por la segunda a la memoria. El tan zarandeado ejemplo de las baldosas desiguales puede tomarse unilateralmente como metáfora, pero también es recuerdo. De la aleación de dos elementos puros, el imaginativo y mnemónico, surge pues el tropo impuro, condicional, vacilando siempre entre imágenes totalmente abstractas y otras de raíz tangible, y sosteniendo de manera insegura esa casi imposible convivencia.

---

[30] Arnaud Dandieu, en *op. cit.*, llama *revelación* a la semimetáfora. Su propósito es señalar dentro del estilo una peculiaridad psicológica. Aquí, en cambio, intento señalar, dentro del cuadro psicológico de Proust, una peculiaridad estilística. De ahí que ambas denominaciones puedan coexistir y hasta justificarse mutuamente.

Resulta interesante observar que es justamente en la semimetáfora donde parece condensarse la expresión proustiana de lo temporal. La vida humana tiene dos etapas de transcurso. La primera lleva en sí una derrota del Hombre por el Tiempo. El Tiempo va venciendo la vida del ser sin que éste obtenga otra recompensa que una experiencia indeliberada. Todo parecería depender entonces del momento en que el individuo comprende la maniobra del Tiempo. Si no es demasiado tarde, puede consagrarse a recobrarlo. Es en esa recuperación donde la semimetáfora, en su contenido más sutil, entra a jugar su papel. Partiendo de las semejanzas que el buscador posee a partir de su presente, la semimetáfora o revelación sugiere las pistas posibles, une los diversos aconteceres, hasta encontrar los reductos en que la vida tímidamente se refugia, e instalarse con ella en la reinfancia consciente e inviolable que reconcilia al alma consigo misma.

«Las metáforas son en Proust», dice Curtius, «un medio de alcanzar una visión completa [...] son instrumentos de conocimiento»[31]. Pero observemos que además de ese significado cercano al pretexto, la metáfora suele tener en Proust un sentido aislado que en realidad constituye su justificación literaria. En la página que se refiere a los campanarios de Martinville hallamos una muestra: *«Les minutes passaient, nous allions vite et pourtant les trois clochers étaient toujours au loin devant nous, comme trois oiseaux posée sur la plaine, immobiles et qu'on distingue au soleil»*[32]. Más adelante agrega: *«Mais, un peu plus tard, comme nous étions déjà près de Combray, le soleil étant maintenant couché, je les aperçus une dernière fois de très loin, qui n'étaient plus que comme trois fleurs peintes sur le ciel au-dessus de la ligne basse des champs»*[33].

[31] *Marcel Proust y Paul Valéry*, Buenos Aires, 1941, p. 58.

[32] «Los minutos pasaban, nosotros íbamos de prisa y, sin embargo, los tres campanarios estaban siempre a lo lejos ante nosotros, como tres pájaros posados en la llanura, inmóviles, y que se distinguen a la luz del sol» (*Du côté de chez Swann*, I, p. 244).

[33] «...Pero un poco más tarde, cuando estábamos cerca de Combray, y habiéndose puesto ya el sol, los vi por última vez desde muy lejos, y ya no

Si llamamos A a la primera cita y B a la segunda, la expresión AB trasmitirá plásticamente el espacio transcurrido entre ambos momentos, y las comparaciones a que son sometidos los campanarios (la primera, tres pájaros inmóviles al sol; la segunda, tres flores pintadas en el cielo) proporcionarán una triple traslación: dos son traslaciones de sentido (campanarios a pájaros, a flores) y la restante una traslación temporal (del sol aún alto al sol ya puesto). ¿Puede exigirse mejor usufructo de un simple expediente de estilo?

4

Francisco Ayala ha destacado ya la nota de ambigüedad aplicable al creador de Swann. Para el escritor español resulta fronteriza tanto la situación social de Proust como su naturaleza erótica, su actividad literaria o la época interconflictual en que vive y escribe[34]. Pocos aspectos han sido vistos en Proust con igual claridad. Entiendo que la observación de Ayala puede aplicarse especialmente al modo filosófico de Proust, es decir, al modo de presentar su filosofía.

Tal vez no resulte imposible definir su lugar filosófico. Hasta podría establecerse, con alguna aproximación, una proporción en la que Stendhal fuera a Descartes lo que Proust es a Bergson[35]. Pero es precisamente su modo de injertar esta fi-

_____

eran más que algo *como tres flores pintadas en el cielo*, encima de la línea baja de los campos» (*Idem*, p. 245).

[34] «Proust en la inactualidad», incluido en *Histrionismo y representación*, Buenos Aires, 1944, p. 134.

[35] Los acuerdos y disonancias entre Proust y Bergson han sido cuidadosamente estudiados por Floris Delattre en su obra *Bergson et Proust* (*Les études bergsoniennes*, vol. I, París, 1948). Delattre extrae esta conclusión: «Proust es un bergsoniano por afinidad; pero esta afinidad era más natural que electiva. Es un adepto de Bergson, pero también un sofista recalcitrante; un discípulo que debe mucho a su maestro, pero del que no pronuncia el nombre más que una vez en *En busca del tiempo perdido* para discutir su opinión sobre los trastornos de la memoria; un alumno de ingenio sin igual, pero caprichoso, inconsecuente, infiel, y que considera su misma infidelidad como una forma de independencia, que no abandona y que, además, exagera mucho» (pp. 123 y 124). Por su parte, el mismo Proust, en carta a Antoine

losofía en la novela, el que fluctúa entre lo científico y lo popular, entre lo erudito y lo elemental. El pueblo (sin que separemos, a este efecto, el pequeño burgués del proletariado, ni el campesino de la *cocotte*, sino cobijando bajo ese nombre genérico a la muchedumbre desprovista de cultura hereditaria), el pueblo posee un modo simple, sin complicaciones, de ver las cosas y hasta de pensarlas. Cuenta para ello con vocablos diferenciados, en cierta manera casi un lenguaje en cifra. Proust no pertenece a *ese pueblo*. Conoce perfectamente el ritual científico de las palabras, las sendas, los desvíos y la verdad que pretende insinuar cada filósofo, los ritmos y el ciclo que suelen recorrer esas verdades. No obstante, siempre que quiere desarrollar alguno de sus temas favoritos, Proust se sitúa una vez más en la frontera y dice su pensamiento en el dialecto intelectual del pueblo. Tanto Francisca como la Duquesa de Guermantes, las dos magníficas campesinas de Proust, son frecuentemente los portavoces de su filosofía. El autor oficia así de intérprete entre el enredado vocabulario de la ciencia y la mentalidad ingenua del hombre común. De ahí el reproche, demostrativo de la mayor incomprensión, que se ha formulado a Proust (por André Germain, Bernard Fray, Franc-Nohain), de pequeña chismografía y charla de señora inteligente. No se piensa que ése puede ser un procedimiento muy aceptable para involucrar en la experiencia un sentido metafísico, desde el momento en que la novela, como género, aunque aliada a la imaginación, es ineludiblemente representativa de los movimientos verosímiles del ser, y éste no suele enfrentar las situaciones cotidianas con un criterio estrictamente científico sino conforme a su ritmo habitual de pensamiento.

Ortega ha señalado el astuto procedimiento literario de Dostoievsky:

Bibesco, expresa: «Quizá mi libro sea como el ensayo de una serie de novelas del insconsciente. No son novelas inspiradas por Bergson, pues mi obra está dominada por la distinción, que no sólo figura en la filosofía de Bergson sino que hasta es contradicha por ella» (Marcel Proust, *Art poétique*, París, 1949, edición limitada de 55 ejemplares).

Quien no mire atentamente creerá que el autor define cada uno de sus personajes [...] Pero apenas comienza en efecto, a actuar —es decir, a conservar y ejecutar acciones— nos sentimos despistados. El personaje no se comporta según la figura que aquella presunta definición nos prometía [...] Entonces comienza en el lector, por un inevitable automatismo, la preocupación de que el personaje se le escapa en la encrucijada de esos datos contradictorios, y, sin quererlo, se moviliza en su persecución, esforzándose en interpretar los síntomas contrapuestos para conseguir una fisonomía unitaria; es decir, se ocupa en definirlo él[36].

La conducta que sigue Proust en casos similares no es menos eficaz. A diferencia de Dostoievsky, no presenta a sus agonistas mediante una definición. Cuando el lector de novela encuentra definido el carácter del personaje antes de que éste entre en acción, su interés se concentra entonces en esa misma acción, pues la única interrogante que le resta satisfacer a ese respecto es la de si actuará verdaderamente conforme al carácter anticipado por el autor. En el caso de Proust, sin embargo, el lector no puede limitar su interés a la acción del personaje, desde que esta acción se ha reducido al mínimo. El interés debe tener otro fundamento y ésta es precisamente la misión que cumple el *carácter* del personaje. Proust no puede definirnos desde el comienzo ese carácter, porque entonces nos daría prematuramente un noventa por ciento de lo que va a mostrar, en cambio, mediante un interminable, moroso proceso.

Si al presentar a Charlus, Proust hubiese optado por definir su carácter, o mejor, sus características, esa figura no interesaría mayormente al lector. En vez de definir primeramente su índole peculiar para que el lector aceche sus futuras acciones, Proust lo presenta en un breve pasaje de acción y mímica (!) a fin de que el lector conjeture seguidamente a qué carácter podrían corresponder tanto gesto nervioso, tanto ademán gratuito, tanta inquietud. Proust anota síntomas, no ca-

[36] *Ideas sobre la novela*. Cito de acuerdo a la edición de Buenos Aires, 1942, pp. 246-247.

racterísticas. En esa página magistral, Charlus se agita más que en todo el resto de la obra: se da golpecitos en el pantalón, se vuelve bruscamente para leer un cartel de teatro, tararea una canción, se arregla una rosa en el ojal, toma notas, consulta el reloj, se echa atrás el sombrero, exhala resoplidos de fingido calor, se retuerce el bigote, repulga los labios, se vuelve alternativamente indiferente, insultante, bravucón, aburrido; todo ello, en el espacio de una mirada de curiosidad que le dirige el Narrador, el cual queda convencido de que se trata de un loco o de un ladrón de hotel.

Con esto, Charlus pasa a ser un tipo novelescamente interesante, pues en sus poses sucesivas y contradictorias, caben innumerables caracteres; tan es así que, según nos enteramos más adelante, en vez de un loco o un ladrón de hotel, se trata simplemente de un invertido. Una vez que conocemos la condición del personaje, vemos que el cuadro descrito coincide enteramente con ella y nos asombramos de no haber reconocido a primera vista al sodomita que medraba en Charlus. Sin embargo, la descripción era lo suficientemente neutra como para que pudieran corresponderle no uno sino varios caracteres, y así como resulta luego un invertido, bien pudo haber tenido razón Marcel y tratarse de un loco o un ladrón de hotel.

Es interesante observar además cómo explica Proust su posición estética a través del arte de sus personajes. Venteuil, Bergotte, Elstir, la Berma, tienen sólo relativa entidad como estaciones del argumento, pero la poseen bien determinada en cuanto significan canales del arte en cada una de las ramas que representan. En realidad, Venteuil es su sonata y su septimino, tanto como Bergotte sus libros, Elstir sus cuadros o la Berma su talento dramático.

Las anécdotas que a propósito de Venteuil relata Proust, sirven mejor para explicar una antigua relación de Albertine que para mostrar la persona del músico, así como la última mención que se hace de la Berma es sólo un corte transversal en los anexos del *faubourg* Saint-Germain, o la conexión de Elstir con Odette no es sino un detalle más en el retrato de la *cocotte*.

Estos artistas imaginarios se ocultan detrás de su obra hasta casi desaparecer. En realidad, sólo son nombres necesarios para diferenciar los diversos solares del arte de Proust. Cada una de las obras *comentadas* por Proust, tiene por lo menos igual importancia que un personaje, pero considerablemente más que un personaje especial: el propio artista. Es así que las partituras de Venteuil (alcanza para ello la frase de la sonata) eclipsan al músico, como hombre, tanto como a Elstir sus cuadros o a Bergotte sus obras literarias. En Proust, a quien la religión no alcanza a convencer de que el alma haya de perpetuarse en zonas que escapan a su radio cognoscente, el arte tiende a llenar la parcela que pudo ser de religión, más aún, a ser la única religión posible.

Frente a una tentativa tan grandiosa como la *Recherche*, el lector no sólo no puede escapar a cierto misticismo, sino que acaba por refugiarse en él. Una vez penetrado en ese mundo, una vez atrapado por la simpatía, el interés o la aversión que despiertan esas criaturas, le es difícil abandonarlas, le es difícil resignarse a olvidar el paisaje de Balbec o de Combray. Sufre, en verdad, su ausencia, y si penetra con algún desgano en otro libro, recibe con cierto recelo a las figuras desconocidas que el nuevo autor ofrece a su amistad y que inexplicablemente nada saben de Oriana ni de Bloch ni de Venecia.

5

Es claro que en el análisis de las diversas actitudes de Proust es posible encontrar algunas aberraciones. Pero a medida que el relato adquiere su sentido, el lector arriba a la convicción de que esta obra posee un lenguaje propio, formado no solamente de palabras, imágenes y sentimientos, sino también de equívocos. Proust mismo es una aberración. Proust —al menos el que la obra difunde en el lector— es una apariencia, acaso una apariencia equívoca. De seguro podría esgrimir atendibles razones el Rampion de Huxley, cuando considera el «grande y horrible» libro de Proust como *an endless masturbation*[37]. Hay, efectivamente, en la materia novelística de Proust tanto como en la acepción de los temas que enfrenta o en el modo no demasiado leal de resolverlos, algo de incómodo y chocante. Uno siente que este dudador se escapa siempre de entre las manos de un modo tan elegante como aleve; que este dolorista exagera a sabiendas sus penurias; que este inventor del amor-enfermedad conoce empero —y envidia— el amor-salud que no puede alcanzar; que este hipersensible inficiona deliberadamente ese mismo amor al convertir literariamente en heterosexuales sus retorcidos celos de homosexual. Hay en todo esto algo de sinuoso, de insincero, que no siempre es posible eludir.

El punto en cuestión es si tales aberraciones no son, a pesar de todo, indispensables; no precisamente en cuanto al sentido aislado que en sí mismas poseen, sino en cuanto al único sentido, al solo mensaje de la obra: que el tiempo puede en verdad recuperarse. Quizá no resulten indispensables para el lector corriente ni para nadie que no sea el mismo Proust, mas para éste constituyen —a los efectos de brindar su extraña experiencia vital— el único conducto posible. Es preciso admitir que Proust ha debido engañarse y engañar a fin de trasmitir su peculiarísima lección de moral. Las incontables postergaciones, los mil modos de mentirse a sí mismo, los disimulos, los rodeos, forman tal vez su verdad rebuscada, decadente, virtual, pero después de todo *su* verdad. La sola y plausible sinceridad de Proust consiste en haber sacrificado sus verdades parciales a fin de obtener esa verdad total[38], así como en haber perdido las insignificantes unidades de su tiempo personal a fin de recuperar el único Tiempo, esa inconmensurable entidad abstracta que por sí sola justifica la existencia.

Los equívocos subsisten en Proust, subsisten las aberra-

---

[37] «Una masturbación interminable.» *Point Counter Point*, Londres, 1947, p. 557.

[38] «Cuando se está enamorado de una obra, sin duda se quisiera hacer algo parecido, pero es preciso sacrificar ese amor momentáneo y no pensar en lo que nos gusta, sino en una verdad que no se interesa por nuestras preferencias y nos prohíbe pensar en ellas» *(Le temps retrouvé*, II, p. 224).

ciones, pero es preciso comprender que su verdad se forma de aberraciones y de equívocos, que el colosal dilema que enfrentaba Proust (y que probablemente habrá influido en cada postergación de su trabajo) era que ésa representaba ineludiblemente la sola manera de decir lo único que le importaba y que una vez dispuesto a salvar la vigencia universal y el sentido último de su búsqueda, lo demás —lo particular, lo nimio, lo prolijo— sólo ocurriría en función de esa unidad, de esa cabal y admirable armonía.

Proust ha trastocado la dirección del optimismo, cierta confianza un poco miope en el porvenir. Del porvenir todo lo desconocemos, es decir, todo menos la muerte. (Se ha señalado ya que el futuro encarna, para Proust, el aspecto destructor del Tiempo, ya que es allí donde la muerte nos aguarda.)[39] Mas esa sola noción alcanza para inficionarlo todo, para convertir en ilusorias la seguridad y la confianza. Resta empero un optimismo más elemental, más reducido: desde que la vida ha quedado atrás, siempre será posible recurrir a ella a fin de otorgar al presente ese sentido que el porvenir rehúsa. El presente estalla y se retira, el futuro se acorta inexorablemente; sólo el pasado se vuelve rico, se llena de experiencia, se establece en el ser. Sólo el pasado proyecta *cette ombre de lui-même que nous appelons notre avenir»*[40].

Tal, quizá, una de las razones esenciales del prestigio ascendente de Proust, del creciente valimiento que goza en las últimas promociones de críticos y lectores. El hombre contemporáneo necesita respirar, anhela sin duda liberarse de esa muerte fija y pertinaz que obsesionó a un Schopenhauer, a un Rilke, a un Unamuno, de esa angustia que es condición implícita del hombre y que puede llevarlo a una asfixia del espíritu. Es innegable que el hombre de hoy aspira a recuperar la existencia. En algún caso, como el de Sartre, instalándose en ella e ignorando tácitamente a Dios; en otros, como el de

---

[39] Véase Claude-Edmonde Magny, *op. cit.*, p. 216.

[40] ...«esa sombra de sí mismo que llamamos porvenir» (*A l'ombre des jeunes filles en fleur*, III, p. 64).

Proust, avanzando contra la corriente del Tiempo hasta rehallar el paisaje de la infancia, esa patria de siempre, tan desconocida como verdadera.

(1950)

Antonio Machado: una conducta en mil páginas[1]

Allá por 1903, Antonio Machado le escribía a Juan Ramón Jiménez: «Yo procuro calcar la línea de mi sentimiento y no me asusto de que salga en el papel una figureja extraña y deforme, porque eso soy yo». En semejante insistencia de ser él mismo, quizá resida algo (no todo) del espléndido secreto que ha permitido a Machado convertirse en el intacto sobreviviente del 98, el único poderosamente actual. Porque algún secreto debe existir para que este oscuro profesor de provincias, que, como ha escrito negligentemente Torrente Ballester, «carece de biografía», sea hoy, para los nuevos escritores españoles y para millares de lectores de España y América, la más admirada figura del 98. Machado no es un innovador formal como Darío, ni un fiscal inspirado e implacable como Unamuno, ni un filósofo de la circunstancialidad como Ortega, ni un devoto de la inefable belleza como Jiménez, ni un campeón del esperpento como Valle Inclán, ni un héroe del malhumor como Baroja, ni un buen entretenedor como Pérez de Ayala. ¿Dónde reside entonces la razón de la clara ventaja que la imagen de Machado ha sacado a la de sus coetáneos?

En su «Ensayo preliminar», Guillermo de Torre (que en 1947 había publicado un buen trabajo sobre *Poesía y ejemplo de Antonio Machado*) se interroga sobre los motivos que mantienen la vigencia de la obra machadiana, y se responde: «En primer término, uno de apariencia muy imprevista a despe-

---

[1] Esta nota se refiere a la aparición de *Obras: poesía y prosa*, de Antonio Machado (reunida por Aurora de Albornoz y Guillermo de Torre, con un ensayo preliminar de este último), publicadas en Buenos Aires en 1964.

cho de su obviedad. Me refiero a la fuerza del consonante, o, con más exactitud, para soslayar equívocos, al prestigio invencible, a la capacidad trasmisora *de las sílabas contadas*». La presunta comprobación acaso sirva mejor para verificar los retrocesos del crítico que para disfrutar los avances del poeta. Establecer que el *primer motivo* de la supervivencia de Machado *es la fuerza del consonante o la capacidad trasmisora de las sílabas contadas*, sería más o menos lo mismo que juzgar la capacidad creadora de Stravinsky por el perfecto ajuste de su metrónomo.

Personalmente, creo que Machado supo contar muy bien sus sílabas, pero mejor supo contar las peripecias de su España y de su alma; creo asimismo que su rima tiene fuerza, pero mucha más fuerza tiene la actitud humana en que su prosa y su poesía se incrustan. Una de las consecuencias saludables de la aparición de estas *Obras*, más completas que cualquiera de los intentos anteriores, es la relectura, a la que incitan, de un Machado total. La empresa lleva sus buenas jornadas, pero la recompensa no tiene precio, y se la aconsejo a todo lector, y especialmente a todo escritor, que no tema enfrentarse a un infalible detector de hipocresías. Porque eso es Machado. Sin demagogia, sin falso énfasis, sin alaridos y también sin prosternaciones, el Machado total (quizá sea más exacto nombrarlo como el *Machado íntegro*) es una lección de autenticidad, de fidelidad consigo mismo, de comprensión del prójimo, y resulta una tarea muy higiénica arrimarlo a la obra de otros escritores, actuales o pretéritos, así como a fenómenos políticos y sociales de éste y otro tiempo, para comprobar cómo hay páginas (a veces célebres) que se desmoronan, se averían, se gangrenan, al no poder soportar la proximidad de ese poeta de veras, de ese hombre cabal.

Uno se explica entonces el infinito tacto y las prolijas pinzas con que aprehenden a Machado los glosadores y los exégetas, los viejos trujamanes y los noveles devotos. Quizá el volumen debería llevar, para su protegido manejo, aquella clásica instrucción boticaria: *No agitarlo*. Machado el Bueno sirve (¿quién no?) para finales de oratoria, para lindos epígrafes, para encendidas protestas de hispanismo, pero siempre y cuando se le pidan en préstamo citas aisladas, en mansa horizontalidad, en calma y alma chichas. Pero cuidado si se agita el frasco y la *fuerza del consonante* se mezcla con la fuerza de Mairena, y las *sílabas contadas* entran en peligrosa promiscuidad con las austeras anotaciones de Abel Martín, o los inocentes cantares se entreveran con el intencionado Discurso de ingreso a la Academia. Entonces Machado el Bueno, que tan cómodo resulta para ser confinado entre comillas, se transforma en una suerte de Machado el Verdadero, Machado el Real, que, claro, no es menos bueno pero si más incómodo.

«Y más que un hombre al uso que sabe su doctrina / soy en el buen sentido de la palabra, bueno.» Suena sin vanidad, casi como conciencia. En el *buen sentido*, o sea (podríamos agregar) en el de la lucidez, la sinceridad, el coraje cívico, y no en el mal sentido, o sea el de la blandura, la indiferencia, el conformismo. La suya (como él lo dijo con respecto a España) es bondad «de la rabia y de la idea». Por eso arde, y por lo tanto quema. Por eso suele opinarse sumariamente que «carece de biografía», o escribirse con largueza («recoge el esfuerzo muscular, las sensaciones tácticas, los olores, el sol de fuego», dijo sin esfuerzo muscular el calmoso Julián Marías) sobre el paisaje machadiano, antes de citar algunas de sus campanas inocentes o alguno de sus absueltos ruiseñores. Porque sucede que Machado es mucho más que campanas y ruiseñores, mucho más que álamos y parameras. Cuando se acerca al paisaje como cuando se acerca al amor, lo hace sí con pleno derecho, porque ésa es su tregua, su armisticio, su descanso tal vez. En su vida arrinconada, el paisaje o el amor suelen ser, como en el célebre olmo seco de su poema, la *gracia de la rama verdecida*. De ahí que su absorción de la naturaleza se realice sin artificios, de un modo limpio y espontáneo, pero aun en ese aparente oficio de contemplador, la carga vital resulta inocultable y se inmiscuye y se afianza entre ramas y pájaros, entre nubes y ríos.

Me parece tremendamente injusto separar a Machado de sus actitudes. No importa que la biografía sea escueta, porque ésa es la biografía exterior, la del siempre inexacto *curriculum*. Pero la verdadera biografía, y las actitudes que en ella se engarzan, reside plenamente en su obra de escritor. Frente a la creación poética, frente al contorno social, frente a la guerra civil que lo derrumba, frente a sus compañeros de generación, frente a España misma, Machado fue escribiendo, fue levantando su voz, fue diciendo quién era. La verdadera vida del poeta transcurre en su millar de páginas, y el itinerario es de una renunciación tan previsora y a la vez tan indócil, que nadie puede permanecer ajeno a esa conmovedora lucidez. La vida de Machado está en sus actitudes, nada sensacionalistas pero siempre irreprochables, y también está en sus escritos, que son algo así como articulaciones entre actitud y actitud. Quienes abren desmesurados ojos ante alguna zona machadista que *creen* inofensiva, pero los cierran para la vital provocación implícita en el resto, están postulando la presencia de un Machado irreal, por cierto mucho más apócrifo que Abel Martín y Juan de Mairena. Nada apócrifo por cierto es este último cuando confiesa: «Porque yo, que viví hasta la fecha con una decencia tan considerable, que obtuvo, alguna vez, la hiperbólica reputación de absoluta...».

Pocos escritores han sido tan conscientes del vano denuedo que puede ir inserto en la condición de escritor, en el menester artístico: «Y si la vida es corta / y no llega la mar a tu galera / aguarda sin partir y siempre espera, / que el arte es largo y, además, no importa.» Pero esa amarga comprobación no le impidió poner en boca de Mairena este consejo: «Porque algún día habrá que retar a los leones con armas totalmente inadecuadas para luchar con ellos. Y hará falta un loco que intente la aventura. Un loco ejemplar». Y, además, en su propio epistolario, esta ingenua, deliciosa posdata: «Estoy en una época de inspiración. Yo creo todavía en la inspiración».

Machado descomplicó los elementos clásicos de la poesía española. Una de sus obsesiones era, sin duda, el hablar claro: «Veremos lo que pasa cuando lo distinguido, lo aristocrático y lo verdaderamente hazañoso sea hacerse comprender de todo el mundo, sin decir demasiadas tonterías», pero su interpretación del hombre se rebelaba ante la posibilidad de masificación, y jamás cayó en la tentación de confundir *masa* con *pueblo*: «El hombre masa no existe; las masas humanas son una invención de la burguesía, una degradación de las muchedumbres de hombres», y agregaba: «Si os dirigís a las masas, el hombre, el cada hombre que os escuche, no se sentirá aludido y necesariamente os volverá la espalda». Machado escribió para cada hombre, y éste todavía hoy se siente aludido.

También en lo político escribió para el hombre y no para el dogma. El, que era palmariamente un hombre de izquierda y que sólo el 27 de enero de 1939, o sea 26 días antes de su muerte, se resignó a dejar una España devastada por la guerra, había escrito empero este texto ejemplarmente autocrítico:

En España —no lo olvidemos— la acción política de tendencia progresiva suele ser débil, porque carece de originalidad, es puro mimetismo que no pasa de simple excitante de la reacción. Se diría que sólo el resorte reaccionario funciona en nuestra máquina social con alguna precisión y energía. Los políticos que pretenden gobernar hacia el porvenir deben tener en cuenta la reacción a fondo que sigue en España a todo avance de superficie. Nuestros políticos llamados de izquierda, un tanto frívolos, digámoslo de pasada, rara vez calculan, cuando disparan sus fusiles de retórica futurista, el retroceso de las culatas, que suele ser, aunque parezca extraño, más violento que el tiro.

Ya sé que en este año y en este paralelo, poner de relieve una *conducta* puede ser interpretado como un resabio de provincialismo. Pero don Antonio era gloriosamente provinciano y alguna vez escribió que necesitaba la indignación «para no helarse también». Así que no importa. Después de todo, este confiado escéptico («Volverá Cristo a nacer entre nosotros, los escépticos, que guardamos todavía un rescoldo de buena fe») se ha convertido en un rezagado pero firme triunfador. En España, en América Latina, los libros de Machado están junto a muchas cabeceras, que es un modo de estar junto al ensueño. «En caso de vida o muerte», le escribió en 1914 desde Baeza a su admirado Unamuno, «se debe estar siempre con el más prójimo». Será tal vez por eso que el lector, cuando emerge de estas *obras completas*, tiene la impresión de haber estado dialogando con lo mejor de sí mismo.

(1965)

Gadda y su barroca necesidad de orden

Con los años, se ha hecho merecidamente famosa cierta clase de retórica y poética dictada por Juan de Mairena: aquella en que hizo escribir al señor Pérez una frase («los eventos consuetudinarios que acontecen en la rúa») que, pasada luego a lenguaje poético por el alumno, se redujo a «lo que pasa en la calle». ¿Qué sucederá hoy, si introdujéramos por un instante en la clase de Mairena al escritor milanés Carlo Emilio Gadda, cuyo *humor filológico* (la etiqueta pertenece a su compatriota Arnaldo Bocelli) está agitando las aguas retóricas del Viejo Continente? Quizá Mairena le hiciera escribir en la pizarra: «Vuela un moscón», y le ordenara pasar al barroco la escueta frase. Quizá la respuesta de Gadda fuese la que consta en *El zafarrancho aquel de Via Merulana* (Quer pasticciaccio brutto de Via Merulana): «Y en torno al péndulo espasmo de la tralla (oscilante con el pulso), un moscón se abandona al vaivén habitual, aquel que denota una avidez de manduca perpetuamente despierta, o avivada, y el conseguido clisar, digamos oliscar, la susodicha. Zurriaba, rumoroso, en una vibración metálica que alcanzaba los agudos cuando las viradas y contraviradas en forma de ocho: ebrio, casi, de sentirse constreñido por la fatalidad renovada de un campo gravídico sui generis: de un campo discurrido, para la nueva historia, por el Pippo de los moscones jóvenes: donde a la elipse de la orbitación newtoniana hubiese sustituido la lemniscata».

Siempre es riesgoso aislar un párrafo de una obra literaria cualquiera, pero es particularmente injusto si se trata de Gadda. La verdad es que en cualquiera de sus dos novelas (la otra es *El aprendizaje del dolor*, La cognizione del dolore,) lo que vale como justificación no es el detalle sino el todo; no el minifundio culterano sino el gran territorio del lenguaje. De todos modos, no hay por qué ahorrarle al lector de esta nota el estupor que aflige a cualquier neófito de Gadda en el lapso de su primera aproximación. En tal instancia, es fácil que el *Pasticciaccio* se le aparezca como una novela policial anacrónicamente barroquizada por don Luis de Góngora y Argote.

O sea lo que técnicamente se llama un *pastiche* en vez de un *pasticciaccio*. Pero el problema no es tan sencillo.

Carlo Emilio Gadda nació en Milán, en 1893; es ingeniero industrial y ha ejercido su profesión en Italia y en el extranjero, incluso en la Argentina. Durante la primera guerra mundial fue oficial de un destacamento alpino y cayó prisionero de los alemanes. Su labor literaria se ha ido formando lentamente (una decena de libros en cuarenta años de producción) e incluye cuentos, ensayos, algún poema, y sobre todo estas dos novelas que le han traído una no buscada celebridad: El *Pasticciaccio* fue publicado hacia 1946 en diversas entregas de una revista literaria, pero sólo apareció en volumen en 1957. *La Cognizione del dolore* también fue publicada en revista *(Letteratura)* entre 1938 y 1941, y luego, al ser reeditada en volumen en 1963, figuró entre los cinco libros más vendidos del año y obtuvo el Premio Internacional de Literatura (hasta ahora también obtenido por Jorge Luis Borges, Samuel Beckett, Nathalie Sarraute y Saul Bellow). Para algunos críticos italianos, la publicación en libro del *Pasticciaccio* (nadie había destacado su importancia cuando apareció en entregas) significa una fecha capital dentro de la narrativa italiana. Según Angelo Guglielmi, esa novela «ha transformado profundamente el carácter de la narrativa italiana contemporánea, arrancándola de la obsecuencia frente a fórmulas ya superadas y carentes de vitalidad, y proponiéndole búsquedas que por lo menos son libres y variadas».

¿Cuál es exactamente la importancia de este novelista que sólo asciende a la fama en los umbrales de la vejez? En su escueta y facilonga anécdota, el *Pasticciaccio* es la historia de una investigación policíaca sobre la comisión de dos delitos (un robo y un asesinato) perpetuados con pocos días de diferencia en la misma casa de apartamentos. *La cognizione* presenta un caso de inadaptación al medio: el del hidalgo Gonzalo Pirobutino de Eltino en un país vagamente sudamericano (tal vez con cierta acentuación argentina) llamado Maradagal. Claro que la aparente revolución gaddiana no reside precisamente en los temas, y el ingeniero-escritor no tiene inconveniente en dejarlos inconclusos, abiertas sus ventanas a toda interpretación, y también a toda corriente de aire. La ruptura de Gadda tiene que ver principalmente con ciertos prejuicios (¿o serán leyes?) de economía verbal, como si el novelista quisiera reivindicar su derecho a escribir sobre los eventos consuetudinarios que acontecen en la rúa. Las palabras, y no los hechos, son su más poderoso instrumento; cuando un hecho se inserta en el relato, automáticamente se vuelve palabras, volutas de conjugación, calambre de adjetivos, desinencias onomatopéyicas.

Guglielmi ha creído ver en el *Pasticciaccio* una sustancial liberación «que lleva a irreparable crisis el concepto de *novela bien hecha*, denunciando así la incapacidad de alcanzar, en el actual momento histórico, una concreta posesión de la realidad».

Lo curioso es que este desusado sentido de la libertad de palabra, esconde un profundo conservadorismo con respecto a todo lo que no es *verbo*. El mismo Guglielmi ha señalado que «Gadda no tiene propósitos definitorios; en él está ausente toda dimensión didascálica. Gadda tiene aversión a enseñar cualquier cosa. Para él, el mundo es lo que es, y así basta, y le parece insensata cualquier tentativa de modificarlo». De ahí que esta obra revele un formidable talento para describir y distorsionar la *superficie* de las cosas. Gadda no se atreve con las honduras, con las raíces, ya que a su juicio estas son, o deberían ser, inconmovibles. Alguna vez este autor se ha referido a «esa necesidad de orden que ha hecho mi vida tan poco feliz», y ya en 1939, Pietro Pancrazi (en la cuarta serie de sus *Scrittore d'oggi*) señalaba que «de su arte y de su economía, Gadda deduce siempre, aunque no lo diga, una moral; a veces hay cosas y costumbres que se le aparecen como impaciencias del hombre, cosas y costumbres que sin embargo el viajero está obligado a encontrar en su camino; y también algo así como una viril y casi sombría fidelidad a la tradición, al sentido de la simetría».

Pocas veces se había visto en la literatura contemporánea el caso de un escritor que dejara tan intacta la realidad, que aspirara tan escasamente a influir sobre ella. Su formidable intuición para enlazar contradicciones y entrecruzar significados, para desarmar las palabras y armar otras, con mitades (o tercios) de distinto origen, se convierte en un juego de meras variantes sobre lo inconmovible. El lenguaje es para Gadda un elemento elástico, capaz de soportar los más insólitos estiramientos, contorsiones y esguinces, pero destinado siempre a recuperar su posición original, su conservadora transcripción del mundo. En sus novelas todo se retuerce, pero nada se modifica. Esa reconocida y reconocible impotencia para la modificación de lo real, mueve en Gadda, sin embargo, una palanca sustitutiva: el humor. Más visible en el *Pasticciaccio* que en *La cognizione*, pero de todos modos detectable en ambas novelas, la burla transita en la prosa de Gadda con la misma libertad y espíritu travieso que los fantásticos rayos de la primera parte de *La cognizione* (páginas magistrales, sólo comparables en su ritmo imaginativo, dinámico y creador, a las que Günter Grass consagra en *El tambor de hojalata* a la capacidad vitricida de su protagonista) a tal punto que el lector se atosiga de chistes coloquiales, dialectales, filológicos, paradójicos. La gracia irrumpe a veces en la sutileza de un paréntesis («un tanto a la manera de ciertas santas, de *ciertas monjas consideradas españolas*»), en la comparecencia de un neosustantivo (le hacía reir, «morirse de cosquillamen») o de una desinencia («una difusa y delicada ovaricidad»), en la aceptación lingüística del condicionante social («inmunologista de gran práctica y rara competencia»), en el uso efectista de la contradicción («como si declamara impetuosos versos de Fóscolo, pero sin entender el sentido *y menos la falta del mismo*») y del rasgo físico («diez kilos de huesos de dedazos para cascar nueces»), en el deterioro de la cursilería («una pubertad facinerosa») y en la trivialización de grandes nombres («*dekirkegaardizaba* a picaruelos provincianos», «los verbos precisos para poder *petrarquizar* sobre las noticias poco halagüeñas»). Ese empleo del elemento humorístico a modo de provocación, es probablemente el rasgo que mejor caracteriza la actitud literaria de Gadda. Gimnasia de la inteligencia, o pintoresquismo de la erudición, lo cierto es que los juegos de palabras llevan a este novelista a una concatenación de efectos y subefectos que acaban por avasallarlo todo: caracteres, psicología, anécdota, costumbrismo, paisaje. Queda la palabra en su papel protagónico, cardinal, poco menos que hipnotizante (desde Proust y Joyce, no era dable asistir a un ejercicio tan deslumbrante de la sugestión verbal), pero como la anécdota suele ser, sobre todo en el *Pasticciaccio*, humillantemente trivial, y como los personajes piensan y hablan tan barrocamente como el mismísimo autor, la correntada de símiles, parodias y calembures, se parece sospechosamente a la verborragia, aunque esta vez se trate de una facundia apuntalada y justificada por una cultura casi prodigiosa (Gadda domina varias lenguas y posee una sólida base científica). El misterio es saber hacia dónde se dirige este creador. Conviene meditar sobre el hecho de que la celebridad lo acose precisamente en la setentena. La verdad es que su cosmovisión (casi una verbovisión) tiene las virtudes, y también los deméritos, de la vejez, de esa edad en que el hombre suele volverse tristemente sabio, lo cual es sólo un modo de decir que al fin se resigna a no cambiar el mundo y se dispone simplemente a pasarlo lo mejor posible, así sea juntando o reiventando palabras. Es muy fácil confundir juegos malabares con un vitalismo esencial y renovador; pero, en el fondo, quizá Gadda sólo aspire, como explícitamente lo ha confesado, al sagrado *orden*, y semejante aspiración esté aún menos volcada al futuro que la que Lampedusa planteara en *El gatopardo*.

Con los datos homologados por críticos y editores varios, es difícil saber si el *Pasticciaccio* fue escrito antes que *La cognizione*, o viceversa. Sin embargo, es un dato no despreciable, ya que ambas novelas proponen distintos tipos de apertura. El *Pasticciaccio* abre un rumbo asombroso pero acaso de corta vigencia: uso libérrimo de la palabra, y desembozado disfrute de la superficie, de la cáscara del ser. En cambio, *La cognizione*, pese a su fatigoso ejercicio del diálogo, a su arduo sistema de recurrencias, a sus figuras en penumbra anímica, tira vacilantes cabos a una aprehensión más auténtica de los personajes. Este hidalgo Gonzalo, con su madre y su soledad a cuestas, con su irónico testigo siempre a mano, es en realidad un ser desvalido y patético, cuya carnadura novelesca no depende (como la de don Chito Ingravallo, su frío congénere del *Pasticciaccio*) del uso y abuso de lo verbal, sino de su insatisfacción interior, de su turbia asunción del mundo, del paulatino desmoronamiento de sus pretextos, de su inútil, deshabitada tristeza. Quizá el *Pasticciaccio*, como propone algún crítico italiano, haya hecho precipitar la situación de la narrativa de su país, y en ese sentido represente un mojón decisivo; pero es más bien en la otra novela donde Gadda asume la estatura de un creador solitario y legítimo, un creador que no sólo es capaz de reinventar la palabra y aun las reglas del tránsito verbal, sino también de entender el dolor. Y aunque esto último no sea un factor decisivo para las historias de literatura o para la crítica emulsionadora de tesis, puede serlo en cambio para el lector de siempre, ese aprendiz de sus propias angustias.

(1965)

El testimonio de Arturo Barea

No deja de resultar bastante sorprendente que dentro de la literatura española, tan afecta a las promociones generacionales, aparezca ahora un narrador como Barea, que no mantiene vinculación con los novelistas actuales de dentro (Zunzunegui, Cela, Laforet) o fuera (Max Aub, Sender) de España, ni revela tampoco el aporte casi obligatorio de los hombres del 98.

En el segundo tomo de su trilogía[1] Barea relata que, muy joven aún, fue presentado en las peñas de Carrere, Benavente, Valle Inclán. Carrere lo desanimó con bastante malicia; Benavente demasiado ocupado en recoger las alabanzas de sus contertulios, no se fijó en él; pero Valle Inclán, un poco asombrado ante la osadía de ese adolescente, desconocido y sin

---

[1] *La forja de un rebelde: i) La forja; II) La ruta; III) La llama.* Buenos Aires, 1951.

obra, que se arriesgaba a discrepar, le regaló un histórico consejo: «*Si usted lo que quiere es aprender a escribir, quédese en casa y estudie. Después es posible que pueda empezar a escribir... Usted se imagina que le estoy insultando, pero se equivoca. No le conozco, pero me merece una opinión mejor que la mayoría de los que están aquí mirándonos como bobos. Y por eso le digo, no venga a estas tertulias. Siga con su trabajo, y si usted quiere escribir, escriba. De aquí no va usted a sacar más provecho que, si acaso, un puesto de chupatintas en un periódico y la costumbre de tragarse todos los insultos*».

A esta advertencia, tanto como a la preocupación que siente Barea por la suerte de España, parece limitarse la influencia del grupo del 98 sobre su obra, ya que desde ese entonces se aparta de los intelectuales y rehusa tragarse los insultos. No escribe novelas, simplemente las vive. De ahí que cuando publica el relato de las tres etapas más importantes de su vida (infancia, servicio militar en Marruecos, guerra civil), se le llame novelista, tratándose, como se trata, de una obra documental y autobiográfica[2], la cual, pese a sus notorias afinidades con las de otros escritores testimoniales (el Orwell de *Homage to Catalonia*, el Koestler de *Scum of the Earth*, el Malraux de *L'espoir*, el Levi de *Cristo si è fermato a Eboli*), incorpora otro factor en el que éstos no pudieron o no quisieron reparar: la repercusión, en la vida del autor, de los mismos hechos que testifica, y, más aún, el proceso de formación para su actitud de rebeldía. En las obras mencionadas de Orwell, de Koestler, de Malraux, de Carlo Levi, esta repercusión, este incremento, se infieren de la indocilidad y la energía con que aquellos escritores enfrentan su realidad. Pero en la trilogía de Barea, tales obligados y recíprocos ecos se explicitan: se da cuenta allí del bagage religioso que la infancia del autor ensaya oponer a las primeras patrañas, a los primeros disimulos; de la cepa de burguesito que dificulta sus pri-

---

[2] Esto se refiere al momento en que aparece *La forja de un rebelde*. Con posterioridad a la misma, Barea escribió una novela: *La raíz rota*, que apareció inicialmente en su versión inglesa (*The Broken Root*, London, *Faber & Faber*, 1951).

meros pujos socializantes; de los despidos, la prepotencia, los abusos que, en la vida civil, anticipan los excesos de la etapa militar; de las consecuencias que este último período tiene en su posterior cotidianidad, en su inquietud por el destino de España; del clima asfixiante de su vida familiar que precede a la especie de liberación que se le figura la revuelta civil; y, finalmente, de esa misma caótica guerra, de la que parece liberarlo el amor. Es decir, que el libro de Barea historia sus sucesivos enfrentamientos con la realidad, pero no se limita a contar cómo era el mundo en cada uno de esos choques sino que dice también cómo era él. *Scum of the Earth,* por ejemplo, es el libro de un marxista que, además, es un hombre corriente; *La forja de un rebelde,* en cambio, es la obra de un hombre corriente que por añadidura es un marxista. En Barea la actitud política no es lo principal; lo principal es la actitud del hombre. Naturalmente, éste como marxista no es un arquetipo, porque llegado el instante crucial no actúa de acuerdo a la línea partidaria sino a lo que a sí mismo se aconseja.

Esa carga subjetiva se halla presente desde el título. Se trata incuestionablemente de la forja de un rebelde. Antes que asistir al proceso político y social que desemboca en la guerra española, vamos a asistir a las diversas actitudes del autor que culminan en su rebeldía. Desde este punto de vista, los tres grandes temas de Barea son: la infancia, España y el amor. El poderoso atractivo de estos temas es el desacomodamiento del autor al enfrentarlos, la marcha a contrapelo de la costumbre, su cada vez más obstinada independencia de criterio. En *La forja,* el hijo de la lavandera vive con unos tíos bastante acomodados; de ahí que entre sus hermanos se le considere un señorito y, en cambio, la tía bienhechora no olvide su procedencia. Asimismo, si bien adquiere entre sus patrones fama de revoltoso, los obreros en cambio no dejan de reprocharle sus ropas de señorito. Lo más notable es que el malentendido no parte únicamente de quienes le tratan (los hermanos, la tía, el patrón, los obreros) sino que el mismo se siente constantemente desacomodado.

Ante el concepto de Dios que le inculcan los curas y la familia, el niño reflexiona que «*el que tiene miles de pesetas para ir a Lourdes, puede ser que esté cojo y vuelva andando. Pero si no puede ir a Lourdes, entonces se queda cojo para toda la vida, porque la virtud no hace milagros más que con los que van allí*». Pero cuando el tío Luis arremete contra Dios, la mente infantil especula: «*Claro que esto lo dice para burlarse de mí. Pero yo me disgusto, porque él no comprende que a mí me hace falta Dios*». Este es el origen de su rebeldía, la doble insumisión que experimenta ante los que le reprochan señoritismo y los que le acusan de ser proletario, ante los que blasfeman de Dios y los que adulan su imaginería. En realidad, siempre es más o menos consciente de que unos y otros tienen razón contra él, ya que él es el primero en hallar en sí mismo conatos de plebeyez y de señoritismo, el primero en dudar de Dios y en necesitarlo.

Ese desasosiego, esa incomodidad en sus relaciones con el mundo, se mantiene a lo largo de toda su obra. Cuando abandona el colegio, anota: «*Todos los conocidos han dejado de tratarme como niño, pero ninguno quiere tratarme como hombre*». Cuando intenta establecer un contacto con un centro cultural que Giner de los Ríos ha fundado en Madrid, se encuentra con una nueva aristocracia, *una especie de aristocracia de la izquierda*. Al ingresar en la vida militar de Marruecos, cuyo sistema se halla podrido desde el comandante hasta el último clase, desentona allí violentamente con su extraño concepto de lo que juzga una estafa al Estado. En Ceuta, donde mantiene una relación ilícita y estable con una muchacha granadina, es llamado y sermoneado por el comandante mayor, quien considera ese vínculo una imperdonable irregularidad, desde el momento que los oficiales y los clases suelen correrla con prostitutas.

Sin embargo, la actitud de Barea no es despectiva sino con respecto al orden espurio, a la insostenible estructura que halla en lo militar, en lo religioso, en lo social. Sus simpatías están por el individuo, más aún, su trayectoria es una huraña búsqueda, inesperadamente ingenua, de la amistad y del amor. Pero esa misma ingenuidad le mantiene sensible, y los hechos, las subrepticias, abominables situaciones de un sistema viciado, le afectan siempre, cualquiera sea la escala o el carácter en que se verifiquen.

De los tres volúmenes que componen *La forja de un rebelde*, el primero es, fuera de duda, el más eficaz y, por otra parte, el que otorga un sentido a los restantes. Existe una apreciable distancia entre la explicación que realiza Barea de su mundo de niño y la que han acometido otros reconstructores de la infancia (Proust, como ejemplo típico; entre los españoles, Palacio Valdés en *La novela de un novelista*, Sender en *Crónica del Alba*). A diferencia de ellos, Barea no intenta la evocación, la compaginación de recuerdos del adulto que mira hacia atrás. El relato se da por lo común en presente y da la verdadera dimensión de lo que acontece, de la costumbre que se desliza. (En raras ocasiones, muy contadas —págs. 28 y 102 de *La forja*— el presente del adulto se introduce en el presente de niño y, fatalmente, el equilibrio se rompe.)

Proust sale al reencuentro de su infancia, de su tiempo perdido, con todo el bagaje, que es a la vez ayuda e impedimenta, de su experiencia acumulada, de sus escasas convicciones, de sus recelos descorazonadores. En ese territorio, todavía intacto, encuentra imágenes puras, ideales, que al coincidir o simplemente rimar con determinadas zonas de su experiencia compleja y actual, le revelan, según ha señalado Santayana, «una esencia que no pertenece por sí misma a esto ni a aquello, sino que es eterna y sin fechas». La tarea que se propone Barea es muy otra, menos intrincada, casi elemental: se trata simplemente de reconstruir el mundo *desde* el niño, en una etapa anterior a la asunción de la experiencia como forma rudimentaria de sabiduría. No se trata de recordar con la mente de adulto cómo fueron los descubrimientos, los chascos sobrecogedores de la infancia, y luego comentarlos con la ventaja de un aprendizaje posterior. Se trata más bien de instalarse en la mente del niño que fue, de hacerse niño otra vez, sin fogueo, sin sabiduría, sin escarmiento, con su ingenuidad íntegramente disponible y sus ilusiones listas para ser abolidas. Proust, aunque ha construido una especie de memorial sólo a medias apócrifo, está más cerca que Barea de lo rígidamente autobiográfico. Obsérvese que la infancia de éste es mucho más novelesca, porque nadie puede quedarse de pronto sin experiencia, sin convicciones y sin mácula. Nadie puede, a menos que cree al personaje. Y si, como Barea, consigue hacerlo, ese personaje, de infancia tan creíble y verosímil, no será ya un recuerdo riguroso sino un estricto ente de ficción.

Es interesante anotar, además, que *La Forja* es el *único* de los tres tomos cuyo relato está en presente. Tanto *La ruta* como *La llama* son meramente autobiográficos, recuerdos directos del narrador. Por otra parte, los tres temas ya mencionados no tienen una vigencia aislada, circunscripta a su zona de influencia particular. La infancia, principalmente, introduce sus ideales en la visión de España, en la expectativa y las pretensiones del amor. Pero también la única España que sobrevive, que supera el caos de la guerra civil, es la España del niño, la del Avapiés y del padre Joaquín, la de la madre lavandera y las blasfemias del tío Luis. A su vez, el único amor que apacigua y transforma a este atrabiliario, se verifica en el común interés, en la misma pasión por la España obstinada y maltrecha.

¿Cuál es, desde el punto de vista literario, el tratamiento que dispensa Barea a temas tan definidos y a la vez tan amplios? Es evidente —y esta evidencia parte tanto de su actitud como de su estilo— que Barea menosprecia todo intelectualismo. Para quien vivió en el Madrid de la guerra civil, acosado de muertes y de intrigas, tenía que sonar particularmente a falso cualquier aplicación de lo literario en esa llaga viva. De modo que Barea cuenta su experiencia en un leguaje directo, a veces descuidado, pero que siempre impresiona como cosa viva. Esta deliberada libertad suele llevarle a algunos excesos, a la incorporación o a la creación de nuevas palabras o nuevos sentidos. (Insistentemente emplea el verbo *realizar* en el sentido del verbo inglés *to realize,* comprender, darse cuenta, etc.; el verbo *introducir* en el sentido de *to introduce,* presentar una persona a otra.) Pero su estilo no desciende nunca a un naturalismo chabacano. Pese al mismo Barea, la depuración intelectual que la realidad experimenta en su obra, resulta tan evidente como su antiintelectualismo. Es claro que no se trata de transformarla en una visión fría y artificiosa. Se trata más bien de organizar los contrastes, de meter la cura providencial de un niño moro entre la confianza superticiosa y los fusiles, de coordinar ternura y bombardeos, de enfrentar la mesura y la comprensión del padre Joaquín al hecho escueto y eficaz de que también existan su mujer y su hijo. Nada de esto significa *intelectualizar* la realidad (es decir, aderezarla con derivados psicológicos, con asiduas meditaciones, que la hagan más radiante o más sombría) sino disponer de ella inteligentemente. El aporte intelectual de Barea tiene que ver en especial con el montaje de la obra, con el orden y compaginación de esas diversas secuencias en que la realidad aparece tal como es, pero enfrentada siempre a aquella anécdota que mejor destaque sus luces y sus sombras. Asimismo, el hecho de que Barea no haya arribado a una autobiografía total y minuciosa, parece significar, además de la mejor defensa de la obra (que, de otro modo, como tantos copiosos inventarios, hubiera acaso resultado cargante) una capacidad intelectual de elección y de síntesis. La infancia, la etapa de Marruecos, la guerra civil, no son meros trozos, arbitrariamente elegidos, cada uno con su vigencia aislada y elemental, sino que dentro de esa trayectoria integran un dramático proceso y vienen a dar su tono, su carácter, su actitud, mucho más definidamente que cualquier historia de sí mismo, que cualquier diario intímo de implacable, servil, anotación. El desorden, el progreso aparentemente anárquico, los grandes espacios blancos del relato, no desembocan en un estilo caótico ni en una estructura absurda, insostenible. Si se los examina bien, se verá que reproducen, subrayándolas, tanto la habitual anarquía de la infancia como la anarquía más o menos histórica de España.

«*También, una de las cosas que uno no puede comprar o vender, es su propia estimación*», dice el autor de *La ruta*. Pero en un carácter tan autónomo, la propia estimación rara vez coincide con la ajena, más aún, por lo general se complace en refutarla. Es en aras de esa fidelidad para consigo mismo, que Barea se arriesga a perder la estimación del lector superficial.

Su franqueza le impide retocar favorablemente el autorretrato. Es indudable que no quiere ventajas, y allí donde ha sido egoísta o desidioso, no lo esconde ni lo justifica. Tampoco fatiga al lector con reticentes culpas o remordimientos; éstos se hallan implícitos en cierta hosca melancolía que inficiona toda solución, que menoscaba todo optimismo. Cuando se desprende, en Ceuta, de Chuchín, cuando habla fríamente de Aurelia o de Maria, sabemos que ése no es el amor, que otro vendrá después y con su sola presencia justificará retroactivamente aquel desapego, aquel egoísmo, aquella inexplicable resistencia a entregarse. Sólo entonces será posible medir una capacidad de sacrificio y de entrega que parecía exceder sus posibilidades. Cuando apoya sin demasiado entusiasmo los intereses de los obreros o cuando tolera el viciado sistema que impera en el Marruecos militar, sabemos que ésa no puede ser su actitud final, que una encrucijada vendrá después que le sitúe definitivamente, con su pasado y con su vida entera, del lado popular (cuyas flaquezas sin embargo conoce) y contra la asonada de los militares. Siempre llega el momento en que ya no es posible hacerse concesiones si no se quiere «vender la propia estimación».

Toda la vida de Barea es una sola crisis, y una crisis romántica a pesar de todo. Barea tiene del temperamento romántico la ingenua confianza —por otra parte, constantemente defraudada— en la dignidad de sus semejantes, la continua amenaza de verse incomprendido por quienes le admiten y quienes le rechazan, y también la renuente defensa de ciertos ideales, que ni siquiera son los de su pueblo, su clase o su generación, sino sencillamente los de Arturo Barea.

Lo más notable es que su relato es tan objetivo como puede serlo un testimonio autobiográfico. En la reconstrucción de su infancia, la mente del niño es una suerte de cámara fotográfica que registra poses, instantáneas, paisajes. El aporte subjetivo está presente en la elección de esas imágenes, pero ellas aparecen sin contaminación, intactas, y no sólo otorgan la dimensión de su vida de niño, sino también y principalmente la del mundo absurdo, incomprensible, de los mayores. En su versión de la guerra española, no hay arenga política; la prédica partidaria (que, por otra parte, no era lo previsible en su *standard* de conciencia) se sustituye por la directa exposición de los hechos. El narrador parece aguardar que de esos hechos se desprenda la prédica y, luego, de esa prédica, la convicción; pero también aguarda que todo ello lo decida el lector consigo mismo, tan libre de prejuicios como el propio narrador lo ha decidido.

Esto explica en alguna medida que *La llama* resulte el impacto más certero, el documento más convincente acerca de la guerra civil. Barea no dice nada de segunda mano. Poco o nada sabe de cuanto sucede en el frente, en el gobierno, en el Comisariado de guerra. El se conforma con relatar *su* guerra; la de las granadas que caen en la Telefónica; la de los periodistas hacinados, exigentes, con miedo, la de los infelices que ve desplomarse en la calle. El tema de la guerra civil, que virtualmente estaba disponible, adquiere así, al centrarse en torno a un solo testimonio, una fuerza consciente inusitada. Esos camiones cargados de milicianos, esos exaltados que destruyen las iglesias, esos heridos, esos heridores, no son hipotéticas figuras de una inasible, extendida guerra española, sino milicianos de carne y hueso, inopinados iconoclastas, víctimas y victimarios, que irrumpen en la zona de experiencia de un único testigo, ni glorioso ni despreciable, de un sólo hombre corriente y hostigado, en cuya conciencia repercuten, agobiándola, tanto derroche de pasiones, tantos horrores fáciles y atroces.

Desde un punto de vista literario, *La forja de un rebelde* posee sin duda valores estimables. Pero su fuerza mayor, su dramática intensidad, proviene del carácter testimonial de estos recuerdos, tan cercanos aún, tan metidos en nuestro presente, que hoy en día continúan vigentes la mayor parte de sus tácitas censuras. Gracias a este testimonio, las letras españolas se han enriquecido con un vigoroso narrador, de estilo y temática muy peculiares. Falta saber aún si este relato vívido, eficaz, anuncia un excelente novelista o representa tan sólo la bien aprovechada coyuntura de una existencia fundamentalmente novelesca.

(1951)

E. M. Forster elimina al héroe

I

Encarar, con propósito crítico, la obra narrativa de E. M. Forster, implica una obligada etapa de desconcierto. En cada una de sus novelas Forster hace una rara ostentación de vulnerabilidad, como si invitara al crítico a registrar sus objeciones. Para éste, la primera sorpresa tendrá lugar al concluir la lectura: las presuntas endebleces literarias se desvanecerán ante la notable distinción que sedimenta la obra. Aun un crítico tan agudo, provocativo e injusto, como F. R. Leavis, después de documentar sus graves reparos a la obra de Forster, no deja de reconocer que *A passage to India* es un clásico: «*Not only a most significant document of our age, but a truly memorable work of literature*»[1], agrega.

El esclarecimiento de este rasgo se va adquiriendo en forma paulatina. Cada crítico se siente provocado y trata de llegar a él por sus propios medios. Para Lionel Trilling, Forster *«simply has the certainty of the great novelists that any novel is a made-up thing and that a story, in order to stand firmly on reality, needs to keep no more than one foot on probability»*[2]. Rex Warner, en cambio, argumenta: *«Certainly both faith and doubt, daring and timidity are characteristic of his art, which is indeed based on the very difficulty of reconciling opposites»*[3]. Para S. D. Neill, el plan de las novelas de E. M. F.

---

[1] «No sólo uno de los documentos más significativos de nuestra época, sino también una obra literaria verdaderamente memorable.» (F. R. Leavis, «*E. M. Forster*», ensayo incluído en *The Common Pursuit*, Londres, 1952, Chatto & Windus, pág. 277.)

[2] «Sencillamente, posee la certeza de los grandes novelistas de que toda novela es algo inventado, y que un relato, para afirmarse en la realidad, no precisa mantener más de un pie sobre lo probable.» (Lionel Trilling, «*E. M. Forster*», Londres, 1944, The Hoggarth Press Ltd., pág. 11.)

[3] «Tanto la fe como la duda, tanto la osadía como la timidez, son rasgos característicos de su arte, el cual se basa sobre la verdadera dificultad de conciliar términos opuestos.» (Rex Warner, «*E. M. Forster*», Londres, 1950, Longmans, Green & Co., p. 4.)

«*reveal considerable mastery of technique, so that violence and even melodrama are accepted in his stories with the inevitableness that they possess in real life*»[4].

Un lector atento podría arriesgarse, además, en otra interpretación. En realidad, es posible que los defectos de Forster como narrador sólo existan a partir del nivel de *distinción* literaria en que se desarrollan sus novelas. Un clásico —y Forster lo es sin duda— se reconoce tanto por sus aciertos como por sus fallas. En Cervantes, en Flaubert, en Joyce, los grandes defectos son dinámicos y equilibran en cierto modo la resonancia de los golpes de genio. En este sentido, Forster soporta una desventaja que ha demorado considerablemente el reconocimiento de su obra: no es un innovador formal. Virginia Woolf, Joyce, Dos Passos, se apropian en cierto modo de la atención del crítico con el solo impacto de sus respectivas innovaciones técnicas. Forster, en cambio, trabaja con lo heredado, y si bien consigue que ese patrimonio rinda un magnífico dividendo, no se dedica a inventar caminos cruzados, monólogos interiores, simultaneísmo en pantallazos. Ni siquiera es demasiado respetuoso (ya lo ha observado Trilling) de la sagrada doctrina del punto de vista. La innovación de Forster es, en sus mejores novelas, de otra dimensión. Podríamos llamarla *la objetividad de un testigo implicado*. El narrador no se identifica con ninguno de sus personajes en particular, no toma partido por ninguno de ellos (ningún crítico se atrevería a afirmar que Forster es Margaret Schlegel o Fielding o Aziz en el mismo grado que Flaubert *es* Madame Bovary o Gide *es* el Inmoralista) pero en cambio se halla especialmente comprometido en su tema. Este es probablemente un matiz bastante sutil de una originalidad. (F. R. Leavis también lo reconoce así, naturalmente que para extraer de ello una nueva objeción: «*Mr. Forster's style is personal in the sense that it keeps us very much aware of the personality of the*

---

[4] «Revela considerable maestría en la técnica; de ahí que la violencia y hasta el melodrama sean aceptados en sus relatos con la inevitabilidad que poseen en la vida real.» (S. D. Neill, «*A Short Story of the English Novel*», Londres, 1951, Jarrolds, pág. 302.)

writer, so that even where actions, events and the expernien-
ces of characters are supposed to be speaking for themselves
the turn of phrase and tone of voice bring the presenter and
commentator into the foreground» [5].) No obstante, será más
fácil de comprender si medimos la actitud de Forster con la
de su tan admirado Tolstoy, con la de Dickens, o, para recurrir también a un novelista actual, con la de Sartre. Cada uno
de estos tres novelistas practica un modo personal de objetividad. Dickens, por ejemplo, rectifica su visión objetiva con
el aporte de su experiencia privada; sin embargo, no es un confesional. El vigor narrativo de Tolstoy (por lo menos el del
más admirable, el de *La guerra y la paz*) es más un problema
de ritmo que de ósmosis entre autor y personajes. En *La guerra y la paz* no hay una idea rectora que monopolice la atención, y, además, Tolstoy no es un testigo implicado. Sartre,
en cambio, se deja en el tintero su autobiografía, pero en cada
una de sus novelas hay un personaje que ejemplifica su teoría
personal del compromiso y de la libertad.

Podríamos multiplicar los ejemplos para demostrar que el
novelista tiende casi inevitablemente hacia la confesión o hacia el testimonio *desde el exterior*. Forster, sin embargo, se halla exactamente en el cruce de esas tendencias. Nunca es un
ajeno, un frío relator de peripecias. Se introduce en ellas
—como los anónimos aedos de la Antigüedad—, con un comentario personal y bienhumorado, con una descripción estimulante y aguda. El lector siempre tiene la impresión de que
el clima de la novela no es ajeno a las preocupaciones personales del novelista, como si éste desarrollara un tema confuso, propicio a la discusión, con el objeto primordial de aclarar sus dudas, de ayudarse a determinar de una vez por todas
su posición.

Es evidente que, por lo menos en *Howard's End* o en *A*

---

[5] «El estilo de Forster es personal en cuanto nos mantiene atentos a la
personalidad del escritor, de modo que aun cuando se supone que las acciones, los acontecimientos y las experiencias de los personajes, hablan por sí
mismos, el giro de la frase y el tono de la voz elevan a primer plano al narrador y comentarista.» (F. R. Leavis, ob cit., pág. 275.)

Passage to India, el novelista se siente implicado, está dentro del tema, vive su clima. Pero no menos evidente resulta —y esto es lo más admirable— la objetividad con que el autor encara el desarrollo, las situaciones, los caracteres, objetividad que permite que cada personaje sea indeclinablemente fiel a sí mismo y no un mero sucedáneo del autor. *(He is perhaps the only novelist, apart from Jane Austen,* expresa Rose Macaulay, *none of whose characters could, when speaking, be confused with any others in the book*[6]). Se sobrentiende que en las novelas confesionales los personajes también pueden ser fieles a sí mismos, pero el retrato que lega al lector está siempre contaminado por la visión del protagonista, del yo narrador. En el caso de Forster, el compromiso del autor en su tema, no lesiona jamás la validez objetiva de sus criaturas.

II

Edward Morgan Forster nació en Londres el 1.º de enero de 1897 (tres años antes que James Joyce y Virginia Woolf; seis antes que D. H. Lawrence). Cursó estudios en Tonbridge (el Sawston School de sus dos primeras novelas) y en Cambridge. Su obra literaria se compone principalmente de cinco novelas: *Where Angels Fear to Tread* (Donde los ángeles temen pisar), 1905; *The Longest Journey* (El más largo viaje), 1907; *A Room with a View* (Una habitación con una vista), 1908; *Howard's End*, 1910; y, por último, *A Passage to India* (que figura en la edición argentina, como *El paso a la India*), 1924[7]. En su bibliografía constan, además, dos volúmenes de *short-stories:The Celestial Omnibus and other stories*, 1914, y *The Eternal Moment and other stories*, 1928; varios ensayos

---

[6] «Es probablemente el único novelista, aparte de Jane Austen, cuyos personajes, al hablar, no pueden ser confundidos con ningún otro del libro.» (Rosse Macaulay, *«E. M. Forster»*, ensayo incluido en *Living Writers*, Sylvan Press, Londres, 1951, pág. 99.)

[7] *El paso a la India*, Buenos Aires, 1955, Ediciones Sur. La versión de J. R. Wilcock es, en líneas generales, excelente; sólo cabría reprocharle el título, que no trasmite fielmente el sentido del original.

críticos, entre los que merece destacarse especialmente *Aspects of the Novel*, 1927; una biografía sobre *Goldsworthy Lowes Dickinson*, 1934, y varios libros y opúsculos sobre viajes, historia y política.

Generalmente se considera a Forster el último escritor inglés de la llamada tradición liberal. Derek Traversi anota que *«la adhesión a la tradición liberal implica dos rasgos característicos que se hallan particularmente presentes en todo lo escrito por Forster, y que pueden ser considerados como las fuentes esenciales de su inspiración. El primero es la convicción, que hallamos en todas sus novelas, de que el respeto por la responsabilidad personal, es de máxima importancia en cualquier civilización que merezca tal nombre; la segunda es la creencia, derivada de este convencimiento, de que la sociedad fue hecha en primer lugar para el hombre, y no el hombre para la sociedad*[8]». Más que seguir escrupulosamente la tradición liberal, Forster se ha esforzado por ponerla al día, tanto en lo que respecta a su teoría personal de las relaciones humanas como a los problemas de cada tiempo en particular. Siguiendo su propio léxico crítico, podría decirse que ha convertido esa tradición en profecía. *«Prophecy —in our sense—*, dice Forster, *is a tone of voice*[9]». Y aunque por lo común sus novelas sólo al final adquieren su forma profética, el *tono de voz* de toda la obra es siempre el de la profecía; el lector va gradualmente convenciéndose de que al final algo será anunciado.

En realidad, Forster ha adoptado los temas generales de la tradición liberal para tratarlos en profundidad. Ante la felicidad teórica de ciertos postulados liberales, y ante el fracaso con que los aturde la experiencia, Forster ha lanzado sus novelas en busca de una explicación, se ha enfrentado en una actitud de rigor casi científico a los problemas de sus personajes. Su primera comprobación parece ser que el hombre es un

---

[8] Derek Traversi, *«Las novelas de E. M. Forster»*, ensayo publicado en *Marginalia*, N.º 6, Montevideo, 1949.

[9] «La profecía —en nuestro sentido— es un tono de voz.» (Cito por la edición de bolsillo, de *Aspects of the Novel*, Edward Arnold & Co., Londres, 1949, pág. 116.)

ente aislado que lucha infructuosamente por establecer vínculos con otros hombres, con otras ideas, con otros mundos. En las novelas de Forster, las naciones, las familias y los individuos están separados entre sí, se combaten sin tregua, pero siempre existe alguna partícula de un clan (Lilian, en *Where Angels Fear to Tread;* Aziz y Fielding, en *A Passage to India*) que trata —las más de las veces, sin éxito— de establecer un vínculo, un contacto estable, duradero, con una partícula de otro clan. Forster desarrolla magníficamente el arduo tema de la separación, reduciéndolo a sus dimensiones individuales. Toda la eficacia de *A Passage to India* acaso dependa de esa hábil sustitución. En vez de oponer grandes masas indias con incomprensivos gobiernos y soldados ingleses, Forster enfrenta simplemente a Fielding con Aziz. Uno y otro son ejemplares seleccionados, muy superiores al promedio de sus respectivos connacionales. Fielding es sin duda el mejor inglés de la novela; Aziz, el mejor de los indios. Pero aun en ellos subsisten traumas raciales y son éstos los que imposibilitan la unión y el equilibrio. En el final simbólico de la novela, ellos quieren sellar su amistad. *But the horses didn't want it— they swerved apart; the earth didn't want it, sending up rocks through which riders must pass single file; the temples, the tank, the jail, the palace, the birds, the carrion, the Guest House, that came into view as they issued from the gap and saw Mau beneath: they didn't want it, they said in their hundred voices, «No, not yet», and the sky said, «No, not there[10]».* Forster parece insinuar, muy dentro del tono liberal, que la verdadera unión sólo puede nacer de la igualdad y jamás de la dependencia; pero, además, y esto va más allá del liberalismo, que esa dependencia subsistirá siempre, y que, por lo tanto, la verdadera unión es imposible.

---

[10] «Pero los caballos no lo deseaban, y se separaron; la tierra no lo deseaba, haciendo brotar rocas por donde los jinetes tenían que pasar uno después de otro; los templos, el lago, la cárcel, el palacio, los pájaros, la osamenta, la Casa de Huéspedes, que surgió cuando emergieron del claro y vieron extenderse todo Mau debajo de ellos; ninguno de ellos lo deseaba; con cien voces decían: "No, todavía no", y a su vez el cielo decía: "No, allá no"». (En esta cita y en las notas 13 y 15, me guío por la versión de Wilcock.)

III

Para ejemplificar esta acepción, para demostrar que los mundos y los hombres se excluyen entre sí, Forster ha eliminado al *héroe*. Ya ha visto G. S. Fraser que Forster no se desvía de su plan, ni siquiera *to make his «good» characters necessarily glamorous ones*[11]. Aun los más favorecidos de sus personajes están lejos de ser simpáticos; por lo general son feos, de nariz roja, caprichosos, relativamente débiles; pueden parecer y aun ser en realidad, de acuerdo a los patrones del sentido común, cabalmente decentes, pero el autor nos convence al fin de que el sentido común está plagado de errores y que ésa no es la decencia más digna e inquebrantable. (Otro novelista profético, D. H. Lawrence, imprime siempre a sus personajes, algún sello de atracción, física o moral; pero Lawrence posee un fervor religioso, un optimismo vital, al que Forster es ajeno. Forster es un escritor mucho más amargo de lo que simula su dosificado buen humor.) A esa falta de atracción mutua que padecen la mayor parte de los personajes de Forster, se debe tal vez al fracaso literario de las escenas de amor. Más aún, el narrador tiene especial destreza en eludir escenas de ese tipo. Cuando éstas ocurren, se trata, como señala Rex Warner, de escenas estáticas *between the wrong people in the wrong place*[12]. En realidad, cuando Aziz, en *A Passage to India*, recuerda a su difunta mujer, parece expresar (en esa sola oportunidad) la opinión de Forster acerca del amor: *«Then he realized what he had lost, and that no woman could ever take her place; a friend would come nearer to her than another woman. She had gone, there was no one like her, and what is that uniqueness but love?*[13]*»* Esa insustituibilidad no

---

[11] «Para que sus personajes buenos sean necesariamente fascinantes.» (G. S. Fraser, *«The Modern Writer and his World»*, Londres, 1953, Derek Verschoyle, pág. 69.)

[12] «Entre personas indebidas, en lugares indebidos.» (Rex Warner, ob. cit., página 15.)

[13] «Entonces comprendió lo que había perdido, y supo que ninguna mujer la reemplazaría nunca; sólo un amigo podría acercarse al lugar que ella

tiene lugar en las novelas de Forster. Todo posible candidato al amor es, al fin de cuentas, sustituible, y, las más de las veces, sustituido. Todo compromiso amoroso lleva adherida una frialdad, un hastío potencial, que parece estar empujando al personaje hacia una ansiada liberación. Nótese además que en la sustitución de un amor, o de su remedo, no interviene obligatoriamente otro individuo. La insatisfacción no se refiere a un hombre o a una mujer en particular sino al amor en sí. Adela no remplaza a Ronny por otro hombre sino por su conciencia; en el episodio del juicio a Aziz, Adela quiere para siempre una decencia elemental que puede más que su débil impulso hacia su prometido. Aziz mismo sustituye la presencia física de su mujer con una fidelidad casi fanática hacia la India.

Leavis denuncia en Forster *a general lack of vitality*[14], y en cierto modo esa observación parecería dilucidar la evidente timidez de Forster en el enfrentamiento de ciertos temas. (Adviértase que la versión directa del incidente más notable de *Passage to India*, o sea la presunta agresión a Adela en las cuevas de Marabar, es escamoteada al lector, que nunca sabrá qué pasó exactamente. Pero compruébese, de paso, que la misteriosa progresión de la novela se basa paradójicamente en ese escamoteo.) No obstante, resulta difícil admitir que un novelista tan inteligente en el tratamiento de los personajes (Mrs. Moore, por ejemplo, es una de las figuras más tangibles de la literatura inglesa), que un virtuoso del coloquialismo y de las situaciones en equilibrio, eluda por debilidad el sexo y la violencia. En la coda final de *A Passage to India* existe un pasaje que en cierta manera autoriza otra interpretación: Fielding, al hablar de su mujer con Aziz, reconoce que no está muy conforme con su matrimonio. Y para explicar ciertas dificultades que soporta su vida conyugal, agrega: «*My wife's after something*»[15]. Forster también *is after something*, se halla en busca

---

había ocupado, pero no una mujer. Lo había dejado, no había otra como ella, ¿y qué es esa insustituibilidad sino el amor?»

[14] «una falta general de vitalidad.» (F. R. Leavis, ob. cit., pág. 276.)

[15] «Mi mujer está en busca de algo.»

de algo que pueda explicar el patético malentendido que padecen las relaciones humanas. Probablemente, su obra no tiene un mensaje para el espíritu. (Uno de sus críticos, S. D. Neill, así lo sostiene[16]). No lo posee, porque no ha hallado aún la verdad que debe trasmitir; simplemente está en su busca, y crea su testimonio sobre los pormenores de su pesquisa. Aun el inexplicable silencio que (no el crítico, el ensayista, sino el creador) ha mantenido desde hace unos treinta años, acaso signifique una desalentada conclusión de ese afán[17]. Pero en la época de sus mejores novelas, Forster buscaba aún; con un paciente rigor intelectual, pero buscaba. *A Passage to India* es, en realidad, una expedición arriesgada, una aventura hacia una tierra y una verdad desconocidas, y como todo adelantado, como todo profeta, Forster no puede perder tiempo en un tema —para él— secundario. Su obra está tendida en una dirección, y todo —estilo, situaciones, diálogo, personajes— se halla subordinado a esa idea conductora. Que eso no lesione la particular objetividad de la novela, que esa subordinación no llegue a presionar sobre los personajes ni sobre la verosimilitud que caracteriza su trama, alcanza por sí solo para cimentar un prestigio. Pero además, en 1924, fecha de publicación de la novela, también la India, también indios e ingleses en la India, iban en busca de algo, y, exactamente como en la novela, todas las situaciones, los personajes y las palabras de la realidad, todo el estilo de vida de unos y otros, se hallaban subordinados a esa idea conductora. En cierto modo,

---

[16] S. D. Neill, ob. cit., pág. 302.

[17] Respecto a ese silencio, opina G. S. Fraser, en ob. cit.: «*In 1824 Mr. Forster was still a comparatively young man (he is a gay and active figure even to-day) but he realised, I imagine, that the curtain had risen on a new scence, that the world after the war was not the world he had grown up in, and that he could not write with his old mastery about a shifting society of which he was no longer intimately a member*». (En 1924 Forster era aún un hombre relativamente joven —todavía hoy es una figura activa y alegre— pero imagino que se dio cuenta que el telón se había alzado sobre una nueva escena, que el mundo de post-guerra no era el mismo en que él se había formado, y que no podría escribir con su antigua maestría acerca de una sociedad en transformación, de la cual ya no podía considerarse íntimamente como uno de sus miembros.)

Forster encontró en la India, tan exagerados como si alguien hubiera cargado a propósito las tintas, los mundos enfrentados y recíprocamente excluyentes, los denodados esfuerzos aislados por establecer contacto, la modesta e intrínseca decencia del ser humano, la inexistencia de los valores absolutos; es decir que Forster halló en la realidad de la India aquellos temas, aquellos convencimientos que hasta ese momento habían constituido los sostenes imaginativos de su obra.

De ahí que ningún crítico, ni siquiera Leavis, pretenda desalojar a Forster de su merecida condición de clásico. El lector, por su parte, disfrutará de ese testimonio literario como de una transcripción fiel de la realidad, pero en ciertas ocasiones acaso se pregunte si no se tratará, después de todo, de una realidad imaginada. Y las dos veces estará en lo cierto.

(1955)

Arte y artificio en Graham Greene

Hoy en día resulta tan difícil una opinión sobre Graham Greene como sobreponerse a la tentación de escribir contra él. Por supuesto que no aparece todos los días un escritor de primera fila con tantos defectos visibles, tantas concesiones elementales, tanta morbidez a primera lectura. De ahí que resulte en cierto modo disculpable si a algún crítico se le hace agua la boca en las anotaciones previas, cuando empieza a convencerse de que la obra greeniana es melodramática, convencional y a menudo increíble. Por lo general, el lector interesado se dedica a hacer cálculos en el aire sobre el mecanismo mayor, el lenguaje inverosímil de cierto personaje. Sólo cuando ha leído de un tirón doce o quince libros sin necesidad de compadecerse a sí mismo ni de rozar siquiera el aburrimiento, sino, por el contrario, comprometiéndose progresivamente en la trama como cualquier adolescente, sólo entonces le asalta la sospecha de que le han hecho trampa, de que su atención ha sido absorbida precisamente gracias a las situaciones melodramáticas, los personajes convencionales, las peripecias increíbles y, lo más afrentoso, que el novelista ha usado premeditadamente esos defectos tradicionales como un arma poderosa y secreta.

Es el momento desagradable en que el crítico descubre —si no lo había descubierto ya a propósito de Henry James, de Proust o de Faulkner— que la prematura y maliciosa complacencia es notoriamente una mala crítica, aun cuando esté expresada tan brillantemente como en la chispeante e injusta caricatura bibliográfica que acerca de *The Heart of the Matter* escribiera Orwell en 1948[1].

Es probable que haya existido siempre en Greene (parecen abonar esta impresión las confesiones de *The Lost Childhood*) la firme convicción de que los *nexos vulgares* son los más seguros para asombrar y conquistar un público; pero representaría una buena y novedosa coartada el intento de dignificar tales nexos, de convertirlos en resortes estrictamente literarios, destinados a aumentar la eficacia y a agilizar el ritmo del relato. No es imposible que el novelista deba buena parte de esa actitud a su admiración por Conrad, que evidentemente supo aprovechar el *nexo vulgar* de lo aventurero; no obstante, el mejor Greene aparece siempre dominado por su doble conversión a James y al catolicismo.

La Iglesia, especialmente, le ha brindado una lección de engañosa síntesis (tanto más' sorprendente para un *convertido*): la reducción de la inalcanzable teología a los escuetos términos del catecismo, el reemplazo del dogma por el *slogan* religioso. *Slogan* y catecismo son los nexos vulgares que sostienen una estructura —no *la* estructura— tan superficial como imprescindible de la Iglesia y le permiten extenderse de los concilios a las multitudes.

En la actualidad representa un lugar común asegurar que James ha legado a Greene su inclinación al melodrama. Pero además le ha aleccionado negativamente, es decir, que Greene ha visto con lucidez las cualidades que no debía absorber de la obra de James. Con admiración no exenta de piedad, Gree-

---

[1] En *The New Yorker*, 17 de julio de 1948.

ne reconoce que James *is as solitary in the history of the novel as Shakespeare in the history of poetry*[2]. Le preocupa, casi tanto como el talento de James, la incomprensión que éste padece de su público. James no pudo evitar su renuncia a la popularidad; su honestidad consigo mismo es, vista desde ahora, una cualidad tan ejemplar como su estilo, como el impecable revés de su trama. La única posibilidad de entenderse con su creación es la del refinamiento, la ironía deletérea, el proceso integral e imperceptible. El autor de *The Ambassadors* aspira a no muchos lectores, pero sí a que éstos sean tan inteligentes, tan refinados y tan cultos, como sus personajes y los puntos de vista que sostienen.

En la misma medida que sus criaturas, y pese a su confesado deseo de pasar inadvertido, Greene padece un cierto horror a la soledad, al aislamiento, pero, más que nada, a la incomprensión de sus semejantes. Su rótulo católico le identifica, por lo menos en apariencia, con un público aquiescente y respetuoso; pero, a la vez, su actitud peculiar frente a la Iglesia y sus dogmas, le asegura también el interés de los otros, los no-católicos, que ven en su obra, junto a su versión ansiosa de la divinidad, una recurrente predilección por el infierno. Pese a esa búsqueda del apoyo popular, pese a su habilidad para lograrlo, Greene no aparece como un traficante de las letras, como un inescrupuloso buscador del éxito y el contrato editorial, al estilo de los Sommerset Maugham, los Lin Yutang, los Bromfield o los Malaparte. En éstos y otros menos afortunados, no sólo el nexo resulta vulgar, sino también y principalmente su actitud frente a lo literario. La obra de Greene establece una especie de promedio entre el interés estrictamente humano y el apoyo amplio y popular. Su artesanía cabría tal vez en el mismo estrato que el de Faulkner o el primer Huxley, pero no está limitada a esa minoría estudiosa y paciente que posee un alto grado de entrenamiento para descubrir y frecuentar la obra de arte menos accesible. Es bastante sorprendente que obras como *It's a Battlefield* o

---

[2] «está tan solitario en la historia de la novela como Shakespeare en la historia de la poesía.»

England Made Me, que soportan una clara influencia del monólogo interior joyceano, agraden al lector de mediana paciencia, el mismo que huye espantado ante los usos y abusos de Céline o Dos Passos y aun frente a ciertas intrincadas secuencias de James o de Sterne.

En lo melodramático, en lo convencional, en lo increíble, existe una frontera indecisa que separa lo falso de lo legítimo. Hay un punto flotante en que la vida se vuelve melodrama y hay otro, que no tiene por qué coincidir necesariamente con aquél, en que el melodrama se vuelve vital. No siempre puede explicarse por qué los contundentes mosqueteros de Dumas nos divierten y el ridículo hidalgo de Cervantes nos llega a lo profundo. No alcanza con decir que aquéllos son monigotes y éste una caricatura verdadera, porque a veces el Quijote es tan monigote como Porthos o Aramis y sin embargo nos sigue conmoviendo.

Greene ha visto nítidamente la vitalidad que encerraban esos nexos vulgares y ha llevado el melodrama hasta el límite preciso en que se puede confundir con la vida y hasta constituirse en uno de sus síntomas. La morbidez de imaginación que corrientemente se le reprocha a Greene, no es el caso más frecuente en sus novelas, y, en todo caso, la credibilidad que se desprende de las trayectorias de Scobie o del *whisky-priest* revela quizá que el hombre contemporáneo se ha transformado —o ha sido transformado por las circunstancias— en un ser de imaginación harto más enfermiza que el manejado por Dickens, Flaubert o Hardy.

Claro que esto sólo se sostiene en las mejores novelas de Greene, que, por su orden de aparición, me parecen *It's a Battlefield, The Power and the Glory* y *The Heart of the Matter*. Greene no ha evolucionado directamente, como él mismo descubre en Henry James, de la simbolización de la verdad hacia la verdad misma, pero en cambio se alternan en su producción las novelas y los entretenimientos excesivamente simbólicos *(A Gun for Sale, The Ministry of Fear, Brighton Rock, The End of the Affair)* con obras, como las nombradas más arriba, en que el símbolo se esconde detrás de la verdad y es ésta la que acaba imponiéndose al lector; el símbolo cumple entonces su obra solapada, en definitiva la más eficaz desde el punto de vista literario y, sobre todo, desde el punto de vista tendencioso del autor.

Greene ha usado *nexos vulgares* prácticamente en todas sus novelas, pero el crítico no debe olvidar que sus objeciones a ese respecto, aunque teóricamente irreprochables, sólo tienen estricta validez en aquellos casos en que el novelista no pudo o no quiso sobreponerse a la vulgaridad, cuando lo cursi o lo convencional o lo groseramente simbólico, tiene más fuerza que lo vital, o sea cuando el oficio y sus habilidades, la complicada estructura y los trucos formales, resultan tan evidentes o reclaman tanta atención del lector, que éste se pierde lo mejor del mensaje.

De todos modos, Greene posee una notable destreza narrativa que salva siempre el interés del lector, aun en *The Man Within*, donde resulta demasiado visible que el autor hace allí sus primeras armas, o *A Gun for sale*, un entretenimiento de endeble estructura y trama convencional, del que sólo es posible rescatar la figura de Raven, una especie de borrador o, mejor aún, de caricatura, del permanente hombre greeniano.

Así como en las novelas de Thomas Mann cabe un solo conflicto (lo apolíneo frente a lo dionisíaco), así como en Faulkner existe una mitología general que justifica un único fatalismo, así también en las ficciones de Graham Greene existe un solo personaje[3]. No es preciso forzar la perspicacia para

---

[3] A este respecto, cabe anotar una verificación no del todo arbitraria: las novelas de los clásicos románticos y naturalistas, hasta el siglo XIX inclusive, tienen en su mayor parte validez por sí mismas (pensemos un instante en *Pickwick Papers, Madame Bovary, Fortunata y Jacinta*), mientras que si consideramos aisladamente una sola obra de algún novelista contemporáneo, corremos el riesgo de equivocar la perspectiva. La unidad de Dickens, Flaubert o Galdós, aparecerá el final de su obra literaria como algo espontáneo, como una consecuencia natural de la desbordante riqueza del autor, que, sin proponérselo especialmente, le ha impuesto su carácter. La unidad de los contemporáneos (léase Joyce, Wolf, Lawrence, Mann, Faulkner, Greene, Sartre; el caso de Proust es extremo), depende en cambio de un plan riguroso; el novelista descubre la temática y la hace suya y de sus personajes. Es así que el significado más hondo de *Absalom, Absalom!* pasará inadvertido para quien posea el antecedente de *The Sound ant the Fury*, a pesar de que en la imagi-

notar que Andrews, Conrad, Raven, Pinkie, el *whisky-priest*, Rowe, Scobie, son sólo seudónimos del mismo ente greeniano.

No importa que el novelista adhiera a menudo a sus personajes una circunstancia artificial que facilite su identificación y exagere sus mutuas diferencias; que Pinkie Brown sea un gangster *adolescente* y sexualmente puro, que de los dos sacerdotes enfrentados en *The Power and the Glory* uno esté *casado* y el otro sea un *borracho*, que Rowe resulte un asesino *amnésico* y Scobie un católico *perjuro*. Siempre hay una cualidad que en forma más o menos oblicua está negando el carácter oficial, generalmente admitido, del personaje. Esto parecería indicar una comodidad, pues de este modo el conflicto se plantea desde el comienzo. La verdadera lucha interna de *Brighton Rock* no es precisamente la del protagonista con Colleoni, sino la del Pinkie adulto, implacable, pesimista, con el Pinkie adolescente, tímido con las mujeres, temeroso de Dios. La segunda parte de *The Ministry of Fear* debe su notoria eficacia, —antes que a la trama de espionaje o al andamiaje policial—, al siempre posible encuentro del Rowe actual y sin memoria con el Rowe del pasado que ha envenenado a su mujer. Aun el suicidio de Scobie posee un dramatismo inusual, debido a la blasfemia que esa solución representa para los admitidos postulados de su fe. O sea que el conflicto, antes de que se produzca en la peripecia, está en la raíz del personaje. Este y no la anécdota constituye el fuerte de la novela, la novela misma.

Pero, ¿cuáles son los rasgos primordiales de ese personaje general, especie de común denominador de todos los relatos de Greene? Kenneth Allot y Miriam Farris, autores del mejor estudio que se haya publicado hasta ahora sobre este novelis-

---

naria cronología del mundo faulkneriano la anécdota de *Absalom, Absalom!* sea anterior a la de *The Sound and the Fury*. El merodeo por las regiones más insólitas de la existencia, en *Les chemins de la liberté*, ocultará sus más ricos significados al lector no familiarizado con *La nausée*. El suicidio de Scobie en *The Heart of the Matter* no se amoldaría totalmente al envase realista de la obra, si Greene no nos hubiera preparado para este desenlace a través de diez o doce libros sin salida racional.

ta, sin duda el más destacado de su generación[4], han agrupado cronológicamente su obra en cuatro zonas, cada una de las cuales comprende un tríptico y proporciona el síntoma respectivo. (Como rasgo general, estos críticos reconocen en el hombre greeniano un *terror of life* que el autor de *The Man Within* confirma no sólo con su actitud —ver las innumerables tentativas de suicidio relatadas en *The revolver in the corner cupboar*— y de sus criaturas, sino citando aprobatoriamente una sentencia de Gauguin: «Siendo la vida como es, uno piensa en vengarse».«*A terror of life*», dicen Allott y Farris, «*a terror of what experience can do to the individual, a terror at a predetermined corruption, is the motive force that drives Greene as a novelist*».) La primera zona *(The Divided Man)* comprende: *The Man Wihtin, The Name of Action y Rumour at Nightfall*. La segunda y tercera (The fallen world, I y II) incluye: *Stamboul Train, It's a Battlefield, England Made Me; A Gun for Sale, Brighton Rock* y *The Confidential Agent*. La cuarta (The universe of pity) reúne: *The Power and the Glory, The Ministry of Fear* y *The Heart of the Matter*[5]. Adviértase que este agrupamiento, sin llegar a ser arbitrario, no brinda una idea cabal del proceso experimentado por Greene. El hombre dual, el mundo en ruinas, la noción de piedad, no rozan una particular zona de su obra, sino que la contaminan desde el primero hasta el último de sus libros. Es cierto que en las primeras novelas es más visible la división del hombre greeniano, que en las últimas el conflicto rodea insistentemente el tema de la piedad. Pero, ¿qué padece Scobie sino una desesperada división dentro de sí mismo?, ¿qué única fuerza puede arrancar a Andrews de su cobardía sino su incipiente piedad por Elizabeth y por Carlyon? En realidad Greene no se ha transformado ni ha transformado a su personaje; ha evolucionado sostenidamente en su oficio de novelista (mídase la distancia increíble que va de *The Man Within* a *The Heart of the Matter*), se ha apropiado de los me-

---

[4] *The Art of Graham Greene*, Londres, Hamish Hamilton, 1951.

[5] Es preciso advertir que en la fecha de redacción del estudio de Allott y Farris aún no se habían publicado *The Third Man y The End of the Affair*.

jores efectos, ha conquistado definitivamente a sus lectores, mientras que su actitud ante Dios, ante el mundo y ante sí mismo, sigue siendo la de la primera de sus obras.

Para Greene, como para Mauriac, Dios es la buena tentación. Pero el hombre greeniano se resiste a sucumbir ante Dios. Cuando Greene descubre el aforismo de Sir Thomas Browne: «*There's another man within me that's angry with me*», no sólo obtiene un título para su primera novela, sino también una dirección, casi un dogma, para su obra futura. Por cierto que Greene ha sido lo bastante hábil como para no caer en la torpe generalización en que fatalmente se desliza el tipo insoportable de escritor católico. De ahí que su mundo no se divida elementalmente en pecadores y virtuosos. La única escisión está en el hombre mismo, en la tentación que significa el pecado frente a la tentación que significa Dios (o el bien o la virtud). Es el conflicto entre el whisky y Coral Fellows para el cura de *The Power and the Glory*; entre el pasado y Anna Hilfe para el amnésico de *The Ministry of Fear*; entre la antigua pureza y la realidad para «el inocente».

Es probablemente ese invariable dualismo el que mantiene la soledad del hombre greeniano. Todos los personajes-claves de Greene están dominados por la soledad, la reciben unos de otros como una tara patrimonial, y sus reacciones o su acatamiento, su felicidad o su desdicha, acontecen a partir de esa carencia congénita. La comunicación con el prójimo será siempre algo fascinante e irrealizable, una constante e inocua provocación a salir de sí mismo. En realidad, el prójimo vale en Greene según el lugar que ocupe en el conflicto interno del protagonista. Para Andrews, Elizabeth no es la *mujer* ni Carlyon *el amigo*. Detrás del posible amor y la frustrada amistad se oculta el conflicto de siempre: el carácter dividido del protagonista. En *It's a Battlefield*, Conrad Drover está aún más visiblemente solo, pues ni encaja en la hermética felicidad de Milly y Jim, ni, menos aún, en el ambiente de su oficina, pese a que allí no se pone en duda su eficiencia. Como bien señalan Allot y Farris, en el caso de Conrad «*el factor aislante es la inteligencia*»; es la inteligencia la que le impide contemporizar con patrones y subordinados, la que le mantiene equidistante de los seres que aparentemente ama, y de su ardua, indefinible conciencia. Milly y Jim, éste especialmente, son como sombras, como argumentos en la discusión intelectual de Conrad, pero no viven sino a través de la mirada subjetiva que éste les dedica. En *England Made Me* el primer plano de la narración está ocupado por Anthony Farrant. Sin embargo, aunque en esta novela el acento personal del autor se halla repartido como nunca, la figura de Krogh parece la más fiel a la consigna greeniana. Anthony y Kate, unidos en una especie de tímido incesto, pueden ayudarse recíprocamente, pueden por lo menos intentarlo y, aunque no lo consigan, siempre les queda ese principio de ayuda. Kate y Anthony *se comprenden* pero Krogh se halla en cambio irremediablemente solo. Todas las uniones que parecen amenazarle, fracasan en definitiva; Krogh es y será siempre el más fuerte y su soledad contaminará a los otros. Al final de la novela, Anthony ha sido asesinado por Hall; Kate se aleja definitivamente de Krogh; Minty permanece grotesco y desengañado. En *A Gun for sale* el labio leporino preserva eficazmente el aislamiento de Raven. En *Brighton Rock*, Pinkie Brown se parapeta detrás de su edad; la inexperiencia exacerba sus reacciones, provoca en él una ostentación pecaminosa, como si este indefenso criminal quisiera ganarle de mano a la censura ambiente, mediante alguna pose intempestiva. Pinkie es, claro, un resentido social y religioso, pero nótese que es su inexperiencia la que le aparta de sus compañeros, todos mayores que él; temen su irresponsabilidad pero le siguen considerando un muchacho. En *The Power and the Glory* el cura se halla tan desamparado como el teniente, y si éste llega finalmente a respetarlo es porque comprende y acata su soledad; en apariencia, el teniente queda con la última palabra, pero lo cierto es que no ha podido vencer su propio desamparo. Brigitta, Coral, el dentista, el padre José, los hermanos Lehr, el gangster moribundo, sólo intervienen como sucesivas provocaciones a la ambigua fe de este mal sacerdote que hubiera podido convertirse en un santo. En *The Ministry of Fear* la soledad de Rowe es casi chocante. En la primera parte, sabemos que la sociedad lo ha desalojado mediante la malinterpretación de su piedad. En la segunda, su ignorancia del pasado le convierte en un ser intocable y feliz. Finalmente, la crueldad de Hilfe, al negociar la revelación de su *temps perdu*, le convierte de nuevo en un hombre completo, que estará unido y —¿cuándo no?— separado de Anna, en una vida —indefinidamente expuesta— de amor y de mentiras; tan separado, que ella se fuerza a amar a Digby, el amnésico, antes que al hombre completo que sólo a medias soporta su pasado. Greene explota un desencuentro más o menos fatal de la pareja humana, complicándolo a menudo con la religión, cuando, en realidad, ese desencuentro existe también al margen de lo religioso.

Pero la más solitaria, por lo mismo que la más notable de las figuras greenianas, es sin duda Scobie, el vacilante perjuro de *The Heart of the Matter*. Al igual que el protagonista de *Under Western Eyes*[6], Scobie tiene la mala suerte de inspirar confianza; como Razumov, demuestra a los demás y se demuestra a sí mismo que no es merecedor de esa confianza, pero luego se tortura hasta lo indecible por no haberla merecido. Helen, Louise, Ali, el comisario, Yusef, hasta el mismo Wilson, encargado de espiarle, todos confían en él, saben que es un hombre cabal. Cuando Yusef, después de apremiarle desalentadamente, consigue al fin involucrarle en sus maniobras, sufre una inesperada decepción; aun contrariando sus intereses, el sirio hubiera preferido que Scobie, «el nuevo Daniel de la Policía Colonial», continuara ejerciendo la anacrónica decencia que desbarataba sus negocios.

Más ahincadamente que hacia Dios, Scobie tiende hacia la paz. *«You haven't any conception* —acusa a Luise— *of what peace means.» It was as if she had spoken slightingly of a woman he loved. For he dreamed of peace by day and night*[7]*.»*

---

[6] No sólo *The Heart of the Matter* recibe una indirecta influencia de Conrad. También *The Man Within* deriva, acaso más ostensiblemente, de *Lord Jim*.

[7] «Tú no tienes la menor idea de lo que quiere decir la paz.» Era como si hubieran hablado con ligereza de una mujer que amaba. Porque día y noche soñaba con la paz.

Pero los demás esperan de Scobie lo que él no es ni puede ser, colaboran inconscientemente para que esa paz se vuelva irrealizable. Louise exige de él más ambición, el padre Rank le reclama más fe, Helen quiere su pasión y no su compasión, Yusef espera sin mayor entusiasmo que acepte sus sobornos, Wilson busca motivos para poder odiarle sin violentar sus escrúpulos. Todos le dejan solo; en realidad, apuntan a otro Scobie, al que forjan en su imaginación y que él no puede llegar a ser. En el fondo se trata de un egoísmo similar al de Anna Hilfe, aferrada a la imagen imposible de Digby.

Pero Scobie arrastra consigo otro tremendo motivo de soledad. Uno de sus críticos católicos, Jacques Madaule, ha observado que «*Graham Greene ha tenido el arte de hacernos sensible el silencio de Dios*[8].» Ese silencio desespera a Scobie. El también (como Sarah en *The End of the Affair*, como Greene mismo) es un recién llegado a la religión y espera, con curiosidad y novelería, no sabe bien qué suerte de milagros. Pero Dios hace mucho que no habla, hace mucho que desconfía de los hombres y se ha encerrado en un mutismo cruel y depresivo. Es indudable que Scobie no ha sido totalmente conquistado por Dios; por lo pronto el dolor del prójimo le afecta, le conmueve y en cambio ve con sospechosa indiferencia el dolor inasible de Dios. Scobie advierte que si hasta el presente ha tratado con palabras, desde ahora tendrá que enfrentarse a los hechos, y éstos son escuetos, descarnados, absurdos, pero llevan consigo una fuerza vital arrolladora. *I've preferred to give you pain*, le explica a Dios en un estilo coloquial de blasfemia menor, *rather than give pain to Helen or my wife because I can't observe your suffering. I can only imagine it*[9]. El silencio de Dios provoca en Scobie una especie de recelo: *I love you, but I've never trusted you*[10]. El hombre sin Dios está definitivamente solo, confiado a sus solas fuer-

_____

[8] Jacques Madaule, *Graham Greene*, París, Ed. du Temps pressent, 1949.

[9] «He preferido hacerte sufrir antes que hacer sufrir a Helen o a mi mujer, porque no estoy en condiciones de observar tu sufrimiento. Sólo puedo imaginarlo.»

[10] «Te amo, pero nunca he confiado en tí.»

zas, a su solo presente. Pero Scobie, precisamente porque tiene Dios, no se halla meramente solo, sino *abandonado*. Este convertido no puede entender que Dios le haya otorgado una conciencia insobornable, que esta conciencia a su vez segregue una piedad y que, después de todo, la voz de Dios, que se supone pueda expresarse a través del padre Rank, le exija una solución que contraría los términos de esa misma piedad.

El elemento que denomina Madaule *el punto de ternura* se da en Scobie con respecto a sus semejantes, nunca con respecto a Dios. Scobie resulta al fin, como Andrews, uno de esos hombre *who can't rid themselves of a conscience*[11]; de ahí que al oscilar entre una conciencia religiosa, universal, que exige el amor a Dios, y su insignificante conciencia particular, superficial, y efímera, a la que sólo mueve la compasión, sea precisamente la piedad por sus hermanos de existencia, la que prevalezca en Scobie sobre el amor a Dios. Sin embargo, ello no parece indicar una conformidad consigo mismo, sino más bien la imposibilidad temperamental de arribar a otra solución[12]. Sin llegar a los términos del fatalismo faulkneriano, hay cierta inevitabilidad que preside las decisiones de Scobie y viene a justificar ese blando empecinamiento que le hace aparecer tan débil como invulnerable.

Aparentemente la piedad vendría a ser la salvación del hombre greeniano[13]. Por piedad el *whisky-priest* regresa a la

---

[11] «que no pueden desembarazarse de su conciencia.»

[12] Emir Rodríguez Monegal ha señalado (en *Sur*, N.º 183, pág. 59), otra interpretación de esta dualidad. Después de señalar que Dios es en *The Heart of the Matter* un personaje más, agrega: «En realidad y para decirlo de una vez por todas, el verdadero problema no consiste en que Scobie sólo puede sentir amor por Dios. Y este amor, celoso y casi sacrílego, lo conduce a la propia destrucción —el suicidio, la condenación eterna— alimentado por la irracional esperanza (apenas formulable) de que Dios viole de él sus propias normas, obre un milagro y lo salve.»

[13] Aunque situado en los antípodas de Greene, también Guido Piovene ha elaborado una extenuante versión de la piedad. *La pietà si propaga da esso e, crescendo con noi, infetta tutti i nostri impulsi* —dice en una de sus últimas novelas—, *si corrompe in violenza, in odio, in crudeltà, in omicidio. Tutto é legato, fin dal primo respiro, da una pietà che è soltanto un amore verso noi sttessi.* En realidad, Piovene corre detrás de un justificativo moral y así como

cárcel y a su conciencia; por piedad Arthur Rowe se libera del dolor ajeno; por piedad, Scobie afronta el suicidio y con ello escapa de Dios y otros sabuesos. La piedad es para Greene *that morbid growth of religion*[14], pero para sus criaturas representa la mayoría de las veces una pasión ingobernable y acaso el único lenguaje puro de la conciencia. Las novelas de Greene afectan al lector en su significación moral casi tanto como en su peripecia. El lector siempre se sentirá aludido. Los ritos morales de la sociedad, los aceptados escrúpulos de la religión, no conmueven demasiado al personaje de Greene. Su moralidad depende de otras esencias en las que a menudo los valores corrientes se hallan subvertidos. Para la dudosa conciencia de Pinkie el acto sexual que realiza con Rose es más aborrecible que el asesinato de Spicer. Para el casi increíble católico que resulta Scobie, es más difícil de soportar el dolor mediocre pero efectivo de su mujer egoísta e insustancial, que el sólo probable sufrimiento de Dios. Cada criatura lleva consigo una agobiante responsabilidad y no puede evitar el sentirla más intensamente ante sí mismo que ante el pasivo silencio de Dios. Scobie tiene enormes dificultades para amar abiertamente, elementalmente, porque el amor es también celos y egoísmo, y él en cambio asume demasiada responsabilidad frente al destino de los otros como para no ser altruísta hasta límites sobrehumanos. Entre el amor y la piedad hay sobre todo una diferencia de temperatura; es la frialdad inherente al piadoso la que confunde a Orwell y le hace reclamar primariamente que si Scobie siente el adulterio como un pecado mortal, no debiera seguirlo cometiendo. *«If he persisted in it, his sense of sin would weaken»*, agrega. Sin embargo, Scobie persiste en el pecado y su sentido del mismo aumenta hasta agobiarle. En ningún instante pierde la noción de

---

en *La gazzeta nera* sostenía que una virtud es siempre un vicio transformado, en *Pietà contro pietà* busca obstinadamente el linaje egoísta de la piedad. De modo que en Piovene la piedad lleva un signo negativo, ya que en definitiva hace peor al hombre; en Greene, en cambio, lleva siempre un signo positivo y actúa como un detector de la conciencia.

[14] «esa excrecencia mórbida de la religión.»

su culpa; ya que no puede engañarse como un creyente vulgar, debe admitir desde el primer momento que está condenado a condenarse. El sentido del pecado no se debilita por el mero hecho de persistir en él; tampoco la celda parecerá menos horrible porque la condena sea a perpetuidad.

Acaso el reproche más certero que la crítica ha dirigido a Greene se refiera a la crueldad con que agobia a sus personajes. Las calamidades que soporta Czinner en *Stamboul Train* o Rose en *Brighton Rock* (el de esta novela es probablemente el final más cruel que ha producido la novela contemporánea) o el cura o Rowe o Scobie, serían quizá soportables si pudiéramos despojarlas de la sensación de fracaso que las acompaña[15]. Por más que Scobie se esfuerce en creer lo contrario, sabe que su suicidio (como lo sabe también el lector) no beneficia a nadie. Es el callejón sin salida de una conciencia que le fuerza a renegar tácitamente de Dios y le impide admitir que su blasfemia sirva para algo. Diríjase adonde se dirija, el hombre estará siempre derrotado, porque ¿qué ventaja le hubiera reportado a Scobie atender a su propia salvación si luego le hubiera resultado insoportable la náusea de su conciencia? El único acicate sostenible (la ridícula exclamación de Luisa: *«Life is so happy, Ticki!»*[16] es tan monstruosa como la ingenua conformidad de Rose: *«Life's not so bad»*[17]) es aspirar a una derrota digna. Queda otra esperanza, claro, pero no pertenece a Scobie sino al padre Rank y se basa sospechosamente en la ignorancia. *For goodness' sake, Mrs. Scobie* —dice el padre Rank— *don't imagine you —or I— know a thing about God's mercy*[18]. Acaso el sacerdote haya aprendido algo del pobre Scobie y piense que si Dios no practica la compasión es probable que tampoco practique el rencor.

Pero si aplicamos aquí también la famosa morbidez de

---

[15] En *Jude the Obscure,* otro perseguido célebre de la literatura, la sensación de fracaso viene al final de las calamidades, no con ellas.

[16] «¡La vida es tan buena, Ticki!»

[17] «La vida no es tan mala.»

[18] «Por el amor de Dios, señora, no se imagine que usted o yo, sabemos algo de la merced de Dios.»

Greene e imaginamos que su personaje pudiera salvarse en definitiva merced a esa falta de rencor, a esa aterradora neutralidad de Dios, también sería posible conjeturar que el sereno pesimismo de Scobie no iba a escapar entonces a la desesperación.

El arte de Graham Greene tiene contraídas notorias deudas con Henry James, la novela policial, la Iglesia Católica y el cine moderno[19]. Pero nótese que estas influencias tienen que ver más directamente con la artesanía y la síntesis del relato que con la moralidad de su mensaje. La habilidad desplegada por Jacques Madaule para convencernos de la ortodoxia de Greene, no alcanza a demostrar que éste sea tan buen católico como novelista. Los méritos de Graham Greene no residen precisamente en su ortodoxia sino en el interés humano de sus criaturas. Acaso el sacerdote de *Journal d'un curé de campagne*, de Bernanos, sea católicamente más verosímil que su cofrade de *The Power and the Glory*, pero éste último es un personaje mucho más rico y vital, tal vez no demasiado creíble desde un punto de vista católico, pero muy convincente como ser humano. Greene rebaja los términos de la santidad a los hechos actuales, posibles, ordinarios, y su posición religiosa es, exceptuando acaso su última novela, tan independiente, que en algunos pasajes de su obra parece sugerir que si el aspirante a santo acumula méritos ante su conciencia no debe preocuparse de acumularlos ante Dios. La conciencia es lo importante, lo trascendental, lo ineludible; Dios resulta, en cambio, una *posibilidad* contradictoria. *(You can't have a*

---

[19] «To this presentation of the contemporary scene —anota Walter Allen— he [Graham Greene] has brought a swift, nervous, almost kaleidoscopic style and a technique of montage which owes much to the film. He has been criticized because his novels tend to have the same formula, that of the haunted man. This does not seem to me to be serious; the haunted man is one of the oldest symbolic figures, and even in the entertainments one is never far from symbolism. Moreover, the working out of the formula has been varied with each book and has enabled him always —and this is not too common in modern fiction— to tell a story that is exciting in its own right as a story.»

(*Graham Greene*, incluido en *Writers of To-day*, vol. I, Londres, Sidgwick & Jackson, 1946).

merciful God and this despair[20], escribe Sarah en su diario).
Puede vivirse en perpetua blasfemia y no por eso habría de
perderse la última esperanza (*«And do you think God's likely
to be more bitter than a woman?»*[21], dice a Louise el padre
Rank). Pero si se vive en contradicción con la conciencia, si
no se atiende a la piedad que ésta segrega como una defensa
orgánica, entonces sí se está perdido para siempre. La divinidad reserva perdones incluso para los que actúan antidogmá-
ticamente, pero para quienes desoyen su propia conciencia,
Dios deja de representar una posible redención.

Para Greene ni el pecado ni la virtud son absolutamente
puros; siempre existe una recíproca contaminación. Cada ser
reduce la moral a sus propios términos, es decir, a los términos de su conciencia. Es fácil, sin embargo, que esa moral del
individuo no se amolde al código de la sociedad en que se halla inscripto ni se compadezca con el estatuto de su religión.
*«The Church knows all the rules. But it doesn't know what
goes on in a single human heart*[22]. El choque entre los seres
greenianos se produce cuando se arriesgan a juzgarse recíprocamente, puesto que a menudo se equivocan. Milly se equivoca al juzgar a Conrad, Anthony al despreciar a Krogh, Anne
al traicionar a Raven, Rose al venerar la memoria de Pinkie,
Louise al desarmar el recuerdo de Scobie. Uno de los recursos corrientemente empleados por Greene y que derivan claramente de la novela policial, es la ignorancia parcial en que
vive cada personaje con respecto a los otros; la consecuencia
más lamentable de esa ignorancia, es la emisión de juicios a
veces dramáticamente erróneos.

«Literature has nothing to do with edification»[23], anota
Greene en *Why do I write?*, y agrega: *«It is a contradiction
in terms to attempt a sinless literature of sinful man»*[24]. Evi-

[20] «No es posible que coexistan esta desesperación y un Dios misericor-
dioso.»

[21] «¿Y usted cree que Dios será más rencoroso que una mujer?»

[22] «La Iglesia conoce todas las reglas. Pero no conoce lo que ocurre en
el corazón de una persona.»

[23] «La literatura nada tiene que ver con la apologética.»

[24] «Representaría una contradicción en los términos intentar extraer una
literatura sin pecado del hombre que es un pecador.»

dentemente el gran tema de Greene es el pecado y no la virtud, la concupiscencia y no la castidad. *«One began to believe in heaven because one believed in hell»*[25], confiesa en *The Lawless Roads*. Los santos de Greene parecen extraídos del infierno y no se ocupan con demasiada vehemencia en ingresar a su predio de gloria. Son expresamente santos *de este mundo*. Y así como el único personaje de Greene es un pecador al que Dios tienta con una problemática salvación, así también su santo es un pecador que ha sido derrotado por Dios e ingresa en la bienaventuranza casi a regañadientes, sin haberse resignado a repudiar el último sobrante de pecado, venerándolo como a una anti reliquia.

Esto en cuanto al tema, el mensaje, el hombre greenianos. En cuanto a la estructura, los medios formales, el estilo, es evidente que la artesanía de Greene ha alcanzado una notable madurez. Es curioso observar como los grandes descubrimientos, las más eficaces adopciones de la novela contemporánea (el monólogo interior, el ritmo cinematográfico, la simultaneidad de acciones, el calado psicológico) que en la obra de otros autores representan una suerte de hermetismo, de complejidad, se resumen en Greene en una inesperada sencillez y pierden su rigidez experimental. Cuanto se refiera a la contextura, al plan orgánico de la obra, sucede detrás de la anécdota y, por ende, no impide disfrutarla. (En Joyce, en Faulkner, en Virginia Woolf, se subestima la anécdota a fin de permitirnos apreciar la estructura.) Greene parece entender que no le está vedado ningún recurso de lo novelesco, ningún *truco* literario, por grotesco que pueda parecer, por desprestigiado que se encuentre y por más que exaspere a la legión de críticos. En este sentido Greene no es un irreprochable como Proust o James, y a pesar de su admiración por éste último, se conforma deliberadamente con la mitad de su pudor literario, con los más gruesos de sus muchos escrúpulos.

No sé en qué medida puede fustigarse a Greene por estos

---

[25] «Uno empezó a creer en el cielo porque creía en el infierno.»

artificios. Pese a que el oficio crítico obligue a señalarlos, el oficio menos comprometido de lector no puede dejar de reconocer su indudable eficacia, su poder de atracción. Tengo la semicreencia de que el descubrimiento de esos *trucos* representa una tarea tan provocativa como la lectura de sus novelas.

Si admitimos que la unicidad del sujeto a lo largo de la obra de Greene, es la primera y más importante de sus convenciones, no podemos dejar de anotar que la diversidad de los caracteres femeninos es su necesaria contrapartida. Aunque el *personaje* sea único, las mujeres que enfrenta y en las que debe reflejarse, nunca se repiten.

Es posible hallar algún forzado parentesco entre la liviana Lucy de *The Man Within* y la jocunda Ida Arnold de *Brighton Rock* (ambas, figuras secundarias), pero basta enumerar las principales mujeres que rodean al «hombre acosado», desde Elizabeth a Louise (Sarah no debe figurar, pues, como veremos más adelante, en *The End of the Affair* el «personaje único» pasa a ser una mujer) para comprobar la pluralidad que representan.

Por otra parte, ya hemos visto que el hombre de Greene soporta en sí mismo un conflicto, una división interior. En cambio, la mujer, *cada* mujer, no sólo es *una* en particular sino *una* introspectivamente y corresponde además a una sola tendencia del protagonista. Andrews oscila entre Elizabeth y Lucy; Anthony, entre Lucy y Kate; «D», el *agente confidencial*, entre Rose y Else; el cura, entre Briggita y Coral; Scobie, entre Louise y Helen. (Sarah, en quien reencarna el «hombre acosado», vacila entre Bendrix y Dios.)

En la mayor parte de las novelas de Greene existe un artificio (un objeto, una cualidad, una circunstancia) que es introducido forzada y convencionalmente en la trama, pero que es en cierto modo el resorte visible de su desenlace. El cuchillo en *The Man Within*, el revólver en *It's a Battlefield*, el vitriolo en *Brighton Rock*, el rosario en *The Heart of the Matter*, violentan la peripecia, la subordinan. Esos artificios figuran, naturalmente, en la categoría menos sutil de los símbolos greenianos. Otros símbolos, acaso los más trascendentales, se repliegan en detalles y efectos casi imperceptibles y son cuidadosamente cubiertos de verosimilitud. El papel con el encargo apócrifo del gangster que el cura recibe de manos del mendigo, lleva al dorso una frase de Coral que alude tangencialmente a su conflicto de mal sacerdote. *«Not that, father»* —aclara el mestizo, con involuntaria crueldad— *«on the other side. That's nothing»*[26]. Allot y Farris señalan asimismo la importancia de los símbolos dantescos en las secciones A, B y C, que existen paralelamente en la cárcel de Jim y en fábrica de Kay.

Hay también personajes que ofician de símbolos. Minty, en *England Made Me,* y Coral, en *The Power and the Glory,* son para Anthony y el cura los respectivos sucedáneos de la conciencia. En *The Heart of the Matter* Yusef cumple también un papel simbólico: las sucesivas entrevistas que mantiene con Scobie marcan como en una gráfica la decadencia de éste último.

La crítica católica ha visto con acierto que el mundo de Greene se mueve en dos planos: uno visible de la naturaleza, y otro invisible, de lo sobrenatural. Algún lector y más de un crítico suelen desorientarse frente a este tipo de ambiguo realismo que, además de cuanto expresa en la superficie, intenta sugerir algo más hondo y sustancial. La circunstancia de que el modo preferido de Greene sea casi siempre el de un *realismo simbólico,* no significa que los hechos, los personajes y sus actitudes eludan las exigencias de la realidad. Unos y otros tienen vigencia en ambas zonas: Wilson, en *The Heart of the Matter,* cumple simbólicamente su papel de Judas, pero también *existe* como cortejante de Louise. El cuchillo, en *The Man Within,* representa una forma de adhesión y de amor, pero es además un instrumento de muerte. El imponente Sir Marcus de *A Gun for Sale* es una obvia representación policíaco-teológica del Mal, pero además posee una siniestra eficacia como villano de entretenimiento. No obstante, es cierto que el realismo de Greene tiene siempre un tufillo a cosa increíble. Después de todo, soporta excesivos sobreentendidos, demasiado acuerdos tácitos con la inteligencia del lector.

---

[26] Eso no, padre; del otro lado. Eso no tiene nada que ver.»

Se observará también que hay circunstancias sorprendentes, actitudes no siempre verosímiles, que inyectan nuevo interés a la narración. Tal, por ejemplo, la insólita capacidad teológica de Rose en *Brighton Rock*, la repentina comprensión que demuestra el teniente hacia el final de *The Power and the Glory*, la esporádica y peligrosa lucidez de Stone en *The Ministry of Fear*, la antidogmática esperanza que sostiene los argumentos del padre Rank después del suicidio de Scobie. Otras veces Greene explota abusivamente la casualidad. Los encuentros accidentales y significativos que soporta *A Gun for Sale* resultan tan chocantes como la adivinación del peso de la torta al comienzo de *The Ministry of Fear* o las circunstancias que rodean la muerte de Conrad Drover en *It's a Battlefield*.

La novela policial, que tolera como ningún otro género, las situaciones convencionales, los desenlaces menos creíbles, ha sugerido evidentemente a Greene temas y esquemas para buena parte de sus ficciones. Si, por un lado, *Stamboul Train*, *A Gun for Sale*, *The Ministry of Fear*[27] y *The Fallen Idol* pueden ser incluidos dentro de una no muy rigurosa estructura policial, otras novelas de Greene emplean con gran habilidad recursos aislados del género policial. La investigación de Ida Arnold en *Brighton Rock*, la fuga y el apresamiento del cura en *The Power and the Glory*, las persecuciones que soportan D. en *The Confidential Agent* y Harry Lime en *The Third Man*, tienen el ritmo —no siempre el enigma— de la anécdota policial. Hasta el suicidio de Scobie es preparado con el solemne cuidado de un crimen perfecto y, *como todo crimen perfecto*, adolece de importantes fisuras. Por otra parte, obsérvese que los personajes greenianos no llegan a confiar absoluta-

---

[27] Esta novela, una de las primeras de Greene en traducirse al español, causó verdadera conmoción en el ambiente rioplatense. Los críticos ingleses, sin embargo, no la comentan muy entusiasmados. La verdad es que, considerada junto al resto de la obra greeniana, *The Ministry of Fear* padece las desventajas de no ser cabalmente un *entertainment* ni tampoco una de sus novelas mayores. La anécdota participa a la vez del ritmo de la novela policial y del conflicto metafísico del ente greeniano, pero esa doble estructura le quita consistencia y llega a amenazar su difícil equilibrio.

mente en Dios y su poder divino, pero tampoco se fían de la policía y su poder terrenal. Ida Arnold, Rowe, Raven, descifran sus enigmas particulares y efectúan persecuciones por su exclusiva cuenta. Carlyon, el mismo Raven, Conrad, Pinkie, se toman o intentan tomarse justicia por sus manos. Los delincuentes son casi siempre más simpáticos que los detectives y cuando uno de éstos irradia algún perceptible calor humano, como el Parkis de *The End of The Affair*, se trata de un detective privado, un investigador de vocación.

En realidad, Greene ha sido siempre, desde *The Man Within* hasta *The Heart of the Matter*, un admirable tramposo. Nos ha presentado una galería de personajes, que en definitiva eran distintas poses de uno solo; ha hecho proselitismo religioso poniendo sus argumentos en boca de adúlteros y criminales, de borrachos y ateos; nos ha infundido el respeto hacia Dios a fuerza de ponerlo en cuarentena[28]. Con todo, uno se siente dispuesto a aceptar, o por lo menos a disculpar esos artificios, esas concesiones, cuando representan eficaces esfuerzos para interrumpir la mecanicidad de la trama, para evitar la ostentación de proselitismo. En realidad, no importan demasiado los trucos ni los artificios cuando se consigue dar forma a un personaje del sentido humano y la intensidad que poseen Conrad Drover o Scobie. Su peso negativo comenzará a hacerse sentir en *The End of the Affair*, que si no llega a un malogro total (en el aspecto técnico, la novela es tan eficaz como las anteriores), significa un sorprendente descenso en la inteligente trayectoria de Greene.

The End of the Affair tiene, como la mayoría de las noveles greenianas, el ritmo y la estructura de un buen cuento policial. Greene ha tenido siempre la habilidad de lanzar procedimientos clásicos, ya tradicionales, en la más insólita de las

---

[28] Otra fuente de recursos, no siempre vista, en Greene, es su humorismo. Greene no se detiene demasiado en el lado satírico de los seres, pero cuando lo hace marca para siempre al personaje. El pasaje de *It's a Battlefield* en que Mr. Surrogate acaba por odiar al ratón que frecuenta su obra maestra, o el de *The Heart of The Matter* en que Wilson y Harris juegan su campeonato de cucarachas, demuestran un evidente buen humor y además una certera vivacidad crítica.

direcciones. Ya hemos visto que en *The Heart of the Matter* Scobie prepara un crimen perfecto contra sí mismo. En *The End of the Affair* se lleva a cabo una minuciosa persecución —en la que colabora un conmovedor detective de pacotilla— sobre un tercero en discordia, sobre un extraño *culpable* que resulta nada menos que Dios. *The End of the Affair* es una novela-trampa, en más de un sentido verdaderamente ejemplar.

Pueden enumerarse así los principales trucos que usa el novelista: 1) La circunstancia de que Maurice Bendrix sea escritor, y además el narrador de la novela, permite que el lector confunda sus intenciones y opiniones con las del autor, cuando, en realidad, éstas se hallan involucradas en el diario de Sarah. De este modo, la derrota de Bendrix por el Dios de Sarah tiene más efecto, parece *una derrota a pesar de sí mismo.* 2) El triángulo Henry-Sarah-Maurice es sólo aparente. El verdadero resulta el de Maurice-Sarah-Dios. Siempre es excitante que el amante ocupe el puesto del marido y usufructúe las angustias y los celos que la literatura universal ha reservado a la castigada área de éste último. 3) La mayor parte de la novela cifra su atractivo en la incruenta lucha que libran en Sarah el deseo carnal y la presencia —primero negada, luego admitida, finalmente amada— de Dios. Sólo al final venimos a enterarnos de que el conflicto es un infundio, una especie de *tongo,* como el de esas carreras en que de antemano se arregla el resultado: cuando era niña, Sarah había sido bautizada, y ese mero hecho, ese antiguo negocio sacramental, aseguraba —a espaldas del lector— el triunfo de Dios. 4) El lector de Greene está habituado a que sea un hombre (Andrews, Conrad, Pinkie, Rowe, Scobie) el protagonista de la novela, el alma dividida. Ya hemos visto que las mujeres no vacilan, pisan firme en la felicidad o en la desgracia, son siempre de una pieza. Pero en *The End of the Affair* Sarah ocupa la vacante del hombre acosado y dudoso. Bendrix y Dios, en cambio, son fieles a sí mismos, saben lo que quieren. 5) En otras novelas Greene nos ha enseñado que sus criaturas *esperan* el milagro, no que lo presencien. Aquí en cambio asisten a él sin mayor apremio ni dificultad. El primero y menos chocante de esos milagros (la salvación de Bendrix cuando su falsa muerte en el bombardeo) explota la ambigüedad de una situación y soporta una explicación racional. El segundo y realmente decisivo en esta novela infortunadamente apologética (*literature has nothing to do with edification*[29]), es la curación de Smythe. Es ésta la primera concesión al mal gusto que hace Greene en homenaje a su fe. 6) Maurice Bendrix termina su relato con palabras de ateo (*I hate you, God, I hate you as though you existed*[30]), negando obstinadamente a Dios. Pero Greene se las ha arreglado para que, a esa altura, el lector ya esté maduro y comprenda que esa negación es sólo una forma solapada de afirmar la existencia de Dios. No puede odiarse aquello que no existe, de modo que el novelista cambia allí una mirada de inteligencia con su lector, dando por seguro que Bendrix escribe su última blasfemia de puro porfiado.

Como se ve, estas trampas no son las de siempre, sino que tocan el *fondo de la cuestión*. Aunque Greene, en uno de los más interesantes planteos del tema en *Why do I write?* haya defendido con plausibles argumentos la deslealtad del escritor, ello no le autoriza a violar uno de los postulados elementales del género novelesco y, en particular, del género policial al que ha sido siempre tan afecto: *al lector no debe escamoteársele ningún dato esencial*. Hasta ahora Greene se las había arreglado para eludir el empleo del *deus ex machina;* por eso resulta más chocante su acceso al milagro y la especial fruición que pone en ello. Es admisible y hasta aconsejable que el escritor practique un modo de deslealtad para con la sociedad, la religión, el Estado, etc., pero aun así sigue pareciendo obvio que debe permanecer leal al hecho literario si no quiere abominar de su condición de escritor.

En realidad, esta última novela parecería el comienzo de una aventura. Cuesta creer que la ágil sensibilidad de Greene le consienta embarcarse en ella definitivamente. Aun desde su posición de buen católico, Greene debería admitir que una novela como *The End of the Affair* sólo puede convencer a fe-

---

[29] «La literatura nada tiene que ver con la apologética.»
[30] «Te odio, Dios, te odio como si existieras.»

ligreses incondicionales que no se espanten ante el adulterio (con lo cual, el palmario proselitismo pierde gran parte de su eficacia) mientras que novelas como *The Power and the Glory* y muy especialmente *The Heart of the Matter* impregnaban al lector no católico de una problemática cristiana, en rigor más intensa, convincente y provocativa que toda admisión forzosa de Dios y sus enigmas.

De la propia obra de Greene puede el lector extraer su reclamo: por más que la existencia de Dios no precise salir de su arduo y gran silencio, por más que no precise justificación, el Dios que interesa a nuestra mirada inevitablemente egoísta y subjetiva, es el que está hecho a nuestra semejanza (¿no es ésta la base del poder y la gloria de Cristo?). Desde el punto de vista de su arte, es prescindible que Greene insista en justificar la presencia de Dios; aun dejando de lado otras trampas menores, su gasto abusivo del milagro no es seriamente válido. Desde el punto de vista de nuestro interés, cabe esperar que, reasumiendo su antigua actitud, colme nuevamente su hábil y humanitaria literatura con la provocación de una contingente divinidad.

(1952)

Los ásperos mundos de Angel González

«Lo bien dicho me seduce sólo cuando dice algo interesante, y la palabra escrita me fatiga cuando no me recuerda la palabra hablada.» Esta cita de Antonio Machado podría ser la contraseña de buena parte de los poetas españoles de hoy, especialmente de aquellos que irrumpieron en la vida literaria entre 1952 y 1955. Algunos integrantes de la nueva promoción (por ejemplo: Angel Crespo y José M. Caballero Bonald) publicaron antes de ese cuatrienio, pero es en esos años cuando aparecen los primeros libros de poetas como Gil de Biedma, Carlos Barral, Angel González, José Agustín Goytisolo, Jesús López Pacheco, Claudio Rodríguez, José Angel

Valente. Curiosamente, todos ellos están más cerca de Machado que de la generación del 27. En tanto que éstos empalman cómodamente con el simbolismo de Juan Ramón Jiménez, los poetas actuales, acaso con mayor calidad artística que la promoción intermedia (los de la *Antología consultada*), recogen el legado de Machado, en particular el arte poético de sus últimos años. Ya en 1960, José María Castellet, el mejor crítico de la nueva promoción usó palabras de Cernuda para señalar que los jóvenes *«encuentran ahora en la obra de Machado un eco de las preocupaciones del mundo que viven, eco que no suena en la obra de Jiménez».*

Angel González nació en 1925, en Oviedo, donde se licenció en Derecho. Fue crítico musical, viajó por Francia e Inglaterra, es funcionario del Ministerio de Obras Públicas y actualmente reside en Madrid. Su primer libro, *Aspero mundo* (1956) había merecido un año antes el *accésit* del Premio Adonais. En 1961 publicó *Sin esperanza, con convencimiento. A Grado elemental* (1962) le fue concedido por unanimidad el Premio Antonio Machado.

Los tres libros de Angel González ejemplifican, con bastante aproximación, las escalas cumplidas por la nueva poesía. *Aspero mundo*, pese a su título y a su tono desalentado, arranca de una contemplación lírica, que acaso pueda filiarse en Juan Ramón Jiménez (*«Realidad casi nube / ¡cómo te me volaste de los brazos!*), o de un monologar amoroso a lo Salinas (*«Yo sé que existo / porque tú me imaginas»*). No obstante, ya en ese primer libro González se abre paso entre sus imágenes y su amor para situarse en su lugar del mundo (*«Aquí, Madrid, mil novecientos / cincuenta y cuatro: un hombre sólo»*) y sobre todo para decir, en el mejor poema del volumen, *Todos ustedes parecen felices,* la primera versión de su conflicto con ese mismo mundo. Pero la zona dominante es todavía (*«Me voy soñando. Vengo de soñar»*) un suburbio del sueño, del encantamiento.

Mucho más tiene para decir en el segundo libro. *Sin esperanza, con convencimiento,* propone desde el título un deliberado exódo del sueño, una consciente asunción de la realidad. El mundo le incumbe, lo desafía, incluso lo aterra (*«Mun-*

do asombroso / surge bruscamente»), lo vence («*Pero yo no era fuerte y mi enemigo / me cayó encima con todo el peso de mi carne, / y quedé derrotado en la cuneta*»); pero el poeta sabe que la receta de la evasión ya no le sirve. Hay que decidirse, hay que inventariar la desgracia («*Hoy voy a describir el campo / de batalla / tal como yo lo vi*»), hay que tratar de llegar a la verdad, la propia e incanjeable: «*Permanezco en mi sitio, y vivo / —corazón asediado por el llanto— / mi hora la terrible: / la que aún no ha sonado*». El poeta sabe lo que es esperar, conoce el desgaste de esa inhibición, de ese pretexto, y por eso, en un rapto de franqueza, desgarra su propia disculpa, y califica, con amarga convicción: «*Esperanza, / araña negra del atardecer*». El sentido más hondo de esa segunda aproximación a sí mismo, no hay que buscarlo en la ingenuidad didáctica de un poema demasiado indefenso como *Discurso a los jóvenes*, sino en la serie de alusiones, directas o indirectas, a la palabra esperanza. Su ausencia es allí lo único seguro. «*Hacia la piedra regresaréis piedra*», dice, con una inexorabilidad que fortuitamente lo acerca al desfogue caribeño de Joaquín Pasos (el de *Canto de guerra de las cosas*). Pero ése no es todo el futuro. Ocho páginas antes está escrito: «*Pero el futuro es otra cosa, pienso: / tiempo de verbo en marcha, acción, combate / (...) mañana no será lo que Dios quiera*». Este es casi el único convencimiento que justifica la mitad del título: la necesidad y la urgencia de disponer de sí mismo, de desechar el futuro tan trillado y abrirse el propio; aunque se sangre, incluso aunque se muera. «*No hubo elección: / murió quien pudo, / quien no pudo morir continuó andando.*»

Si en ese libro intermedio era más evidente la ausencia de la esperanza que la presencia del convencimiento, en *Grado elemental* el poeta tiene el paso y la voz más firmes. Por una vez, sabe que irá purgando sus nostalgias o, por lo menos, compensándolas con los recuerdos negros, con el pasado nefasto. En *Penúltima nostalgia*, un corajudo poema dicho en las fauces del enemigo, el poeta se encara con el pretérito y hace balance. Por fin hay que admitir que en el tramposo ayer no hay sólo «*viejo olor a menta, la trizada / luna contra el estanque / la imposible canción que acaso nadie ya recuerda».* También hay cadáveres, y, por supuesto, asesinos. O el pasado viene en un único lote de añoranzas e infamia, o no ganará el derecho de ser recuperado. Lo urgente es lo que viene: *«Habrá palabras nuevas para la nueva historia / y es preciso encontralas antes de que sea tarde».* Si en el libro anterior la palabra clave era la esperanza, o mejor dicho el vacío que ella dejaba, en éste la clave no es una palabra sino una actitud: *«Utilicemos / la última luz para llenar los ojos / con tanta realidad abrumadora».* El poeta arroja lejos de sí su muleta romántica, su complacencia en la desesperación. *«No es bueno repetir lo que está dicho: / Después de haber hablado, / de haber vertido lágrimas, / silencio y sonreíd: / nada es lo mismo».* Por un lado, se acrecentó el convencimiento (aunque éste incluya, como en la notable *Introducción a las fábulas para animales,* la posibilidad de que el hombre, en su vejez occidental, pueda enseñar traición al zorro, ferocidad al león, inhibiciones al buey) y, por otro, se acabó la nostalgia, la enfermiza morriña de la esperanza. Después de todo, resultó que ésta no era imprescindible: se puede vivir sin ella, siempre y cuando se elija construir, se elija comprender, se elija no mentirse. Al cabo de este *Grado elemental,* quizá corresponda extraer una conclusión altamente provechosa: nadie podrá pasar a lecciones superiores mientras no sacrifique su propia demagogia ante el espejo.

(1963)

Günter Grass y su clarividente redoble

Oscar Matzerath, el protagonista de *El tambor de hojalata,* es un enano. A los tres años, decide no crecer más de noventa y cuatro centímetros, y cumple su propósito. En la misma época, encuentra su vocación en un tambor de hojalata, y a través de su vida percutirá en él, fría o apasionadamente, sus goces y dolores, sus miedos y rebeldías, su rechazo del mundo y sus insólitas, perdurables conmociones. Además de su vocación, Oscar tiene un poder: su voz vitricida, que desorienta a todos los sabuesos. Desde la cama de un sanatorio para enfermos mentales, donde ha sido recluido por un crimen del que es inocente (se reconoce, en cambio, culpable de varios otros), Oscar narra, a golpes de tambor, la historia de ese mundo absurdo que lo rodeó y lo aterroriza, que lo contuvo y lo deforma.

Günter Grass nació el 16 de octubre de 1927, en Danzig, de padre alemán y madre polaca. A los trece años dibujaba, pintaba, y hasta escribió una novelita, *Die Kaschuben,* cuyo título adelanta una de las preocupaciones de su literatura adulta. Al parecer, la infancia proporcionó a Grass, no sólo varios de sus temas sino, además, cierta cadencia inocentona de su poesía y hasta alguna introducción narrativa que incurre en una sintaxis derivada de las fábulas. Pero si su infancia le brindó presencias fabulosas, en la adolescencia en cambio lo esperaba Hitler. Grass tuvo, como la mayor parte de los muchachos de su edad, su época de Hitlerjunge y de Luftwaffenhelfer. Justamente el día del último cumpleaños que Hitler estuvo en condiciones de celebrar, Grass, que tenía sólo diecisiete años, fue herido en Kottbus. Hospitalizado nada menos que en Marienbad, fue llevado luego a Baviera como prisionero de los norteamericanos. Libre en 1946, trabajó primero como peón agrícola, luego como minero en Hildensheim. En 1947 se trasladó a Düsseldorf y allí, al igual que su protagonista, se ganó la vida esculpiendo lápidas. En 1949, se inscribió en la Academia de Artes de Düsseldorf y estudió con el escultor Mages y el pintor Pankok (ambos figuran, con otros nombres, en la novela). Hizo un poco de jazz, y mientras tanto escribía poemas y piezas teatrales bajo la confesada influencia de Rilke, Ringelnatz (seudónimo de Hans Bötticher) y García Lorca. En 1953 se trasladó a Berlín y fue alumno del escultor Karl Hartung. Allí sus poemas llegaron a manos del poeta y dramaturgo Gottfried Benn, quien reconoció el talento de Grass pero le aconsejó que se dedicara a la prosa. (Es una lástima que Benn, fallecido en 1956, no haya podido asistir a la confirmación de su vaticinio.) En 1954, Grass se casó con una bailarina suiza; un año después, fue ella la que envió, a escondidas, varios poemas del marido a un importante certamen literario, organizado por una radioemisora del Sur de Alemania. Los poemas obtuvieron el tercer premio y le valieron a su autor una invitación del célebre Grupo 47, requisito previo para que la editorial Lichterhand le publicara el primero de sus libros: *Die Vorzüge der Windhühner,* poemas. Pero ni sus libros de poemas (en 1960 publicaría *Gleisdreieck*) ni sus numerosas piezas de teatro que algunos críticos han emparentado con los absurdistas franceses, le depararon mayor éxito. Este estaba reservado para *El tambor de hojalata (Die Blechtrommel),* novela que Grass escribió en París (exactamente, en un departamento interior de Avenue d'Italie 111). El libro fue saludado como una obra maestra, y el poeta y crítico alemán Hans Magnus Enzensberger profetizó que la obra «sofocaría a críticos y filólogos durante una larga década». Desde entonces, Grass gana dinero en abundancia; a partir de 1960, reside en Berlín Occidental (en una vieja casa sin televisor ni teléfono) con su mujer y sus tres hijos; aparentemente, ha hallado tiempo y tranquilidad como para producir a un ritmo constante. En 1961 publicó *Katz und Maus (El gato y el ratón),* donde el protagonista lleva consigo una deformidad menor: su manzana de Adán tiene una excrecencia carnosa y condiciona desventajosamente su vida. En 1963, publica *Hundejahre (Años de perro),* novela monumental cuya historia ha sido construida a partir del perro ovejero Prinz, favorito de Hitler, que sobrevivió al Führer, cruzó nadando el Elba y «huyó hacia el Oeste en busca de un nuevo amo». Hasta ahora, Grass se ha resistido tenazmente a inscribir su obra dentro de una militancia política.

Creo sinceramente que *El tambor de hojalata* es la novela alemana más auténtica y poderosamente creadora de varios lustros a esta parte. Aprovechando el hallazgo argumental de dar una visión del mundo a partir de un testigo que asienta su estatura liliputiense en la frontera que separa la locura de la lucidez, Grass construye una historia en dos planos: el obvio y el simbólico. El formidable valor de esta novela reside tal vez en que ambos planos son igualmente válidos, vitales y provocativos. A diferencia de los nuevos novelistas y cineastas franceses, a diferencia de los dramaturgos del absurdo, que pretenden decir cosas trascendentes a partir de una trama abusivamente tediosa, Grass interpola sus símbolos en una peripecia que emplea sin embargo todas las provocaciones del interés; o sea que alternativamente conmueve, asombra, choca, atrae, repele, agita, deprime, entusiasma. Nunca hasta ahora había leído una novela en la que el delirio asumiera rostros y proporciones tan inquietamente verosímiles. Oscar puede ser tomado como un caso de disociación esquizofrénica, ya que en él se dan varias señales inequívocas: pérdida del sentimiento de seguridad, visión del mundo como parte de uno mismo, pérdida de la abstracción y, simultáneamente, asunción de las personas y objetos concretos como símbolos. Un paciente, ha escrito Werner Wolff, «puede creerse flor, y por tanto, regarse». Oscar decide ser (y se convierte en) enano. Es decir, que a modo de justificación de sí mismo y de defensa frente al mundo, inventa su propia metáfora: la retroactiva decisión de no crecer. «Los esquizofrénicos viven la metáfora», dice el psicólogo antes mencionado, pero el caso de Oscar sería el opuesto, o sea: la metaforización de la vida.

Lo más probable es que Grass, al crear su Oscar, haya usado sólo algunos síntomas de la esquizofrenia. Por eso el personaje no funciona como una fórmula, sino que vive de imprevistos. Por otra parte, Grass se burla ácidamente del psicoanálisis en el excelente capítulo sobre el Bodegón de las Cebollas, donde los parroquianos consumen el lacrimógeno producto para poder llorar y perder sus inhibiciones. Con todo, la posibilidad de la disociación parece haber seducido a Grass. No sólo hay dos Oscares (el Yo y el El); también hay dos padres posibles (Matzerath y Bronski); dos nacionalidades (como Danzig, y también como Grass, el enano limita con Alemania y con Polonia); dos explicaciones (el asco y la intoxicación) para la muerte de la madre; y por último, dos Alemanias, servicialmente proporcionadas por la posguerra para completar el síndrome de disociación. Todo es doble —parece decir Grass— todo tiene dos explicaciones; por lo tanto, nada es categórico ni definitivo. En realidad, Grass sacude al lector con una interrogante implícita: ¿dónde está lo absurdo, lo grotesco, lo deforme? ¿en Oscar o en el mundo? Oscar también puede ser un espejo del mundo («un espejo salvajemente distorsionado», ha escrito un crítico norteamericano, «que, al ser enfrentado a una realidad salvajemente deformada, devuelve sin embargo una imagen de un reconocible parecido»). Acaso Grass nos esté diciendo que el ser humano es un enano inerme, un ser que no cuenta en el Universo, pero que sin embargo lleva en sí mismo tres poderes: el de su voz (¿la conciencia vitricida que rompe escaparates?), el de decidir su verdadera y proporcionada dimensión (cuando Oscar decide crecer unos centímetros más, lo consigue pero se deforma) y, por último, el de expresarse por el arte (llama a su tambor: «sustituto de la felicidad»). También la humanidad lleva en sí misma una disociación, y Oscar bien podría representar ese pequeño monstruo de sinceridad que yace (contenido en su desarrollo, gibado por la hipocresía, pletórico de pavores) en el subsuelo de cada ser humano.

Para brindar y proponer este cuadro, Grass usa un admirable arsenal de recursos técnicos. Karl August Horst ha dicho de Grass: «Con maligna desvergüenza, que no retrocede ni siquiera frente a lo satánico, lo interior es aquí destripado y mostrado como algo externo». En realidad, Grass tiene una excepcional habilidad para tratar las más inconfesables y escondidas vergüenzas interiores con el mismo desparpajo que si se tratara de objetos concretos o de paisajes. Con una franqueza tan insólita que a veces provoca estupefacción, con un sentido del humor asombrosamente dosificado, Grass desarrolla el comprometido y complicado tema del sexo mediante la asunción de una actitud mental que incluye una obscenidad lúcidamente controlada y una franca deliberación en la adopción de los efectos y vocablos más chocantes. (Grass ha declarado que los efectos chocantes son simples detalles de la realidad, que deben ser descritos con igual atención, ya se trate de «una escena de amor o de un almuerzo».)

Todos los grandes momentos del libro, desde el notable capítulo de las anguilas que salen de la cabeza del caballo y luego se arrastran en la sal hacia la muerte, hasta el relato de la doble pose de desnudos (el deforme Oscar y la hermosa Ulla, como el fauno y la ninfa) están rodeados y condicionados por el sexo, pero no siempre por el erotismo. En Grass, el sexo trasciende lo meramente erótico para convertirse en un culto, en una mística, en una realidad esencial tan poderosa, tan oscura y tan honda, que junto a ella hasta los *Trópicos* de Henry Miller pueden parecer frívolos. Es curioso que un libro aparentemente obsceno, esté sin embargo traspasado por una convicción tan sanguíneamente religiosa. Oscar se reconoce a menudo católico, y es evidente que Grass extrae su asco ético, su abracadabrante agüero sobre el mundo, de una formación religiosa. Por algo, Oscar detiene de pronto su historia para decir: «Esto podría ser el punto de partida para un tratado acerca de la inocencia perdida». Quizá la más esclarecedora frase de la novela sea esta constancia de Oscar acerca de su madre; «Y es probable que de ella me venga esto de no poder renunciar a nada y de poder, por otra, renunciar a todo». Esta actitud, en otras palabras y en otro contexto, quizá podría ser llamada Pasión, claro que en el sentido de «acción de padecer». Oscar recorre su calvario, o sea su Pasión sin Muerte. Oscar padece la cuerda locura del mundo, y, desde su loca cordura, desde su delirante lucidez, hace sonar su orgulloso y frágil tambor de hojalata, su ritmo de última verdad; hace estallar en fin, su tierna soledad descabellada. Pero quizá ese loco y clarividente redoble sea apenas un acompañamiento disponible para una melodía que tal vez nunca llegue, para un canto (casi grito) que el mundo, por ahora, se niega a proferir.

(1964)

Caballero Bonald en la médula de lo real

«Nada me pertenece / sino aquello que perdí». Estos hermosos e inquietantes versos de José Manuel Caballero Bonald (Jerez de la Frontera, 1928) que figuran en su libro *El papel del coro*, publicado en Bogotá hace veinte años, podrían haber sido el pórtico de su última obra, *Toda la noche oyeron pasar pájaros*. Los personajes de esta novela se enlazan constantemente con su pasado, se traban en él; sin embargo, no acometen la ardua empresa en estado de añoranza, tal como lo hicieran, antes y después de Proust, todos los evocadores que en el mundo han sido. El deterioro del presente los agobia y a la vez los tensa. No son nostálgicos sino resentidos, como Estefanía, o derrengados, como el David Leiston del último capítulo. El pasado es sobre todo la unidad de medida que permite evaluar el presente, calcular el futuro, extraer un saldo borroso y fatal.

Es probable que, de todos los escritores españoles de hoy, sea Caballero Bonald (autor de otras dos novelas y de ocho libros de poemas) quien posea un estilo y un lenguaje literariamente más rico y a la vez, y por eso mismo, más eficaz. No hay frases de relleno; cada una es impecable como escritura y el lector puede disfrutar el texto línea a línea. Lo inesperado es que ese notable fogueo del lenguaje de ningún modo va en detrimento de la claridad. Las dudas, las ambigüedades y hasta los misterios que el relato legítimamente siembra, no provienen de oscuridades o carencias de la palabra, que siempre es diáfana, sino de la complejidad de los personajes, irremediablemente apegados a zonas secretas, a módicos arcanos que no se revelan. La otra cuota de sigilo tiene que ver con lo que deliberadamente se omite. La novela está construida con episodios salteados, que no siempre siguen un hilo conductor.

Así, hay sucesos fundamentales de la historia que no son directamente anotados; al lector apenas se le entregan sus preámbulos o sus epílogos. No obstante, y a diferencia de lo que ocurre con la técnica inaugurada por Michel Butor en *El empleo del tiempo*, aquí el lector puede hacer sus propios cálculos y virtualmente rehacer la gesta íntegra. A esta posibilidad contribuye sin duda el ámbito estrecho en que se desarrolla la sucesión de peripecias. El entrecruzamiento de la crónica doméstica de los Leiston (familia inglesa que, nunca se sabe bien por qué, abandona su Portsmouth de origen para instalarse en un puerto tal vez situado en el sur de España) con el de una primitiva y a veces turbia comunidad, va generando un clima de contradicciones y tensiones en el que va a campear la fatalidad como una bandera de desolación.

A lo largo del relato hay apuntes casi fantasmales, y sin embargo nunca aparecen desasidos del contorno. Quizá el autor, en el austero distanciamiento de sus personajes y desde la entraña misma de su escritura, quiera recordarnos que la realidad nunca puede ser totalmente despojada de sus cuotas de fantasmagoría, de inverosimilitud, de estricto azar. Los augurios asoman desde el título (frase extraída del *Diario* de Colón); en verdad, en toda la novela se oyen pasar presagios. Transcurren incluso sobre los rigurosos diálogos, compuestos siempre con indudable maestría. Los personajes no malgastan adjetivos ni incurren en pecado de facundia. De ahí que el diálogo sea la fase en que el relato prospera, el tramo en que los personajes llevan a cabo sus acometidas, expresan sus agresiones y ternuras.

El diálogo registra las inminencias y las secuelas, pero es también la única parte visible de una gran masa de hielo flotante. Gracias al diálogo pueden deducirse algunas profundidades, pero otras, quizá las más, permanecerán para siempre ocultas. El narrador es un distante testigo, que aparentemente conoce algunos ramales de la historia, e ignora otros, o simplemente decide omitirlos. Caballero Bonald, al salir airoso de los riesgos y las trampas de un realismo demasiado textual, participa de otro realismo, más hondo y veraz, un realismo que no sólo incluye las apariencias, la cáscara de los hechos, sino también el sueño y la médula de lo real. Pero lo cierto es que todo ese mundo imaginario y veraz, todo ese rastro de memoria y presagio, tiene asegurada su validez porque se apoya en una de las escrituras más disfrutables y plenas de la actual narrativa española.

(1981)

Marguerite Duras o la pasión a distancia

Hay frases que de alguna manera se instalan en la memoria. Por ejemplo, la que me dijo, allá por 1966, un ejecutivo de la editorial francesa que en su momento había promovido a los autores de la llamada *novela objetiva*: «Se acabó el *nouveau roman*». Lo dijo con angustia y probablemente era cierto, pero yo entonces escribí que, si bien me parecía exagerado el halo de prestigio que había rodeado al sacralizado objetivismo, también me parecía prematuro decretar sin más trámite su defunción. Ya en América Latina se había dado el caso (a diferencia de España, que adoptó la receta francesa con excesivo respeto) de un aprovechamiento parcial, pero beneficioso, de ciertos aportes técnicos del *nouveau roman*. Sin caer en la retórica de un Robbe-Grillet, ni en el puntillismo de un Claude Simon, ni en la congelación de un Michel Butor, varios novelistas latinoamericanos emplearon, a veces en capítulos y aun en párrafos sueltos, algunos hallazgos del *nouveau roman*. No fueron esclavos de la fórmula, y eso probablemente los salvó. La técnica objetiva, en vez de empobrecer su ritmo narrativo, lo enriqueció. Sin embargo, allá por los sesenta Robbe-Grillet nos había dejado con la boca abierta en nuestra provinciana Montevideo cuando señaló que en una novela como *L'étranger*, de Camus, el empleo del pretérito imperfecto era más importante que la historia narrada. Sabíamos que no era cierto, claro, y por eso cerramos rápidamente la boca, pero de todos modos nos encantó el desparpajo.

Este rescate del pasado viene a cuento porque ahora llegué a París en el preciso instante en que dos de los más relevantes premios literarios eran concedidos a dos libros escritos por mujeres: *L'amant*, de Marguerite Duras, y *La place*, de Annie Ernaux. Marguerite Duras había sido, junto con Nathalie Sarraute, el lado femenino del *nouveau roman*. Los dos libros premiados tienen (y la publicidad se encargó de recordárnoslo) un obvio ingrediente autobiográfico. Debido tal vez a mis viejos prejuicios, preferí comenzar la lectura por Annie Ernaux, que al menos era una escritora joven, nacida en Lillebonne, o sea en provincia, con tres libros anteriores (que no conozco) en su bibliografía activa. No obstante, pese a mi buena disposición, la decepción fue grande. En *La place* la narradora, a partir de la muerte de su padre, evoca su relación personal con este personaje, que tiene un escaso interés para el lector. Uno comprende aquel discreto amor filial, no menos discretamente correspondido, pero la verdad es que está desarrollado con una sobriedad tan excesiva que casi siempre linda con el tedio.

Ah, pero la sorpresa fue Marguerite Duras, es decir esta Marguerite Duras de 1984, que de ser una escritora (y también cineasta y autora teatral) siempre bien acogida por la crítica pero de una repercusión fatalmente minoritaria, pasa a escribir, seguramente sin proponérselo, una obra de éxito rotundo que, antes aún de obtener el Goncourt, ya venía ocupando por largas semanas el primer puesto en la nómina de *best-sellers*.

Confieso que tengo importantes lagunas en mi bibliografía *durasiana*, pero de lo leído hace años recuerdo la extraña impresión que me causara *Le square*, donde el diálogo despojado funcionaba a la perfección, y también creo haberme preguntado por qué tendíamos a incluir en la *narrativa* algo que deliberadamente *no narraba*. Por la misma época leí otros de sus libros y hallé que, en ocasiones (por ejemplo, en *Les chantiers*) dos personajes, con el pretexto de una obra en construcción, hablaban y actuaban, pero lo hacían *inhumanamente*. O sea que cuando los personajes hablaban y actuaban *humanamente*, como en *Le square*, la obra se congelaba como narración, y en cambio, cuando el relato funcionaba narrativamente, como en *Les chantiers*, los personajes se deshumanizaban hasta casi desintegrarse.

Por cierto que en *L'amant*, pese a la carga autobiográfica de la obra, Marguerite Duras (nacida en Giadinh, Indochina, el 4 de abril de 1914) recupera lo mejor de la técnica objetiva para narrar el encuentro de una adolescente de 15 años (que es ella misma) con un rico comerciante chino, que le lleva diez años. El sitio, que es Saigón, tiene cierta importancia, pero no demasiada. La autora no se distancia aquí de un objeto sino de la pasión física. Mientras Robbe-Grillet dedicaba en *La ja-*

lousie un considerable número de páginas a describir un insecto aplastado en la pared, la Duras usa el distanciamiento objetivo para mostrar (sin juzgarlo) el despertar de su propio deseo. En un excelente reportaje publicado en *El País*, de Madrid, firmado por Ana María Moix, Marguerite Duras niega que *L'amant* sea una confesión, ni siquiera una historia amorosa: «La protagonista no busca el amor, busca el deseo, un deseo más fuerte que ella misma. Y busca su libertad.»

La obra tiene sin duda un raro atractivo para cualquier lector, y estoy convencido de que esa *operación seducción* se basa en un rasgo muy peculiar pero muy concreto: la historia de la mutua conquista de los cuerpos es narrada por uno de los participantes (la adolescente), pero el relato está escrito, no desde la óptica de la pasión o el deslumbramiento sino con el distante objetivismo de un *testigo no implicado*. Y ése es un proceder al que el lector no está habituado. Las historias de amor suelen ser contadas de dos modos: en tercera persona, por un narrador no demasiado comprometido en los placeres y penurias de los amantes, o en primera persona, cargada de subjetividad, por uno de los amantes o alternativamente por ambos.

El hecho de que en esta obra la protagonista relate su propia experiencia con un extraño desprendimiento, desacomoda (y a la vez seduce) al lector, sobre todo porque la adolescente cuenta a veces en primera persona y de pronto pasa a la tercera. Es un organizado vaivén que no ocurre de un modo arbitrario. Cuando el *yo* de la protagonista va creciendo de temperatura, pasa abruptamente a la tercera persona (o sea que recupera la distancia), pero esa «ella» no es la narradora sino otra vez la adolescente. Y es quizá en esa tercera persona donde el relato adquiere una jerarquía de la piel, una poética del tacto y una creación del goce, todo tan esplendorosamente logrado que se resuelve en una tensión poco menos que insoportable.

Se me dirá que Marguerite Duras puede hacerlo ahora, porque han transcurrido más de cincuenta años desde que tuvo lugar la relación verdadera, pero lo curioso es que, a pesar de la distancia objetiva y de la estricta economía verbal, la autora narra los hechos como si fueran contemporáneos de su escritura. Es decir: testigo no implicado, pero concurrente. No se lo contaron sino que lo vivió. Tampoco dice la historia propia como si fuera ajena, o como si no le hubiera importado antes o no le importara ahora; simplemente la narra de una manera *convulsiva y dulce* (los certeros adjetivos son del crítico francés J. J. Brochier), sin llorar ni callarse, pero dejando literaria constancia de cómo eran sus llantos y silencios. Tal vez por eso Marguerite Duras tenga razón cuando niega que la historia de *L'amant* sea autobiográfica o confesional, ya que, como autobiografía, la anécdota está remota, poco menos que enterrada en el pasado, en tanto que como escritura, está cerca, es creación rigurosamente actual.

Después de todo, es factible que el *nouveau roman* esté acabado, pero en cambio es seguro que, a sus 70 años, Marguerite Duras esté más viva que nunca. Sólo alguien muy lleno de vida puede aventurarse en semejante gramática de los cuerpos, y, sin hacer una sola concesión, lograr que miles y miles de nuevos lectores necesiten incorporarla a su cultura.

(1984)

DATE DUE

MAY 0 3 1996

NOV 0 6 2001